La memoria

1160

DELLO STESSO AUTORE

Questa non è una canzone d'amore
Dove sei stanotte
Di rabbia e di vento
Torto marcio
Follia maggiore
I tempi nuovi

Alessandro Robecchi

I cerchi nell'acqua

Sellerio editore
Palermo

Questo volume è stato stampato su carta Palatina prodotta dalle Cartiere di Fabriano con materie prime provenienti da gestione forestale sostenibile.

Robecchi, Alessandro <1960>

I cerchi nell'acqua / Alessandro Robecchi. – Palermo : Sellerio, 2020.
(La memoria ; 1160)
EAN 978-88-389-4050-7
853.92 CDD-23 SBN Pal0323784

CIP – *Biblioteca centrale della Regione siciliana «Alberto Bombace»*

I cerchi nell'acqua

«Ma lasciami ancora, lasciami riflettere,
solo un po' e basta. Un momento».
«Qua il tuo cuore, ragazzo».
«Un momentino».
«Guarda che vengo a prendermelo io».
«Un momentino».

A. DÖBLIN, *Berlin Alexanderplatz*

Nessuno sa correre così metodicamente, i piccoli passi come un metronomo, salone-cucina, dietrofront, altro viaggio, cucina-salone, ancora, tic-tic-tic, senza un movimento sbagliato, senza sbavature, sembra un esercizio di ritmica, e di perizia.

Invece Katrina non se ne accorge nemmeno, frantuma nel suo viavai la conversazione in corso, o la ricostruisce, con la Calamita Santa, Miss Universo Lady Madonna di Medjugorje, incollata al frigo, che la guarda e la capisce. La compiange, tenerezza magnetica, anche quando lei dice: «Signor Carlo sempre ultimo momento!», sospirando come forse si fa in Moldavia, dalle sue parti, tipo un treno a vapore che frena nella neve.

Nelle sue vesti di vivandiera, governante, chef, assistente sociale e guardiana della moralità del padrone di casa – un'autoinvestitura, questa – insomma nel suo ruolo elevatissimo di Mary Poppins, può permettersi il brontolio costante come un benefit aziendale. Ad alcuni danno la macchina, o la tessera della palestra, lei si prende il diritto al mugugno biblico.

Così quando Carlo Monterossi compare nel grande salone, fresco di doccia, coperto da un campionario di asciugamani come un antico romano alle terme, lei non lo guarda nemmeno. Visione laterale, istinto delle grandi pianure, vibrisse.

«Signor Carlo non bagna per terra».

Gentile come un punteruolo da ghiaccio.

Signor Carlo, che torna in camera a vestirsi, l'ha avvertita solo questa mattina, anche se la data è fissata da giorni. Si sente in colpa, sì, ma non esageriamo, è una cena per quattro persone, mica lo sfondamento delle Fiandre sotto il fuoco nemico. Può tenergli il muso così?

Carlo Monterossi, la camicia azzurra ancora fuori dai pantaloni, due cravatte in mano, si ripresenta per fare pace. Sul tavolo in marmo della cucina, e su tutte le superfici lucidissime, brillano piatti ricolmi di mirabilie cucinate o da cucinare, vaschette di verdure colorate, le pentole borbottano sul fuoco, il forno è acceso, c'è un'aria di accurata abbondanza, di ricerca della perfezione, un profumo di casa.

«Sì, niente male per uno spuntino». Sorride. Mostra le due cravatte come per chiedere un consiglio.

Un colpo d'accetta in un tronco di betulla è tutto il sorriso che Katrina sa offrire al momento. Ma lo fa quasi nascondendosi, senza smettere quel suo andirivieni sistematico, da documentario sulle formiche. Lancia un'occhiata alla Calamita Vergine come per scusarsi dell'interruzione.

«Signorina Bianca, anche, viene questa sera?».

È il suo modo di accertarsi che l'inferno non ci inghiotta.

Già è peccato grave così, senza sacramenti e senza regole, con signorina Bianca che arriva o se ne va nel cuore della notte, signor Carlo che la tratta come la sua ragazza, ma poi ognuno a casa sua... e Dio solo sa le turpitudini che fanno quando stanno insieme... Ma almeno che sia una, la titolare della cattedra, una sola. Limitiamo i danni, magari laggiù dai lussuriosi metteranno il girarrosto a una temperatura più mite, quando sarà il tempo.

«Sì, signorina Bianca viene quando può, gli altri verso le otto».

«Allora quella», dice Katrina indicando la cravatta blu, una seta finissima con piccoli ghirigori gialli.

Carlo aveva scelto l'altra.

Si era raccomandato di non esagerare, ovviamente. Sono vecchi amici, non mettiamoli in imbarazzo, non viene il Re del Belgio, e nemmeno i Thurn und Taxis, mangiamo qualcosa per chiacchierare un po'. Così ora, invece del pranzo di nozze del Faraone c'è in preparazione solo un modesto banchetto neroniano, con decine di piccole portate, piattini, sculture di pesce crudo, arrosti, salse, contorni, frutti di ogni terra, dessert.

Poi è venuto il momento del corso intensivo, la maestra severa e l'alunno scemo.

Signor Carlo scalda pesce così, signor Carlo spegne fuoco un po' prima, signor Carlo... Apprensiva. Lui che annuisce distratto, apre una bottiglia di bianco e se ne versa due dita, mentre Katrina esce, torna alla sua guardiola, giù al piano terra, e ai suoi altarini, alle sue preghiere devote e moldave, misteriose, magiche, alla prima serata di Raiuno.

Lui, invece, Carlo Monterossi, si sistema in un angolo del salone, su uno dei divani bianchi, attraversa tranquillo quel tempo disabitato, quella bolla di vuoto che si crea quando aspetti qualcuno, è presto, e l'attesa è una faccenda pneumatica.

Invitare a cena Tarcisio Ghezzi e la sua signora era stato un gesto ovvio, quasi naturale. A parte la simpatia personale, quel vecchio poliziotto che sembra filosofo e cane da tartufi, monaco zen e maestro d'intuito, gli aveva salvato la vita, una volta, letteralmente, comparendo vestito da barbone in una soffitta del quartiere Corvetto, la pistola spianata, niente di più e niente di meno. Poi si erano incrociati in altre occasioni, altre indagini, altri casi assurdi. Ma l'ultima volta era rimasto qualcosa in sospeso, come un sapore in bocca che non se ne va.

Ghezzi aveva una sua battaglia personale, un torto da raddrizzare, e il Monterossi l'avrebbe aiutato con i suoi potenti mezzi, cioè la tivù, le urla fino al cielo di Flora De Pisis, il paese assiepato sulle gradinate del proprio baratro culturale per vedere, almeno una volta, l'ipocrisia smascherata in diretta.

Una faccenda di giustizia mancata e di televisione, che sapeva anche un po' di ghigliottina e tricoteuses.

Non era successo, i piani alti e altissimi non avevano gradito, gli avvocati avevano sconsigliato, volavano come missili i ma-chi-te-lo-fa-fare degli amici, e infine era arrivato il timbro della Direzione Centrale Generale Mondiale, insomma del padrone, l'elitrasportato dottor Calleri, che aveva detto: no. Insomma, niente. L'Azienda aveva vinto, Monterossi aveva perso, Ghezzi non aveva avuto la sua vendetta.

Erano passati mesi e quel sapore in bocca, non insopportabile, ma non gradevole, persistente, non se ne andava. Carlo aveva chiamato Ghezzi per spiegare, giustificarsi, Ghezzi aveva detto che non c'era davvero motivo, con quel tono di chi sa come vanno le cose del mondo.

Dunque il chiarimento, se c'era qualcosa da chiarire, era una formalità consumata, e nonostante ciò Carlo aveva gettato lì l'invito a cena, perché voleva qualcosa di più di quel «Vediamoci» generico e sfuggente che a Milano significa: «Sì, quando ho tempo, magari mai».

Ora tutti i trucioli formali sono stati piallati via dalla serata, l'aria si è fatta allegra e scanzonata.

La signora Rosa, coniugata Ghezzi, mortificata per non aver portato niente, ordine tassativo del marito, né fiori né cioccolatini, ha fatto un giro ammirato per l'appartamento, soffermandosi con la testa inclinata sugli scaffali delle librerie, un vero esame.

Bianca Ballesi è arrivata alle otto e mezza, trafelata come la sua vita impone, ma fresca e fragrante, brillante nel suo sorriso, solare. Ha salutato, risposto a due mail con il telefono, aiutato a portare in tavola il ben di Dio che li attendeva, conversato amabilmente, ragguagliato Carlo sugli ultimi pettegolezzi del programma maledetto *Crazy Love*, sulle mattane di Flora e sulle tendenze ideologiche in atto là, nella Stratosferica Tivù Commerciale, la Grande Fabbrica della Merda. Poi aveva azzannato un gambero crudo, bevuto un sorso di champagne e sorriso con gli occhi splendidi, marròn.

Tutto insieme e tutto benissimo, in scioltezza.

Troppo viva e multitasking per essere un amore ottocentesco, ha pensato Carlo, eppure anche lei era corsa a salvarlo, al momento giusto, e quando strizza quegli occhi che ridono a Carlo sembra sempre di ascoltare per la prima volta *Absolutely Sweet Marie*, una piccola scossa beat.

Delle cose da chiarire, da spiegare, si è parlato pochissimo.

La signora Rosa è avida di dettagli sul mondo della tivù, e in particolare su Flora De Pisis. È una donna intelligente, la Rosa, non si accontenta dei lustrini e della fucilazione del pudore, dei ricamatissimi racconti di corna, del voyeurismo di massa, della cronaca nera e rosa e rosé. Lei vuole la seconda lettura, il lato ideologico, sociologico, umano, troppo umano: vuole sapere cosa spinge una persona normale ad andare in tivù a raccontare i cazzi suoi, ma lo dice meglio di così, gentile, curiosa.

Bianca Ballesi cuce una sua trama di aneddoti e riflessioni, un dire onestissimo, senza veli, sul suo lavoro, sull'impasto perfetto di bugie per poveri e dividendi per ricchi, su Carlo che vuole e può staccarsi da quella schifezza di programma, di lei che invece non può, ingranaggio della macchina.

Qui si è inserito Ghezzi, rivolto a Carlo:

«Già, perché non ne esce, lei che potrebbe?».

Una domanda apparentemente innocente che era sembrata un'entrata un po' rude, come un'accusa, non abbastanza da increspare l'aria e turbare l'atmosfera, ma sufficiente a mostrare una certa insofferenza del sovrintendente. Ora che la cena scorre, Carlo lo osserva meglio. Ghezzi sembra distante, come seccato, come se provasse un fastidio. Insofferenza, sì.

Per cosa, per chi? Aveva ancora qualche scoria di quella faccenda che sembrava chiarita? O c'è dell'altro?

Le donne restano lì, sedute a tavola, a chiacchierare.

Carlo Monterossi e il sovrintendente Ghezzi si spostano sui divani, due minuti e arriva il caffè.

E il Falcone? E la Cirrielli?

Carlo lo ragguaglia sulle ultime notizie: l'agenzia va bene, la Cirrielli si è ambientata subito a lavorare da privato, la polizia non le manca per niente, e i due hanno un buon rapporto, da colleghi, paritario. Dopo il primo caso insieme, Oscar Falcone le ha offerto una quota e lei ha accettato, ora sono soci. Carlo fa il suo risolino ironico numero due:

«Voi avete perso una buona poliziotta, Ghezzi, e io non servo più a niente, nemmeno come Watson del mio amico Sherlock Holmes».

Il sovrintendente Ghezzi ha riso anche lui, ma piano, come la smorfia che fa un ferito.

Carlo porta i caffè, le signore lo bevono a tavola, ridono tra loro.

Carlo torna da Ghezzi. «Venga con me», dice, ed esce dal salone.

Ora sono nello studio piccolo, un salottino accogliente con poltrone, un divano, le librerie attorno, seduti con soltanto una lampada accesa vicino al mobile, accanto a un reggimento di bottiglie in parata. Ghezzi ben piantato su una poltrona di cuoio, morbida, consumata, Carlo su un divano, le gambe allungate, i piedi su un tavolino.

«È lo stesso che mi portò quella volta?», chiede Ghezzi. Si rigira per le mani un bel bicchiere da whisky, con due dita di liquido color della paglia al tramonto.

Qualche anno prima Ghezzi aveva scritto, e addirittura firmato, una lettera di dimissioni, usciva da un brutto caso, si sentiva schiacciato da una colpa, la Rosa aveva le lacrime agli occhi ma non aveva tentato di fermarlo. Poi era arrivato Carlo Monterossi con una bottiglia di whisky di quello che beve lui, costoso e buonissimo, aveva letto la lettera e gliel'aveva strappata sotto il naso.

«No, questo è un altro, forse migliore...».

«Le spiace darmi quello là, se ce l'ha, Monterossi?».

Ma guarda.

Il sovrintendente Ghezzi e le sue madeleine single malt.

Sì, giusto, se c'è una cosa che Carlo capisce sono le

ossessioni. Ma non se lo aspettava così, il Ghezzi, sembra distratto, sulle sue. Un convalescente, ecco.

C'è come un'intimità, sarà la luce, la musica che arriva a piccole folate confuse attraverso i corridoi dell'appartamento, sembrerebbe Rachmaninov, ma quando è Bianca Ballesi che maneggia lo stereo non si può mai sapere, può sbucare all'improvviso un fox trot, o una morna di Capo Verde. E poi le chiacchiere delle donne che arrivano anche loro a sprazzi, risate sincere e di cortesia. Hanno vite così diverse, la Rosa e Bianca Ballesi, che è l'incontro di due mondi. Lì, davanti alla tavola ancora apparecchiata, con gli uomini di là che si dicono le loro cose, non c'è diffidenza, le distanze sono annullate, c'è solo un parlare piano, delle vite, delle cose che piacciono, che non piacciono.

E c'è il bruciore del whisky sulla lingua.

Manca il caminetto, la stufa in maiolica, e sarebbe un romanzo russo, il vecchio funzionario, il nobile annoiato, la conversazione sui massimi sistemi, tutto è pace, c'è un'attenzione speciale, un piccolo piano inclinato di ombra e di tempo che permette domande altrimenti impensabili.

Il mondo sembra così lontano da lì... migliaia di verste, distese bianche, steppa. Sembra il momento giusto.

«Le devo delle spiegazioni, Ghezzi, pensavo fosse possibile fare un po' di giustizia, ma non me l'hanno permesso».

«Perché si scusa, Monterossi?».

Già, perché si scusa? Perché si sente sporco, ecco perché. Lo dice, ma in cambio non riceve quella complicità che si aspettava.

Il sovrintendente Ghezzi ha sbuffato, ha guardato nel suo whisky come per cercarci qualcosa, e non ha detto niente.

Ma Carlo voleva scusarsi lo stesso.

Ora ci gira un po' intorno. Dice qualcosa su di sé e il suo posto nel mondo, la sua vergogna di partecipare a quelle porcherie televisive remunerate in denaro contante, e sonante, e tanto. Aiutare il sovrintendente Ghezzi, spezzando una catena di arroganza e impunità, sputtanando colpevoli che si atteggiavano a vittime dall'alto della loro posizione sociale, gli era sembrato una specie di riscatto, una rivincita che si sposava al suo senso di giustizia.

Macché. Non c'era riuscito, e lui aveva lasciato Flora De Pisis e i piani alti sbattendo la porta, offeso, sconfitto...

Nella luce morbida del salottino, tra gli angoli netti o sfumati delle ombre, è il momento delle confessioni, dell'autodafé. Carlo... sì, lui aveva inventato il programma, aveva avuto quell'idea per provare a guardare nelle vite reali, la gente vera, come si dice ora?, il popolo. Ma da quell'impasto di popolo e tivù, di vite vere e finzioni «pettinate» e confezionate per la messa in onda, di dolori oscenamente esibiti, tra uno spot e l'altro, era uscita una sentina di bassezze, di meschinità, piccole viltà incrociate, di voglia di apparire, di dolori in vendita, inventati per fare ascolti. Tanti ascolti. Tanti soldi.

Parla piano, ci mette dell'ironia, certo. Ci mette del sarcasmo. Ma quello è: Carlo Monterossi racconta le sue sconfitte, una confessione che diventa un piccolo sfogo di autocommiserazione, e si aspetta che Ghezzi lo ascolti e lo benedica. Che capisca, almeno.

Invece no.

L'insofferenza di Ghezzi, il suo silenzio, ora diventano stizza, una stizza che decide di non trattenere, si vede che la sincerità si è impossessata della serata, ha preso degli ostaggi, li ucciderà a uno a uno.

«Non esageri, Monterossi, non mi reciti il *Faust*, l'anima, il diavolo e tutte quelle cose da professori. Se va avanti così tra poco sembrerà il signorotto di campagna che si lagna dei braccianti».

Carlo fa per rispondere. Non se l'aspettava una reazione così tagliente. Ma Ghezzi ora che ha cominciato non ci pensa nemmeno, a fermarsi.

«Che ne sa, lei, di quello che c'è là fuori, Monterossi? Parla di ingiustizie e di miserabili come se li avesse visti davvero. Ma non è così. Lei ne fa caricature, Monterossi, lei non sa davvero cosa c'è là fuori, cosa sono le vite in sospeso, le botte, le umiliazioni, la lotta incessante per la sopravvivenza. La roba, Monterossi, i soldi, il potere, il comando, e quelli che chinano la testa, che lavorano ai margini, che ambiscono alle briciole, e a volte per le briciole sono capaci di ammazzare».

«Ne fa una questione di classe, Ghezzi? Lo sbirro di strada che fa la lezione al borghese benestante? Sì, ci sta... ma non la faccia troppo semplice, non mi deluda».

«Invece è tutto semplice, Monterossi, mi creda. Guardi...».

Fa un gesto con la mano ad abbracciare quel salotto elegante, quella casa intera, compreso il ben di Dio che hanno mangiato, i liquori costosi. Forse intende addirittura il quartiere, o Milano, a quelle latitudini di reddito, i mobili lucidi, le buone letture, il parquet antico, le idee ragionevoli e progressiste indossate come giacche comode. Lo fa come se mostrasse un mondo intero, e forse lo mostra veramente con un semplice movimento delle braccia.

«La vita le ha dato degli ottimi airbag, Monterossi, lei non deve temere gli urti, non sa cosa vuol dire scivolare in basso, lei non si farà male. Lei è di quelli che vincono, in un posto costruito, oliato e organizzato per quelli che vincono. Là fuori è diverso, sa? I miserabili ci sono davvero, non è letteratura, o cinema. Non c'è niente da pettinare per la tivù... Ci sono vittime e ci sono carnefici, e povera gente che se la cava, e pezzi di merda che comandano, ogni giorno, ogni minuto, cadono, si rialzano, o non si rialzano, o prendono altri colpi, o ne danno».

Carlo è quasi sgomento. Cos'è quell'impennata, quello sfogo?

«Lei mi propone una causa nobile, Monterossi, ma io la sua causa nobile non la capisco. Io ho solo storie ignobili con cui sporcarmi le mani».

Si è guardato una mano, in effetti, alzandola davanti agli occhi. Nell'altra ha il bicchiere, e la tiene sul bracciolo. Così nella stanza si era creata una strana ombra, come se il gioco di luce provocato da quella mano che il Ghezzi ha alzato avesse qualche significato nascosto e minaccioso. Dev'essersene accorto anche lui, che ha abbassato la voce quasi in un sussurro che forse voleva essere di confidenza.

«Si sente sporco, Monterossi?». Carlo fa per parlare, ma lui lo zittisce con un gesto. «No, mi lasci finire. La sua è una sporcizia elegante, tutta intellettuale, che si lava. Quella che vedo io no, non si lava, non c'è niente da fare, è una cosa che unge, che corrode... E allora sì, ti sporchi, fai cose che non dovresti fare. Per frustrazione, per compassione, perché è giusto, perché ne hai viste troppe, perché si sporca un tuo amico... E lei si sente sporco? Cosa cerca, comprensione? Si metta in fila, Monterossi, perché c'è grande richiesta, e anche gente che sta in coda da un sacco di tempo, e ci starà per sempre».

Carlo capisce che la distanza è incolmabile, siderale.

Ghezzi sembra placato, scuote la testa, come se ridesse di sé, di quelle cose che gli sono uscite di getto.

Ora c'è solo silenzio. Carlo si alza, prende le due bottiglie e le mette sul tavolino, poi si riaccomoda, come se non ci fosse niente da dire.

E a quel punto il sovrintendente di polizia Tarcisio Ghezzi, di anni sessanta, quasi quaranta di onorato servizio, sposato con Rosa, niente figli, zero carriera, tanti chilometri per poco reddito, ha cominciato a parlare.

La rabbia se n'è andata com'era venuta, lui bagna appena la lingua nel suo bicchiere, come a trattenere il più possibile la piccola esplosione gloriosa di quel liquido magico. Sì, se lo ricordava così, come deglutire oro e velluto.

Il bene, il male? Il dolore? Sporcarsi?

Si è messo comodo, ben piantato nel cuoio invecchiato della poltrona, come per fare un discorso di cui non si vede la fine.

E Carlo si è allungato meglio sul divano, come pronto a sentire una storia.

Perché forse è così che bisogna fare, ogni tanto, nella vita: sedersi, non dire nulla, ascoltare.

Uno

È una parte della città che non gli piace. Troppa aria, troppo aperta.

Fatto lo slalom di curve a Roserio, passato il ponte sull'autostrada, superato l'ospedale, poi è tutto dritto e vuoto. È vuoto anche il parcheggio, e lui si sistema in fondo, con il muso verso l'uscita, già pronto per partire.

Non piove ancora, ma c'è una piccola brezza che dice che potrebbe, chissà, vediamo, il sole resiste e si sporge ogni tanto, come per chiedere, informarsi, ehi, come va?

La macchina puzza di fumo vecchio e cane bagnato, a volte Carella pensa che quello sia l'odore della polizia. Abbassa il finestrino e guarda verso l'ingresso del carcere, in realtà sembra un cancello normale, e l'ingresso è un prefabbricato dall'aria poco solida. È pieno di telecamere, questo sì, ci mancherebbe.

Carella aspetta, sono le nove e dieci.

Alle dieci meno qualcosa esce una guardia e si avvia nel parcheggio semivuoto, verso di lui. È ancora distante qualche metro e ha già cominciato a fare segni con le mani: non si può stare qui...

Quando il tizio è arrivato alla portiera, Carella gli mostra il distintivo:

«Fatti i cazzi tuoi, collega». Però lo dice sorridendo, faccia da schiaffi.

Non è un vero collega, perché questo qui è della polizia penitenziaria, ma insomma, dovrebbe capire il messaggio.

«Gentile. Aspetti qualcuno?».

«Può darsi. A che ora escono, quelli che escono oggi?».

«Non c'è un orario, dipende se vogliono sentire il discorsetto del direttore o se ne fottono. Quasi tutti se ne fottono. Sono delinquenti, non sono mica matti».

Carella tace.

«Comunque di solito entro le undici li buttiamo fuori, com'è che si dice, ci servono le stanze».

«Va bene».

La guardia aspetta che ci sia qualcos'altro da dire, ma capisce di no, quindi si gira e torna da dove è venuta, con un passo indolente e stanco. Torna in galera, c'è da capirlo.

Carella aspetta.

Non ha senso stare lì. Però è un po' che ci pensa, e il giorno di oggi, 7 settembre, ce l'ha scritto nel calendario da un pezzo. E poi ci pensa più spesso, anzi, quasi sempre. Così è venuto a vedere, anche sapendo che da vedere non ci sarà niente, che se ne andrà da lì con in bocca lo stesso sapore con cui è arrivato. Niente di buono.

Alle dieci e quaranta esce un vecchietto. Ha una borsa da palestra, pare pesante. Si guarda intorno e respira col naso all'aria, poggia la borsa a terra e si accende una sigaretta. Passa un minuto e arriva una macchina, scende una donna grassa che lo abbraccia in fretta, quasi lo strattona, salgono e partono subito, se c'è una cerimonia la faranno dopo, non lì davanti alla galera.

Alle undici e dieci, eccolo.

Esce con un sacchetto nero in mano. All'inizio mette fuori quasi solo la testa, annusa l'aria, come fanno i topi nella tana. Poi uno slancio ed eccolo fuori, nel sole che va e viene. Fa una telefonata, passeggia su e giù, non nervoso, ma impaziente.

È ingrassato, pensa Carella, forse rammollito, ma forse no, da quella distanza non riesce a vedere se la circonferenza è grasso o muscoli, e sa che le palestre delle prigioni possono fare miracoli, a uno che decide di restare vivo.

Alessio Vinciguerra, poi, l'aveva visto solo in foto, e ora invece è lì. Grosso, biondo di un biondo bianchiccio, occhiali a goccia, la giacca di una misura inferiore alla sua, scarpe lucide. Trentanove anni. Ne aveva trentaquattro e mezzo quando è entrato, ed ora eccolo di nuovo libero.

Carella si figura tutte le cose che un uomo può fare dai trentaquattro ai quarant'anni, e pensa che quello lì con il sacchetto nero e il telefono in mano non le ha fatte, e quindi vorrà farle subito, forse tutte insieme.

Arriva una macchina, la guida uno che sembra un ragazzino. Niente cerimonie, l'autista non scende nemmeno, fa una piccola manovra, il Vinciguerra sale e partono subito.

Carella prende la targa e li lascia andare, girano a sinistra, fuori dal parcheggio, poi li perde dietro un angolo, ma sa che andranno a destra, verso la città.

Ora mette in moto anche lui, guida pianissimo, senza forzare le marce, quasi senza guardare. Pilota automatico.

Non è successo niente, nessuna emozione particolare, nessun trasalimento. Carella si sorprende di sentirsi tranquillo, rilassato, pronto.

Ho fatto bene a venire, si dice, fatto bene sì, tre ore spese bene. Perché adesso che l'ha guardato, 'sto Vinciguerra, che l'ha visto piegarsi per salire in macchina, che l'ha visto camminare per pochi metri, è come se avesse preso le misure. Ma soprattutto è come se i preparativi infiniti fossero finiti di colpo. Fantasie, pensieri, desideri. Piani campati per aria. Tutto qui? Uno che telefona, che sale su una macchina. Ci ha pensato per così tanto tempo, e ora gli sembra solo una pratica da sbrigare, soltanto un problema da risolvere, niente fantasmi. I fantasmi non salgono su una Mercedes, non buttano un sacchetto nero sui sedili di dietro.

Vederlo uscire dal carcere di Bollate era un gesto dovuto. Nemmeno la prima mossa – Carella sa che ci vorrà tempo –, ma una prima occhiata alla scacchiera. I Bianchi, ok. I Neri, a posto.

Bene.

Posteggia davanti a un hotel di superlusso, nelle strisce riservate, zona Monforte, subito fuori dalla cerchia dei Navigli. Nell'atrio si guarda intorno, poi un uomo elegante gli si fa incontro.

«Contento di vederti», dice, si stringono la mano.

«Chissà perché», dice Carella. Battuta da sbirro.

Da quando gli ha fatto quel favore – ma perché non farglielo? – il capo della security dello Château Monfort non sa più come ringraziarlo. Una stupidaggine, un'indagine che aveva riguardato un loro ospite, un reato compiuto in una di quelle belle suite hi-tech di stucchi e marmi da mille euro a notte, Carella aveva gestito tutto in silenzio. Veloce, efficiente, coprendo anche un paio di mancanze casuali nelle procedure della sicurezza interna. Il nome dell'albergo non era uscito né sui giornali né altrove, quello della vittima nemmeno, niente foto. L'uomo, un tedesco, era stato accompagnato in questura dalla porta posteriore, niente sirene, niente luci, refurtiva recuperata. E non era una cosa scontata, qualcun altro avrebbe voluto i lampeggianti e le foto per la cronaca del *Corriere*: «Il sovrintendente Taldeitali durante l'arresto... il prestigioso albergo dei Vip». Le solite stronzate.

«Faccio un salto giù», dice Carella.

«Mi casa es tu casa», dice l'altro, e si allontana con un sorriso, elegante, charmant. Prima di lavorare all'albergo era maggiore dei carabinieri.

Ora Carella è semisdraiato su un lettino in ceramica, un triclinio, ecco, proprio un triclinio, dentro un bagno turco. Non si vede a un centimetro, l'aria nei polmoni punge. Dopo lo shock iniziale il respiro ha preso un altro ritmo. Due minuti, sei, otto. Esce dalla piccola stanza bollente e si butta in una vasca di raffreddamento. Sente la scossa, sente il colpo, il bruciore del gelo dopo il calore. Poi avvolge i fianchi in un telo da bagno dell'hotel e si sistema su una chaise longue. Si fa cullare dai rumori dell'acqua che scorre, delle cascatelle delle docce, dal borbottio degli idromassaggi. C'è solo lui, ora, una signorina giovane e magrissima se n'è andata ciabattando e telefonando mentre lui arrivava.

Chiude gli occhi. Gli serve un piano, sì. Però sente quella calma fredda che ha addosso come il segnale di un buon inizio. Calma. Calma.

Ti prendo.

Due

Va bene che la via è affollata a qualunque ora e il viavai è sempre denso di sorprese, ma una che fa avanti e indietro così, il Ghezzi la nota subito.

E non solo per quello.

Intanto fa avanti e indietro davanti al portone di casa sua, tipo guardie della regina, sei passi di qua, dietrofront, sei passi di là, dietrofront. Una signora sui sessanta, che si muove come una sciantosa, su tacchi abbastanza alti da meritarsi una seconda occhiata da qualche passante, e uno spolverino leggero lungo fino ai polpacci, che tiene chiuso con una certa voluttà. Insomma, anche se non passeggiasse sembrerebbe una passeggiatrice, come si diceva una volta, una parola elegante, a suo modo.

Ghezzi si avvicina, e proprio mentre pensa a come si diceva una volta, si ricorda che quella lì l'ha già vista. Una volta.

Ma dove. Ma quando.

E intanto ha fatto altri dieci passi verso casa, e ormai sono a pochi metri, lui e la passeggiatrice, che smette di passeggiare e gli si fa incontro.

«Ghezzi? È lei? Il commissario Ghezzi?».

«Sovrintendente», dice lui, e intanto la guarda meglio. Le rughe, le guance che cascano un po', i colori del trucco troppo forti, le labbra rossissime, i capelli biondi un po' stopposi. Poi lei sorride e lui si ricorda.

Le fossette.

Franca. Anzi, «la» Franca del Salina. La donna del bandito, che poi, oddio, bandito... Mah, sì, ecco. Una volta...

«Sono la Franca, Ghezzi, si ricorda?».

«Mi ricordo sì. Cos'era, il Novantuno? Novantadue?».

«Sì, ciao... Era il Novanta, Ghezzi... e adesso è il 2020, trent'anni, porca miseria, fa impressione a pensarci».

«E tu non pensarci, Franca. Cos'è, sei venuta a fare l'anniversario?».

Brusco. Screanzato.

Che mi succede?, si chiede Tarcisio Ghezzi, la borsa di pelle marrone in una mano, le chiavi di casa nell'altra, in piedi sul marciapiede di via Farini come il ragazzo dei bagagli che aspetta la mancia. È infuriato che qualcuno gli faccia la posta sotto casa. E va bene, la Franca, che sorpresa, ma metti che venga uno dei farabutti che incastra lui, o qualcuno che vuole fargliela pagare. Basta anche il matto con un coltello...

Non tanto per la coltellata, ma insomma, su in casa c'è la Rosa, poi si preoccupa... l'ambulanza, i medici, lei che fa il diavolo a quattro all'ospedale...

La coltellata sarebbe il meno.

Quindi è furioso, e ci tiene a sembrare secco e scocciato. Però, la Franca... trent'anni? Eh? Così tanti?
In verità lei l'aveva conosciuta dopo, o forse durante un'indagine che aveva incastrato Salina Pietro, il suo primo arresto, di anni trentasei, all'epoca dei fatti, di mestiere ladro. Lei batteva già – riceveva, come si diceva una volta – ed era la sua donna, e intanto che lei faceva le marchette lui rubava, nelle case, più che altro, ci sapeva fare con gli allarmi. Erano una bella coppia, e lei aveva quelle fossette scavate nelle guance come se lo scultore si fosse distratto un attimo e avesse esagerato con lo scalpello, ma solo mentre la statua sorrideva.
A Ghezzi, trent'anni fa, sembrava bellissima.
Ma bisogna fare la tara, pensa ora. Perché ero un ragazzino, la signorina che la dava via a pagamento, ma che era anche simpatica e innamorata del suo uomo, era una novità sconvolgente, un mistero con qualcosa di erotico, per quel che poteva capire di erotismo il Ghezzi Tarcisio di allora.
Non che adesso...
Insomma, li guardava, la Franca del Salina e il Salina medesimo, da neo-poliziotto solerte e rispettoso, aperto, democratico, e si chiedeva: sono questi qua che devo combattere? Sono questi i cattivi da mandare in galera?
Beh, certo che non si ruba, ovvio, che discorsi, ma...

Il Salina l'avevano preso grazie a un doppio allarme.
Cioè, ne aveva staccato uno con la solita perizia, ma

i bastardi ne avevano un altro. Una gioielleria in via Cenisio.

Incredibile quanto è malfidata la gente.

In più, non era la prima volta, e così si doveva fare cinque o sei anni, niente attenuanti, ma poi un qualche indulto, o roba simile, lo aveva scaraventato fuori, di nuovo nelle braccia della Franca, che ormai si era messa in proprio, senza papponi intorno, e tutto era finito bene.

Una storia felice.

Se si ricorda della Franca è perché lei, al processo, dopo la sentenza, un po' ridendo e un po' piangendo, gli aveva detto: «Ora che me l'ha messo dentro è contento, agente Ghezzi? Cosa fa, viene lei a proteggermi se mi arriva a casa il maniaco col rasoio?».

Ghezzi ricorda quella frase come se fosse adesso. Intanto per la battuta volante di un sovrintendente presente alla scena, che aveva commentato quel «me l'ha messo dentro» come si può immaginare in quell'ambiente poliziottesco, e va bene, repertorio da caserma.

Ma aveva un'altra nota, quella frase, che forse c'era e forse non c'era, ma lui l'aveva sentita. Anche con le lacrime, lei l'aveva detto ridendo, e le fossette sulle guance erano nel loro massimo splendore, umide di sale e di paura. E anche perché la frase, mascherata da accusa e rimprovero, era suonata alle orecchie del pur vigile Ghezzi-giovane come una proposta, una promessa, un velatissimo «io e te».

In qualche modo l'aveva protetta, sì.

Nel primo anno di detenzione del Salina, era passato più volte a salutare, a vedere se andava tutto bene. Ricorda, di quelle visite, un leggero, eccitante imbarazzo.

Lui in piedi: «Allora? Qualcuno ti dà fastidio? Va tutto bene?».

E lei, vestita solo di succintissime sottovesti e delle sue fossette, che lo rassicurava, parlava di avvocati, di sconti di pena, buona condotta, questo a proposito di lui. Di se stessa invece diceva che si annoiava e aveva buttato lì anche un «ma non stare lì in piedi come un poliziotto, Ghezzi, siediti qui!», battendo la mano sul lettone vicino alle sue chiappe seminude. Lui sorrideva, timido, e non si sedeva. Non che non ne avesse voglia, certo, l'età era quella giusta, per carità, ma il poliziotto e la battona, insomma... La donna di uno che aveva arrestato lui, poi!

Ricorda la penombra, un piccolo ingresso e una stanza con il letto, uno specchio gigante. Il profumo. Altri odori, per le scale, mentre se ne andava. La leggera eccitazione se la portava via con lui, evaporava già nel cortile, poi in strada.

«Cosa vuoi, Franca?».

Lei lo aveva preso sottobraccio senza dire niente, lo aveva guidato per cento metri, anche meno, fino al bar dell'angolo, e lì si era seduta a un tavolino, dentro ma vicino alla vetrina, costringendo anche lui a sedersi. Poi era semplicemente scoppiata a piangere, come se qualcuno avesse schiacciato un bottone con scritto: «piangere».

Ghezzi si innervosisce. Non gli va che qualcuno lo aspetti sotto casa. E meno ancora che gli si pianga vicino. Per cosa, poi? Vuole parlare? Vuole dire? No, piange e basta. E intanto quelli che passano fuori, che li vedono dalla vetrina, cosa vedono? Un signore seccato con la sua borsa in grembo, una signora troppo truccata che cola mascara e piange. Qualcuno gli lancia un'occhiata severa: mascalzone che fai piangere le donne, e il Ghezzi sembra quasi resistere all'impulso di uscire per strada e dire: «Oh, piange da sola, eh! Io non c'entro!».

Così sbuffa.

Ora la prende lui per un braccio. Fa segno al cameriere che se ne vanno. Una faccia da uomo a uomo che dice sul mondo e sulle donne un sacco di cose, quasi tutte sbagliate.

«Vieni su a casa, Franca, così ti lavi la faccia e mi racconti. C'è mia moglie, hai mangiato?».

«No, non ho fame... tua moglie?».

«Sì, mia moglie».

«Ma dai, Ghezzi, che sono vestita da lavoro, figurati cosa dice la tua signora!».

È passata al tu, come se essersi conosciuti trent'anni prima li rendesse intimi. «Figurati la tua signora». È vero. Ma meglio la Rosa con gli occhi fuori dalle orbite che tutti i pedoni di via Farini che lo guardano. A quarant'anni magari puoi far piangere le ragazze per delle tue doti amorose che vai a sapere, ma se le fai piangere alla mia età, pensa Ghezzi, sei solo un farabutto.

Lei smette di tirar su col naso solo in ascensore, si sistema un po', si toglie con un fazzolettino le righe nere sotto gli occhi e tenta di sorridere.

Fossette.

La Rosa apre e si trattiene. Non trasecola, non dice niente, non fa nemmeno la faccia stupita, cosa che – il Ghezzi lo sa al cento per cento – deve costarle uno sforzo sovrumano.

«Piacere, Rosa», dice allungando una mano. La Franca la stringe e dice il suo nome.

«Era qua sotto e mi deve parlare, al bar non era cosa, troppo casino», spiega Ghezzi.

Sorride di quella impassibilità che la Rosa ostenta, ma già pregusta la rivincita, perché tra un minuto la Franca si toglierà il soprabito, e allora l'aplomb della Rosa sai dove finisce?

«Hai mangiato, Tarcisio? E lei, signora?», chiede mentre si avvia in cucina.

Ora sono seduti al tavolo del salotto. C'è un piatto con dei formaggi, un po' di grissini, una bottiglia di vino, ma la Franca beve acqua, perfettamente a suo agio nella sua minuscola sottoveste azzurra che non nasconde niente del modernariato che contiene, le calze autoreggenti bianche che mostrano l'elastico appena sotto quello straccetto troppo corto. Una che sarebbe sportiva a vent'anni, sexy a trenta e invece a sessanta o giù di lì pare nuda, fuori posto... ridicola e triste.

Macché, non è giusto, pensa Ghezzi, sono io che mi

sto intristendo. Lei vedrà me come io vedo lei. Siamo stanchi, tutto qui.

La Rosa lo ha stupito. Non gli ha lanciato nemmeno lo sguardo del «Chi mi porti in casa?», anzi gentile, gentilissima, simpatia e sorellanza.

Però si sta facendo tardi.

«Dai, Franca, dimmi cosa c'è, che io ho lavorato tutto il giorno e sono stanco».

Lei fa per ripartire con le lacrime, ma poi si frena e si controlla.

«Pietro è sparito».

«Ah, stai ancora col Salina? Sparito come?».

Lei aveva raccontato che sì, stavano ancora insieme. Anche se lui non era proprio affidabile, e nel 2009 si era fatto altri trentotto mesi dentro, a Opera. Lo avevano fregato per bene, e coi suoi precedenti rischiava anche di più. Lo aveva salvato una perizia tecnica: la serratura faceva così schifo che non gli avevano nemmeno contestato lo scasso, ma il furto sì, un deposito di pellicce. Ma insomma, certo, erano ancora una coppia, lei e il Pietro Salina. Magari più amici che amanti, ma era il suo uomo, sì.

«E adesso è scomparso».

«Da sette giorni... no, otto giorni».

«E lo fa spesso?».

«No».

«E ti ha detto qualcosa prima di sparire?».

«Sì, mi ha mandato questo», dice la Franca. E gli mostra un messaggio sul cellulare, che probabilmente si rigira tra mani e lacrime da una settimana.

Ghezzi legge:

Franca vado via per un pò. Ho visto una roba che non dovevo, mica colpa mia, che sfiga. Mi faccio vivo io, non preoccuparti. Dopo ti dico, ma adesso no, adesso c'è pericolo, forse. Non lo so. Dai, ciao

Ghezzi alza gli occhi dal display.
«Non è che in trent'anni ha imparato a scrivere».
«Però si capisce bene... "c'è pericolo" mi sembra scritto bello chiaro, Ghezzi!».
«Sì, è vero. E secondo te cosa devo fare?».
«Come cosa devo fare! Devi cercarlo, no?».
«Dai, Franca, lo sai che non funziona così. Devi venire in questura, fare la denuncia, compilare i moduli...».
«Cioè scopare il mare».
«Sì, è un po' così, hai ragione».

E la Rosa, in tutto questo?
Un gioiellino, una regina compassionevole e comprensiva. Nemmeno la generalessa della Croce Rossa di Monte Carlo sarebbe così attenta e discreta, così perfetta.
Ghezzi si alza per andare in bagno e quando torna le trova che ridono.
«... c'è uno che viene a vedere la partita... Sì, viene anche per... per quello, ma ormai è un lavoretto da un minuto, lo so io e lo sa anche lui... poi si siede lì e si vede la partita, certe volte dorme, lo sveglio io quando finisce, gli dico il risultato, paga e va...».
La Rosa sorride. Il Ghezzi chiede con gli occhi.

«Niente, raccontavo alla tua signora dei miei vecchietti... ormai quasi non metto più neanche gli annunci, ho i miei amori fissi, che non è nemmeno detto che vogliano... insomma, a volte non facciamo mica niente... e pagano regolari. Qualche giovane capita ancora, hanno fretta, guardano il telefono subito prima e subito dopo, ma dopo che cosa non l'hanno mica capito».

Poi cambia tono: «Ghezzi, ho paura. Non è un fulmine, il mio Pietro, lo sai anche tu, però mi manca... se gli è successo qualcosa...».

«Cosa posso dirti, Franca. È grande... quanti anni ha adesso... sessantacinque? Settanta?».

«Sessantasei».

«Ecco, non è mica un ragazzino. E senza una denuncia...».

«Sarebbe un po' scemo abitare da trent'anni con un ladro e denunciarlo io, no?».

«Sì, però senza denuncia...».

Ci stanno girando intorno.

«E tu non me lo trovi, Ghezzi?... in nome dei vecchi tempi...».

Ma quali vecchi tempi, pensa Ghezzi. Vecchi tempi cosa? Vecchi tempi chi? Avesse almeno approfittato di quelle visite in cui lei sembrava invitarlo, una vita fa, si fosse preso le sue libertà... invece no, invece i vecchi tempi erano solo imbarazzo e cortesia... quel Salina era un po' un coglione, a dirla tutta, e ora c'è questa qui in sottoveste che gli sorride sotto gli occhi della Rosa.

Fossette.

«Senti, Franca, magari chiedo un po' in giro... tu lo sai dove bazzicava il Salina, vero? Un posto, un bar, degli amici... un posto dove potrebbe essersi nascosto, non lo so, un paese dove siete andati in vacanza, o...». Pare scoraggiato.

Lei tira fuori un foglio, lo prende dalla tasca dello spolverino che ha appoggiato alla sedia.

«Ho messo giù una lista, ieri sera...».

Ghezzi prende il foglio, legge, ci mette un secondo.

«Che lista è, Franca, sono due cose!».

Due di numero: un nome, Gregorio Risi, e un bar, il bar Tramonto di via Bolzano.

«È quello che mi è venuto in mente», dice lei.

«Via Bolzano dov'è?».

«Dalle parti di viale Monza».

«'Sto Risi lo conosciamo? Dico, noi della polizia, lo conosciamo già?».

«Credo di sì, è nel ramo macchine».

«Le macchine le rubano i tossici, Franca».

«No, no, lui traffica l'usato, i pezzi di ricambio, che ne so. Comunque è stato dentro, credo, lo conoscete di sicuro».

È proprio il Rotary, pensa Ghezzi.

Ora che la Franca se n'è andata, Ghezzi aspetta. E aspetta ancora. E aspetta ancora un po'. Poi non ce la fa più e sbotta.

«Beh, Rosa, non dici niente?».

«Cosa c'è da dire, povera donna!».

«Lo sai che io non posso fare niente, certo che se va a fare la denuncia vestita così...».

«Ma piantala, Tarcisio! Non vedi che è disperata? Una che fa quel lavoro lì uno straccio di uomo ce lo deve avere, accanto. Ha paura, non hai visto?».

«Ma io...».

«È stanca».

«E io non sono stanco? Che faccio il mulo tutto il giorno e poi mi trovo il lavoro sotto casa?».

«Tu fai il difficile, ma domani mattina sei già lì che fai domande, ti conosco. E comunque è una bella signora, e doveva essere più bella ancora trent'anni fa, vero?».

«Vero».

«Che poi quella vita lì ti invecchia in fretta... non è una passeggiata fare la sex worker».

«Fare la cosa? Vuoi dire battere?».

«Mamma mia, Tarcisio, come sei indietro, come sei antico... coi tuoi pregiudizi...».

«Rosa...».

Ma lei è già di là che mette a posto, si agita, alza un po' di polvere fingendosi occupatissima pur di non stare a sentirlo. Così Ghezzi accende la tivù, si mette comodo sul divano e aspetta l'ora di andare a dormire. Intanto pensa. La Franca. Pietro Salina. Ho visto una roba che non dovevo. Un po' scritto con l'accento. E quel «Dai, ciao» che chiude il messaggio, sembra di vederlo andare di fretta, scappare... dai, ciao.

Trent'anni. Fossette.

Sex worker, la Rosa, roba da matti.

Tre

Bel nome, bar Tramonto. Sarà che in via Bolzano il tramonto lo devi vedere attraverso le polveri sottili di viale Monza, ma come si dice, basta il pensiero.

Quando il Ghezzi entra – attento al gradino – sono le dieci e venti di un giovedì mattina e se vi intendete di bar sapete che è l'ora giusta. La gente che ha un lavoro non sta al bar a quell'ora, a meno che il lavoro non sia stare al bar, vedere, annusare, cercare affari, occasioni, sapere i cazzi di tutti. Tarcisio Ghezzi, sovrintendente di polizia, poco meno di sessant'anni, poco più di ottantaquattro chili, è un esperto di tipi da bar, ci potrebbe scrivere un libro. A parte quelli che hanno scritto i tribunali, ovvio.

Si siede a uno dei tre tavolini e aspetta. Un ragazzo gli porta il caffè e un bicchiere d'acqua.

«Senti un po'», lo ferma Ghezzi. «Sei solo tu qua o c'è un titolare?».

«Il padrone è andato al bar, arriva subito, questione di dieci minuti».

«Il padrone del bar è andato al bar?».

«Il bar della signora, sì...».

Ghezzi non capisce.

Da un tavolino accanto un anziano compitissimo, secco, sottile, alza gli occhi dal giornale che sta leggendo.

«Ma sì, la moglie ha un bar qui vicino, cosa c'è da capire? È ovvio, no?».

Ora Ghezzi si gira un po' verso l'ultimo che ha parlato. È seduto con gli occhi incollati al giornale, ma proprio incollati, miopia acutissima. Ghezzi pensa: meno male che non devo fargli vedere una foto, se no questo qui me la mangiava.

Non è solo. Accanto a lui, seduto con una tazzina davanti, c'è uno più giovane, sui quaranta, vestito da tecnico, cioè, pantaloni da lavoro, camicia, giubbottino con delle biro colorate che sbucano dal taschino davanti. Niente borse, però, o attrezzi o cose così.

«Saverio, portami un altro caffè», dice il miope. Il ragazzino scatta.

Sanno il nome del barista, sanno gli affari del padrone. Una grande famiglia, insomma, proprio quello che Ghezzi cercava.

«Una cortesia. Qualcuno di voi ha visto o sentito Pietro Salina negli ultimi giorni?».

I due si fanno attenti, lo guardano, cioè uno lo guarda, l'altro stacca gli occhi dal giornale e li punta nella sua direzione, chissà cosa vede.

«E chi è che vorrebbe saperlo?», chiede il giovane.

«Mi chiamo Ghezzi, sono un amico di Franca... la donna del Salina...».

«Che tipo di amico, di quelli della Franca? Qui nel

circondario se contiamo gli amici della Franca, in trent'anni è come fare il censimento».

«Quindi non l'ha visto?».

«No», questo è il giovane. «Ma perché, è successo qualcosa?».

«Lui non si trova e lei è preoccupata».

«E quand'è preoccupata si veste?», ancora il vecchio.

«Piantala», dice il giovane. E poi: «Mi spiace se gli è successo qualcosa, quando ha detto, qualche giorno?».

«Una settimana... anche di più, dieci giorni».

«No, no, l'avrò visto, il Salina, ma prima... anzi glielo dico, era domenica... c'è il campionato. Io non lo seguo, ma lui sì, non poteva andare dalla Franca perché lei ha gente, quando c'è la partita... Se l'è vista qui... bella roba... domenica, non questa, quella prima».

Domenica 6 settembre, quindi. Poi è passata un'altra settimana, un'altra domenica. Lunedì, martedì, e alla fine il Salina aveva mandato quel messaggio alla Franca ed era sparito. Sparito dove? Cos'ha visto?

Intanto è arrivato il padrone.

Ghezzi sta per salutare, ma il giovane vestito da tecnico lo precede:

«Francesco, tu hai visto in giro il Salina?».

«Ma sì, non lo so... come al solito, sarà una settimana o due... perché?».

«Il signore vuole saperlo».

Ghezzi si gira di nuovo, questa volta verso il bancone.

«Veramente vuole saperlo la sua... ehm, la Franca. È lei che mi ha mandato a cercarlo, non si vede da un bel po' e lei è preoccupata. Non ditemi gli ospedali e la polizia perché lì ha già telefonato. Scomparso e basta».

Il padrone del bar si fa un caffè e si siede con loro.

«Non è da lui andar via senza dire niente. Una volta è andato in Sicilia, in un villaggio vacanze, con la Franca, e non ha parlato d'altro per settimane, prima e dopo. Il Salina è uno che se deve andare in un posto lo sanno tutti due mesi prima, compreso il meteo, i monumenti da vedere e se c'è un bar che merita».

«Ma un contatto? Un amico? Qualcuno che può sapere qualcosa?».

Ghezzi sa che è una mossa un po' precipitosa. Sa che un conto è dire «cerco un mio amico» e un altro conto è dire che si sta chiedendo in giro, conducendo un'indagine, che è quello che ha appena fatto. Ma vuole approfittare del clima disteso, delle chiacchiere tra clienti di un bar a metà mattina, chi ci ammazza a noi, eh? Chi ci corre dietro?

Invece quelli si fanno sospettosi. Il giovane stava per dire qualcosa, ma il padrone del bar l'ha bloccato con un'occhiata.

Il vecchio è tornato al suo giornale.

Ghezzi ha capito di aver fatto un errore e adesso deve rimediare.

«Va bene», dice. «Non vi fidate, lo capisco. Anch'io non vorrei che si dicano i cazzi miei a uno sconosciuto, io poi nemmeno lo conosco, io conosco lei... da tanto tempo. Anche se... siamo stati via insieme, io e il Salina, ci siamo incrociati, insomma».

«Dove, sulle scale della Franca?». Il vecchio sembrava assente, invece c'è, e insiste. Ghezzi scuote la testa alla battuta, però coglie la palla al balzo.

«No, a Opera».

Questa cosa che è stato in galera e adesso cerca un tizio per conto della sua donna gli fa guadagnare qualche punto, ma Ghezzi sperava di più. C'è una diffidenza vera, tra chi si intende di certe cose, tra chi sta in un bar come quello alle undici del mattino, che non scalfisci con due colpetti di teatro. Ci vuole altro.

Si lasciano salutandosi come vecchi amici, ma risultati zero. Ghezzi arriva alla porta e si volta indietro.

«Magari ripasso», dice.

«Se viene alle tre, alle quattro, forse qualcuno che l'ha visto c'è, l'ora del Salina è quella».

Ecco, ora che si è alzato e sta per andarsene si comincia a parlare, sempre così.

«Ma se aveva qualche affare in corso lo sapete? Qualcosa per cui doveva andar via da Milano... non è mica una denuncia, eh!». L'ultima frase l'ha detta ridendo, come se dicesse: «Mi prendete per uno sbirro, a me, pensa che scemi».

Non ne cava niente lo stesso, ma era giusto provare.

La carrozzeria Palmanova sta in via Palmanova, nel controviale prima che diventi senso unico. La fantasia al potere, almeno al bar Tramonto ci avevano messo un minuto, a cercare un nome, qui nemmeno quello.

Gregorio Risi è un signore in pantaloni blu e polo bordeaux che si aggira tra corpi di auto in rianimazione osservando lo stato dei lavori e i chirurghi all'opera, attento a non sporcarsi. Quando Ghezzi chiede di lui non fa nessuna domanda, dice solo: «Venga con me, qua non si sente niente».

Così ora sono in una specie di ufficio che in realtà è un gabbiotto a vetri, con un bancone per i clienti che portano e ritirano macchine, o pratiche, o documenti dell'assicurazione, e una scrivania. Si siedono lì.

Il tizio dice che è strano, sì, molto strano non sentire il Salina per una settimana. Specie adesso che gli affari cominciavano a quagliare... Ghezzi non chiede che affari, l'uomo capisce che se non gliel'ha chiesto sa, e insomma, questo genera un po' di complicità. In più c'è la Franca, il Salina ne parla sempre.

«Andar via così senza dirlo a me, mah, può anche darsi, ma non dirlo alla Franca non esiste, davvero, per come lo conosco io non l'avrebbe mai fatto».

Infatti gliel'ha detto, in qualche modo, pensa Ghezzi.

«E quindi?».

«E quindi non lo so, ma spero che torni in fretta...».

«È una cosa grossa?», butta lì Ghezzi. Non sa nemmeno lui il perché, ma pare che l'altro abbia voglia di parlare e tanto vale...

«Non grossissima, ma può diventare un bel filone...».

«E lui ci teneva?».

«Ci teneva? È un mese che lavoriamo ai dettagli».

«Può essere che ci ha ripensato e si è preso una pausa?».

«Ma chi, il Salina? Ma no, figurati. È lui che ha proposto la cosa e poi...».

Ghezzi lo guarda come per incoraggiarlo.

«... E poi, che bisogno c'è di sparire? Se viene qui a dirmi che ci ha ripensato, io posso mandarlo a cagare, ma tutto lì, perché scappare? Ci conosciamo da una vita».

«Insomma non ci aiuta... a me e alla Franca... l'ultima volta che l'ha visto?».

«Mi faccia pensare... lunedì scorso, possibile? Non questo, quello prima, il...», guarda un calendario alle sue spalle, carrozzeria Palmanova, niente signorine svestite, solo i giorni e i numeri, «... il 14, mi ricordo perché al lunedì mattina sono chiuso, qua, e ci siamo visti al bar».

«Senta, Risi. A quello che mi risulta, Pietro Salina è sparito tra lunedì e martedì, tra il 14 e il 15. Quindi forse lunedì mattina già aveva capito che doveva andare via... magari era nervoso? Teso? Oppure ha nominato un posto, che ne so, fuori Milano».

«Ma sì, come sempre... lei non lo conosce, vedo».

«Non tanto... mi manda la Franca... è davvero preoccupata».

«Il Salina è sempre agitato... Magari sì, adesso che mi ci fa pensare era nervoso, ma stavamo anche parlando di cose delicate... cose per cui essere nervosi è un bene, ecco».

«Non mi interessa il colpo, mi interessa...».

«Una cosa, sì... una cosa l'ha detta... che la macchina gli costava troppo e che doveva mollarla presto».

«Che macchina?».

«Mah, niente di che, una 500 di quelle grosse, ha presente?».

«E girava sempre in macchina, il Salina?».

«Boh, di solito qui veniva a piedi».

«Ma lunedì è venuto in macchina, che ora era?».

«Sarà stato mezzogiorno, un po' prima, ma abbiamo bevuto uno spritz e io prima di mezzogiorno non bevo mai, quindi...».

«Una 500, di quelle grosse...».

«Bianca».

Stanno lì ancora un po' a girarci intorno, ma non viene fuori nient'altro. Ghezzi lascia il suo numero e chiede di avvertire se ci sono novità, si stringono la mano, esce salendo una rampa che porta nella via, il controviale, poi il vialone che va in città.

Ghezzi cammina fino a piazza Udine, verso la fermata della metropolitana. Ma prima di scendere le scale fa una telefonata.

«Ciao amore, adesso è un po' presto, eh!».

La voce è morbida, ammiccante, ma si sente che la Franca pensa: chi rompe a quest'ora del mattino? Sono le dodici e mezza.

«Franca, sono io, Ghezzi. Novità? Pietro si è fatto vivo?».

«Macché! Zero!».

«Senti, aveva una macchina?».

«Eh, ma quando, Ghezzi? Tanto tempo fa mi ricordo, sì, una Punto grigia».
«No, adesso. Dico, prima di mandarti il messaggio e di sparire, aveva una macchina?».
«Ma no! Ogni tanto per fare la spesa grossa al supermercato, se mi accompagnava, prendeva una di quelle lì come si dice, quelle in prestito...».
«Sharing».
«Eh, quella roba lì».
«Niente macchina, allora».
«Niente macchina...», poi un'esitazione nella voce. «Me lo trovi, Ghezzi? Me lo stai cercando?».
«Vediamo, Franca, vediamo, eh, tu stai buona, ciao».
E mette giù subito, prima che quella cominci a lacrimare al telefono come se qualcuno avesse schiacciato un bottone con scritto: «lacrimare al telefono».

Quattro

«Sannucci, tu vuoi fare carriera, vero?».

Il sovrintendente di polizia Tarcisio Ghezzi non ha alzato gli occhi dallo schermo del computer, continua a schiacciare tasti, a guardare se succede qualcosa, a rischiacciarli. Si vede che si sta innervosendo.

«Cosa le serve, sov?».

L'agente Sannucci è un tipo sveglio, ingenuo per quanto è giovane, ma con un suo senso dell'intuizione, una sua intelligenza sbirresca che promette bene. E poi capisce le cose al volo. Potrebbe lavorare con superiori più popolari e mettere le mani su qualche indagine di quelle speciali, quelle che scottano, che ti portano l'encomio e scatti più veloci. Invece gli piace stare lì con le due pecore nere, Ghezzi e Carella, gli sembra di imparare di più, per la carriera c'è tempo. E poi, si dice tra sé ogni tanto, lo trattano quasi alla pari e lui a quelle riunioni in cui si fa il punto, su dal capo Gregori, con tutto il riassunto delle indagini e le prossime mosse da architettare, non rinuncerebbe mai, mentre al servizio di qualche altro vicequestore sarebbe solo un «Sannucci vai qui e Sannucci vai là».

A Ghezzi invece capita di pensare: «Ero così anch'io?». Così come? Mah, non lo sa nemmeno lui. Un po' entusiasta, un po' convinto di poter cambiare le cose, prendere i cattivi, risarcire i buoni e le vittime con l'unica moneta possibile: la giustizia. Che ridere.

Sannucci ha più o meno l'età che aveva Ghezzi quando andava a trovare la Franca, quando diceva impacciato:

«Allora? Qualcuno ti dà fastidio? Va tutto bene?».

Si chiede se lo farebbe anche lui, di perdere tempo con un caso chiuso. E si chiede anche se Sannucci si sarebbe seduto, sul letto con la Franca, mentre lui stava in piedi a imporsi di andarsene in fretta.

Sannucci si china sulla tastiera, Ghezzi si scosta un po' con la sedia.

«Vede capo, deve fare così, finché il computer vede la stampante...».

Ghezzi non ascolta, è un po' sorpreso dai suoi pensieri. Non è un tipo da nostalgie, da rimpianti o anche solo da deprimersi perché il tempo passa, quante storie, tanto passa per tutti, e oggi non si scambierebbe con il se stesso di tanti anni fa. Però adesso si sporge sul buco nero dei suoi sessant'anni e la frase «il meglio deve ancora venire» gli sembra beffarda.

C'entra qualcosa con la Franca che ricompare, sempre nelle sue sottovesti grandi come un fazzoletto? È il ricordo di quella piccola eccitazione che oggi non prova più, che gli sembra lontanissima, a pungere? O quell'insulsa caccia allo scomparso Salina, che gli ricorda altre cose, altri metodi. Quando si andava di gambe, domande, bar equivoci, carrozzieri che organizzano «il colpo» e sono amici del complice: «Ci conosciamo da una vita». È tutto un po' antico, tutto un po'... se fosse Sannucci forse direbbe «vintage», la Rosa direbbe «démodé», perché alle magistrali ha fatto francese. Ghezzi non sa dirlo, ma il concetto è chiaro.

Ora che Sannucci ha collegato il computer e la stampante e i fogli escono con un fruscio di seta elettrica, Ghezzi si allunga sulla sedia.

«Sannucci, come si chiama la 500, quella grossa?».

«La macchina?».

«E cosa, se no, dai, Sannucci!».

«500 L, credo», e intanto batte le dita sulla tastiera del suo computer, così veloce che Ghezzi pensa stia schiacciando dei tasti a caso. Invece quello legge qualcosa sullo schermo e dice:

«La L è quella grande, poi c'è la XL che è ancora più grossa, una specie di station wagon... Sa, sov, hanno inventato 'sta cosa che si chiama Internet...».

«Non fare il cretino, Sannucci... e secondo te le noleggiano?».

«Secondo me sì, sov...», digita ancora. «Hertz, Avis, ce l'hanno quasi tutte... vuole prenderla? Da 35 euro al giorno, ma con l'assicurazione e tutto costerà cinquanta...».

«Allora, Sannucci, un tipo, uno che si chiama Pietro Salina, che non ha la macchina, compare a un certo punto con una di queste 500 grosse, bianca, e si lascia scappare che la deve rendere in fretta perché gli costa...».

«Non è un milionario, direi».

«No, è un poveraccio... E secondo me questa macchina l'ha noleggiata tra venerdì e domenica, stiamo larghi, diciamo tra giovedì 10 e domenica 13, perché già lunedì a mezzogiorno si lamentava per i soldi...».

«Però si vede che gli serviva. Sicuro l'ha noleggiata a suo nome?».

«Mah, credo di sì... è un ladro di basso livello, il Salina, non è tipo da patenti false, oddio, magari ne ha trovata qualcuna vera in giro, rubando nelle case, ma non c'è la sua faccia sopra, e di solito quelli degli autonoleggi ci stanno attenti...».

«Va bene, capo, ci provo».

«È una cosa mia, Sannucci, non parlarne in giro, soprattutto con Gregori».

Sannucci fa la faccia offesa. Ma come? Con tutte le volte che gli ha retto il gioco, al Ghezzi, e anche a Carella, che gli ha tenuto il sacco mentre violavano tutti i regolamenti della galassia, siamo ancora lì con «non dirlo a Gregori»?

Il capo Gregori ora è al telefono, seduto dietro la sua scrivania. Ha scavato piccoli corridoi tra carte e pratiche, spiazzi lucidi di legno tra mucchi di rapporti, cartelline, fogli accatastati, pagine ammucchiate come macerie. Sembra Berlino quando arrivano i russi. Fa un gesto sbrigativo, con la mano, che significa: «Ghezzi, siediti e aspetta». Dice dei sì, poi dei no, poi un «Risentiamoci quando arriva il sostituto», poi un saluto breve. Finalmente posa il telefono e allunga le gambe sotto la scrivania.

«Il caso Crodi?», chiede Ghezzi.

Gregori sbuffa.

«Ancora niente?».

«Niente di niente, e si mette male con la stampa, e il sostituto è preoccupato, eccetera, eccetera». Poi, come a riscuotersi, a cambiare discorso, torna il solito Gregori: «Dai, Ghezzi, dimmi».

«Le ho portato il rapporto sul caso Santelli, capo. Chiuso».

«Mettilo lì. Fammi il riassunto. Veloce, però».

All'ingegner Santelli, nella bella casa di via Meravigli dove pare una volta abbia dormito Radetzky – e questo l'aveva detto lui, ancorché affranto, nei momenti concitati della denuncia – erano venuti a mancare quattro orologi preziosi, trentamila euro in contanti e alcune monete d'oro di chissà quale re o regina, ma insomma preziose anche loro. Totale del danno: centoquarantamila. Quando Ghezzi era andato a sentire, a raccogliere la deposizione del derubato, a studiare la scena, era stato ricevuto in un grande salone. Gli orologi e le monete erano in un cassetto, i soldi in un altro cassetto, e sembrava che nessuno avesse cercato altrove, lasciando aperti solo quei due lì. Anche lo scasso non convinceva: c'erano dei segni sulla porta, vicino alla serratura, come di cacciavite, come di punteruolo, ma la porta non l'avevano certo aperta in quel modo, una serratura simile... se il ladro avesse messo un cartello con scritto: «Attenzione! Messinscena» sarebbe stato uguale.

La servitù – l'ingegner Santelli l'aveva chiamata così – non era sospettabile: una governante che sta con la famiglia da decenni, un uomo tuttofare, autista, maggiordomo, segretario e chissà cos'altro, escluso anche lui. Convocati nel grande salotto, la prima era affranta fino alle lacrime per il danno subito «dall'ingegner Fernando», e sembrava che gli orologi li avessero rubati a lei; il secondo, un siciliano con la bocca ironica, non era a Milano la sera del furto, alibi controllato, e comunque l'ingegner Santelli non aveva alcun sospetto o dubbio su di lui, al punto da sillabare la parola «ca-te-go-ri-ca-men-te».

Ghezzi ci aveva messo tre giorni a ricostruire il viavai dalla casa di via Meravigli. C'erano anche una cuoca, rumena, bella donna, la figlia Isabella Santelli, e pure il fratello della moglie defunta del Santelli, che aveva un paio di stanze nello stesso appartamento, con ingresso indipendente e tutto, ma insomma, le chiavi «sono nella sua disponibilità», come aveva detto l'ingegnere, forse pensando che per farsi capire da uno sbirro bisogna parlare così. Tutti esclusi dai sospetti, però. «Ca-te-go-ri-ca-men-te».

La rumena, pulita, anche il marito, muratore, due brave persone, anche se Ghezzi sa che non vuol dire niente, che se centoquarantamila euro ti chiamano da dentro un cassetto, a volte la tentazione... Il cognato, sui settanta, sottile e scattante come un insetto stecco, aveva riso che si potesse anche lontanamente sospettare di lui, e l'ingegner Santelli aveva confermato in un successivo incontro: «È ricco sfondato, non ha bisogno di rubare», una cosa che ai ricchi sembra sempre un alibi perfetto.

Però se uno è sbirro è sbirro, non c'è niente da fare, e a Ghezzi era bastata un'occhiata al fidanzato della figlia Santelli per capire quale sentierino nel bosco avevano preso gli orologi, le monete e i soldi. Era bastato un controllo veloce per sapere che il signore, quarantenne di bell'aspetto, aveva al collo una collana di fallimenti, bancarotte, società chiuse alla bell'e meglio, traffici un po' al limite, e creditori incazzati come cobra, mentre lui girava con un macchinone da narcos. Una settimana dopo il furto avevano dato una festa, lui e la Santelli, di cui gli amici dicevano mirabilie, e lo dicevano tirando ancora su col naso, così tanti raffreddori, in settembre... sospetto, no?

Gregori ride.

Insomma, caso chiuso, la ragazza ha confessato, l'ingegnere ha ritirato la denuncia, orologi e monete sono tornati a casa, i trentamila no.

«Se li saranno pippati, o lui avrà tappato qualche buco con gente che non manda l'avvocato, ma l'amico con la mazza da baseball. Quanto alla ragazza, capo, ho assistito alla scena madre. Piangeva come un monsone indiano, ma la capisco, ha trentasei anni e il truffatore che l'ha fatta innamorare e che l'ha spinta a derubare il padre le sembrava l'ultimo tram».

«Uh, che melodramma, Ghezzi, i tram passano sempre, quando la signorina eredita ci sarà l'ingorgo, di tram».

«Eh, ma vaglielo a spiegare...».

Ora Gregori si mette a sedere composto. Trova addirittura un paio di centimetri quadrati sulla scrivania per appoggiarci i gomiti.

«Va bene, Ghezzi, ora se la vedrà la procura, per noi è tutto chiaro».

Tutto chiaro, sì, ma è chiaro che non è tutto, perché Gregori fa la faccia di quando dice le cose in confidenza, cose delicate, cose che preferirebbe non dire. E però a Ghezzi le dice.

«Parlami di Carella, Ghezzi».

Eh? Cosa? In che senso?

È vero che Ghezzi e Carella lavorano spesso insieme, ma... sono forse il guardiano di mio fratello? Che c'entra ora questa cosa da padre di famiglia, da capo preoccupato per i suoi uomini, siamo saltati nel libro *Cuore*? O stanno girando una fiction sugli sbirri tanto umani e comprensivi? Siccome la faccia di Ghezzi dice tutto questo senza che esca una parola, Gregori continua:

«Allora, Ghezzi, mettiamola così. Lo so che tu e Carella fate il gatto e la volpe, ma ti pregherei di ascoltarmi, per una volta. Carella non è più lui. Quando gli ho detto che del caso Crodi si occupavano altri non ha avuto da ridire, ed è strano perché tu lo sai, l'omicidio lo vuole lui, altre volte ne ha fatto una malattia...».

«Certo che è strano lei, capo. Se uno contesta gli ordini e dice: capo dammi quel caso, è un rompicoglioni, se invece non dice niente allora è cambiato, è strano, non è più lui...».

«Aspetta, Ghezzi».

Ghezzi aspetta. Gregori si fa ancora più vicino, si sporge sulla scrivania, causa lo smottamento di alcune carte che scivolano dalla cima di un monte di pratiche, tipo slavina.

«Mi ha chiesto le ferie».

«Ma chi, Carella?».

«Sì».

Ora Ghezzi ride. Carella che chiede le ferie diventerà presto un uragano di chiacchiere in tutta la questura: Carella che se ne fa delle ferie? Dove va? Ma se non è capace! L'ultima volta che Gregori l'ha obbligato a prendersi dei giorni, qualche anno fa, lui era sceso nel suo ufficio, aveva scavato fuori dagli archivi un paio di casi rimasti in sospeso e ne aveva risolto uno, tornando dalle «ferie» con un arresto per rapina aggravata da lesioni, un caso che sembrava irrisolvibile e che lui aveva risolto in due settimane. I compiti delle vacanze. Ecco Carella.

«Ma dai, capo!».

«Quindi io te lo dico, Ghezzi, i casi sono due. O Carella è impazzito, che ne so, si è ricordato di avere un cazzo e ha perso la testa per qualcuna, finalmente, era ora, sono contento per lui... prima ipotesi. Seconda ipotesi, e qui m'incazzo: Carella lavora a un caso suo, che io non approverei, che io non devo sapere».

«Mi sta assumendo come spia, capo?».

«Tu sei già assunto come spia, Ghezzi, io sono il capo e tu no, quindi funziona così, che io ti dico cosa fare e tu lo fai. Punto primo. Punto secondo, guardami, Ghezzi».

Oh, cazzo. Qui c'è qualcosa di più della paturnia del capo, pensa Ghezzi. E infatti:

«Che ci faceva Carella in una bisca al Giambellino, roba dei calabresi, a giocarsi mille euro a botta? L'ha visto uno dei nostri, che era lì sotto copertura perché stava dietro a un sospetto che stiamo tracciando».

«Impossibile», dice Ghezzi.

«E non solo. Che macchina ha, Carella?».

«Che io sappia una Honda, vecchia».

«Allora chiedigli dove tiene la Maserati nera, il Suv da centomila cocuzze, perché dalla bisca se n'è andato con quella».

«Capo, ha buttato un po' di soldi e si è fatto prestare una macchina, deve darmi altri elementi per farmi pensare che Carella è impazzito».

«Non ci credi nemmeno tu, Ghezzi».

«E quindi cosa dovrei fare?».

«Tienilo d'occhio, Ghezzi. Se uno dei miei si prende le ferie, mi aspetto che vada a Cesenatico a sfinirsi di mojito o di pompini, o di tutti e due, non che frequenti i delinquenti e le bische, va bene?».

Ghezzi non dice niente, anzi, cerca di annuire nel modo meno visibile.

È una specie di ricevuta, un «capito, capo», ma niente di più, non vuole prendersi impegni, non vuo-

le promettere a Gregori che in qualche modo si farà i cazzi di Carella. Però non può far finta di niente.
Carella in ferie?
Col macchinone? La bisca? Che cazzo succede?

Cinque

Carella ha letto qui e là i titoli, poi tutto il pezzo in cronaca sul delitto Crodi, i toni allarmati, le critiche secche, quasi offensive, come se la polizia che fa le indagini fosse un barista che non ti porta il caffè. Amedeo Crodi era un falegname, artigiano, ma di più: restauratore, antiquario, esperto d'arte. Incensurato, rispettato nel quartiere, a suo modo famoso tra le botteghe della zona ticinese, non c'è articolo sulle eccellenze della vecchia Milano che non lo veda sorridere nell'antro ombroso della sua tana, che è uno scrigno di tesori. Trovato morto, picchiato forte e morto per quello, nel suo magazzino-laboratorio. Un cadavere conciato male tra sedie per natiche nobili e oggetti antichi da riportare al mondo, trucioli, odore di legno e di botte. «La squadra di investigatori guidata dal sostituto procuratore Felisi coadiuvato dal vicequestore Gregori...», eccetera eccetera.

Possibile che un cittadino onesto faccia quella fine? Possibile che non ci siano tracce? Possibile che... Il giornale continuava su questi toni.

Tutta la trafila delle domande di chi non sa un cazzo, si dice Carella. Di chi non sa niente di indagini, di delinquenti, di cercare aghi nei pagliai, di leggere indizi come fondi di caffè. «Sono passati ormai più di dieci giorni dal ritrovamento del corpo, la mattina di martedì 15 settembre, e ancora gli inquirenti non avanzano alcuna ipotesi...».

Il Crodi era morto male, vero, ammazzato di botte. Ma niente segni di scasso, o di furto. Qualcuno era entrato aprendo la porta, aveva fatto il lavoro e se n'era andato indisturbato tirandosela dietro, niente indizi, niente tracce, niente testimoni. Forse erano arrivati insieme, il Crodi e il suo picchiatore, oppure gli aveva aperto lui, lo conosceva. Ora del delitto, lunedì notte, forse l'alba di martedì.

Fine delle cose che sanno.

Quando Gregori gli ha detto che aveva affidato l'indagine a Ruggeri, il sovrintendente che era arrivato per primo sul posto dopo la chiamata del garzone di bottega, si aspettava le proteste di Carella, ma lui non aveva fiatato, anzi aveva deciso di prendersi del tempo, aveva chiesto le ferie, nemmeno sapeva quanti arretrati aveva, ma parecchi.

Ruggeri è uno in gamba, ne verrà a capo, il sostituto Felisi pure, non è di primo pelo... Aveva pensato questo, Carella, e deciso lì, su due piedi, fumando accanto alla finestra nella stanza del capo Gregori, che il Vinciguerra era più importante. Più importante per lui, certo, anche se su questo non voleva soffermarsi troppo.

«Le ferie, Carella?».

«Beh?».

Aveva chiamato un ufficio, col suo telefono grigio col filo e la rotella per fare i numeri, roba da matti, e poi lo aveva guardato.

«Lo sai quanti giorni di ferie hai accumulato? Più di duecento».

«Quindi una settimana può darmela, no?».

«Due settimane, non un giorno di meno. Così mi torni rilassato, e soprattutto non mi rompi il cazzo sul caso Crodi, che è già complicato e... dove te ne vai di bello, Carella?».

«Non so... in giro».

«In giro lontano, vero?».

Perché deluderlo?

«Lontanissimo, capo».

E poi il Vinciguerra l'aveva perso.

Errore.

Pensava che quello, uscito di galera, si sarebbe dato da fare per rientrare nel giro, quattro anni sono tanti ma non un tempo infinito che cancella i ricordi e i rapporti, che comunque il carcere non interrompe del tutto. Lo aveva lasciato stare per qualche giorno, per non dargli l'impressione di essere sotto pressione, per non metterlo in allarme, quando uno è fuori da poco tende a guardarsi intorno con più attenzione.

Comunque lo aveva visto entrare e uscire da casa, un palazzo malandato in corso Genova, uscire a sera tardi, notte, anzi. Un bar con una stanza privata sul retro. Poi una bisca al Giambellino, l'indirizzo di una puttana – Carella aveva controllato sugli annunci, una dell'Est – i giri classici del piccolo delinquente che torna ad annusare l'aria, a cercare gli amici di prima, a farsi una pippata in santa pace.

La macchina che l'aveva caricato fuori dal carcere era una Mercedes nera, intestata a un'azienda edile, ma dai posti dove l'aveva rivista, sempre guidata da quello che sembra un ragazzino, Carella direbbe che è una macchina dei calabresi, coca, bische, cose così, roba da boss di quartiere, mezzo calibro, forse il Vinciguerra faceva affari con loro. Carella era andato a vedere. A giocare. A mettere in giro la voce che c'era un indipendente nuovo in città – lui – e che se saltava fuori qualche buon lavoro per un professionista serio, insomma, eccomi qua. Non poteva far domande senza essere considerato del giro, doveva levarsi la puzza di sbirro.

L'autista ragazzino era un galoppino, Carella lo aveva visto in un night, sempre ad accompagnare qualcuno.

Intanto, il Vinciguerra era scomparso. Niente a casa, niente nei locali che bazzicava. Carella aveva chiesto in giro con circospezione, ma in cambio aveva avuto solo espressioni di gente che non capiva e, in un caso, qualche allusione: il Vinciguerra? Che sfigato. Un perdente. Ah, lo cerchi e non lo trovi? Pensaci un po', non è meglio così? Quello è un cazzone, uno stronzo... Ti deve dei soldi? No? Strano!

Il cazzone, lo stronzo, si era volatilizzato. Niente tracce, niente indizi. Ora il paradosso è che Carella fa la vita del delinquente, dorme, poco, di giorno, va in giro di notte con un macchinone grosso come un panzer che gli ha prestato uno che gli deve un favore. Più d'uno, ad essere precisi.

Alza gli occhi e lei è lì, in piedi vicino al tavolino. Si siede, allunga una mano per toccare la sua, Carella la toglie, un po' bruscamente, poi la riappoggia sul tavolo, come per scusarsi, ma lei non allunga più le dita per sfiorarlo.

La cameriera porta un cappuccino.

«Come siamo eleganti», dice lei. Lo prende in giro.

Carella, frequentatore di bische e di bar per uomini soli che dopo non sono soli più, si è dovuto dare una sistemata, vestirsi come se fosse uno di quei rapaci di città che di solito va a prendere con la volante e le manette.

Lei allunga di nuovo la mano, e lui si lascia toccare.

«Come stai? Devi mangiare, Pasquale, dormi, almeno?».

Lui fa una smorfia di fastidio.

Anna Fidenzi è una bella donna sui quaranta, una di quelle con gli occhi che capiscono le cose, di mestiere avvocato, e non solo. Tra i suoi impegni, che lui non sapeva e non aveva curiosità di sapere, c'era un gruppo di giuristi, psicologi, sociologi e chissà cos'altro. Incontri. Conferenze. «Mi occupo delle vittime», aveva detto. Donne picchiate, persone sparate per sbaglio, o rapinate malamente. Gente che doveva uscire dall'incubo che i tribunali non avevano scacciato, dalla paura, dal dolore. Vittime, parenti delle vittime, gente segnata, forse per sempre, da una violenza che non finisce con le sentenze, che continua, che scava.

Si erano conosciuti così. Voleva lui, poliziotto, meglio, poliziotto di strada, cane da caccia, partecipare a uno dei loro incontri? Parlare a qualcuna di quelle persone? Ascoltarle?

Così c'era andato, più per gli occhi dell'avvocata che per altro, e aveva avuto la conferma plastica, perfetta, incontrovertibile, di quello che aveva sempre saputo. Il delitto, qualunque delitto, dalle botte al furto in casa, fino all'omicidio, crea una scia di dolore che non è possibile calcolare. Il sassolino nell'acqua ferma produce un cerchio, poi un altro, poi un altro, i cerchi si allargano. Il morto è morto, cazzi suoi, ma il dolore per la sua morte si contagia come una brutta scabbia. I parenti, le mogli vedove, i mariti affranti, i figli, i genitori, gli amici. Tutti quei cerchi di privazione, di lutto, potevano essere infiniti, e chi ci restava dentro era segnato, forse per sempre. Era un'altra vittima.

Chi raccontava gli incubi, o di svegliarsi di colpo, sudato, il respiro mozzato. O gli attimi di smarrimento, di vuoto. Chi preparava ancora la tavola per due, il letto per due, la colazione per due al mattino, con la tazza vuota davanti e l'altra tazza più vuota ancora.

Dettagli dello strazio.

Carella aveva parlato con la massima sincerità possibile: noi li prendiamo, noi siamo con le vittime, noi ci danniamo l'anima. Per lui, poi, era quasi una questione privata, ma questo non l'aveva detto. Li aveva guardati bene, quelli del gruppo. C'erano i genitori di un ragazzo ammazzato per strada, di notte, da una banda di balordi. Il marito di una donna uccisa da un pirata della strada strafatto e ubriaco, qualche altra persona devastata dall'ingiustizia, perché se uno è vivo e dopo è morto, di giusto non c'è niente.

Carella aveva capito che quel «li prendiamo» era come un'aspirina, totalmente inutile per quelli lì, che avevano un cancro dentro che scavava senza sosta. Insomma, si era sentito ridicolo, inadeguato, uno che non solo tenta di svuotare il mare con un cucchiaino, ma che va anche in giro a dire: «Visto? Funziona! State meglio, ora?».

Con la bella avvocata era finito a letto quella sera stessa, a casa di lei, dopo l'incontro, dopo due whisky in un locale vicino all'Arco della Pace, dopo qualche chiacchiera più sincera del dovuto. Avevano scopato con una foga disperata, senza gioia, come per lavarsi dopo la cascata di dolore che li aveva sfiorati. Avevano scopato appena entrati in casa, niente preamboli, niente smancerie, come se dovessero urlare noi no, noi siamo ancora vivi, integri, noi non abbiamo cicatrici così grandi, guarda qui, solo i piccoli segni della vita, e quello era un modo per dirselo. Lei aveva urlato, forse pianto un po'. Carella aveva stretto i pugni, se n'era andato prima del mattino, lei dormiva, era l'inizio di marzo.

Dopo non lo avevano fatto più, ma lui era andato ancora a qualche incontro, e lì...

«L'hai vista?».

«Sì».

«Sì, e...».

«Non bene, il dottore dice che ci vuole tempo».

Ci vuole sempre tempo, pensa Carella. Ci vuole tempo per le indagini, e ci vuole tempo per il processo, e poi tempo per riprendersi, poi...

«Dici che posso vederla?».

«Non so... forse... senti, lo sai che non faccio la psicologa, ma non credo che sia sano farne un caso personale...».

Carella stringe la mascella, abbassa lo sguardo, appoggia i palmi delle mani sul tavolino.

«La vita è un caso personale, Anna. Ti sparano, ti mettono sotto con la macchina, ti picchiano forte... è a una persona che succede, quindi è personale. Il letto all'ospedale è personale, cazzo, la tac è personale, il figlio di puttana che la fa franca è personale».

Lo ha detto senza nemmeno alzare la voce, e questo ha reso il suo sfogo ancora più minaccioso.

Lei riconosce il dolore di quella sera di quasi sei mesi prima. Non dice niente, ma gli occhi capiscono.

In uno degli altri incontri, qualche giorno dopo, Carella aveva conosciuto L. La chiamava così, L, Elle, anche se lei si chiamava Laura. E aveva sentito la sua storia e non aveva potuto dire niente, non c'era niente da dire.

Però era andato a riguardarsi le carte, i rapporti, la sentenza, le motivazioni. Aveva anche letto le cronache smilze su quel caso e su quel processo, e aveva fatto qualche ricerca su Alessio Vinciguerra.

Che ora è sparito. Che lui deve trovare. Per fare cosa? Non lo sa. Ma qualcosa di sicuro.

Qualcosa, sì.

Anna si è alzata, ha finito il cappuccino e deve andare in ufficio. Si salutano con un bacio leggero, un bacio che dice: cosa siamo noi? Non amanti, non amici. Siamo uno di quei cerchi che fa il sassolino sull'acqua ferma? Anche noi?

La guarda mentre esce dal bar, elegante, fresca, con un sorriso che non sorride per niente. Lui rimane seduto e fa cenno per un altro caffè.

Sei

Si alza alle sette del pomeriggio, si prepara un caffè, ha dormito otto ore, si sente bene, fa una doccia lunga, con la radio accesa. Canzonette cretine, pubblicità. Poi si veste. Lui che la divisa l'ha messa pochissimo, l'anno di pattuglia che spetta più o meno a tutti, sa che le divise sono importanti. Quella che ha lui adesso dice: uomo con disponibilità di denaro, leggermente aggressivo, sportivo ma classico, sicuro di sé. Il resto lo fa la calma assoluta che mette negli sguardi e nelle parole. È quella che lo rende... pericoloso.

Basta giocare, adesso si fa sul serio. Lascia la pistola d'ordinanza in fondo a un cassetto e prende la K100, una Grand Power, slovacca, bella macchina, quindici colpi con caricatore bifilare, mai usata se non al poligono.

Visto che si deve fare la scena, facciamola bene.

Ora Carella ha mangiato, un hamburger in un locale fighetto dove puoi sceglierti personalmente il condimento, le salse, forse persino la mucca, le foglie di lattuga sono lucide come plexiglass. Poi ha cominciato la caccia.

Prima un bar in via Valtellina, non proprio un bar aperto al pubblico, più un club privato, anche se al momento di farti la tessera nessuno chiede i documenti. Alle dieci non c'è anima viva, ma il barista e il buttafuori sì. Carella cerca di non passare per un cliente normale, deve far capire che è del ramo. Quello che non dice l'atteggiamento – il Suv nero coi finestrini oscurati parcheggiato in mezzo bilico sul marciapiede, il passo svelto ma al tempo stesso indolente – lo dice la faccia.

Il buttafuori gli si fa incontro: «È un po' presto».

Non è grosso, ma ha una cicatrice su una guancia e la esibisce come un messaggio: a me è già successo, se non volete che succeda anche a voi non fate i coglioni.

«Sì, è presto, meglio», dice Carella. E poi: «Sto cercando uno».

«Uno che conosco?».

«Uno che ogni tanto viene qui, Vinciguerra, Alessio Vinciguerra. Grosso, alto, biondo, uscito da poco».

«Lo sai che c'è la legge sulla privacy?».

Carella mette una mano in tasca, pantaloni in fresco-lana color antracite, roba buona, che costa, e quando la estrae la mano non è sola, ma in compagnia di due biglietti da cinquanta.

«Questo è per la multa della privacy», dice.

«Non lo so come si chiama, so che hanno fatto una festicciola per uno che era uscito da poco, tutto qua, sarà stato, boh, era già settembre ma non so quando».

«Hanno fatto chi?».

«Mah, erano in tre o quattro. Quello grosso e due o tre amici, sono stati fino a tardi, hanno preso le ragazze per la notte, erano abbastanza allegri, alla fine».

Stessa cosa con il barista. Di nuovo il numero di prestidigitazione dei biglietti che cambiano mano, e poi:

«Io sono andato via prima, ma erano uno grosso, un altro più anziano e uno più giovane».

«Uno più giovane che sembrava un ragazzino, non molto alto?».

«Sì, ecco, ci ho pensato anch'io che aveva la faccia da bambino».

«L'altro? Quello anziano?».

«Boh, ma lui niente donne. Beveva forte, però».

«Le ragazze se le sono portate da fuori o lavorano qui?».

«Qui le ragazze ballano, niente prostituzione».

Ora i foglietti rosa che passano di mano sono quattro.

«Dai, cazzo, non farmi perdere tempo».

«Una era col piccoletto... col ragazzino, una mora, giovane. L'altra sì, viene qui ogni tanto... perché lo cerchi, quel tipo là?».

«Per farci due chiacchiere... senti, questa signorina che ogni tanto viene qui, se uno vuole farsi una scopata, dove la trova? Non qui, perché qui ballano solo, vero?».

Il barista sorride. Spiritoso, il tipo. Non da sbirro. Che poi lo sbirro che ti smolla trecento euro per il nome di una puttana lui non l'ha ancora incontrato.

«Si fa chiamare Diana, dicono che è cara ma che li vale tutti».

«Com'è fatta, questa Diana?».
«Alta, finta bionda, sui trentacinque, roba fine».
«E ogni tanto viene qua».
«Una signorina deve pur svagarsi».
«Certo. Il giovane lo avevi già visto?».
«Un paio di volte, sembra un galoppino, perché è sempre venuto con gente più importante di lui che alla fine pagava anche per lui».
«Quanto prendi per il numero di telefono di questa signorina Diana, il venti o il venticinque?».
«Magari. Ma il numero lo trovi facile. Diana Gold».

Ecco fatto.
Lasciale una notte per correre libera, e la notizia arriverà dappertutto: c'è uno che sgancia soldi per trovare il Vinciguerra. In fondo non gli hanno detto niente. Il giovane l'aveva già visto, il vecchio chissà chi è. Il ragazzo è uscito di galera e ha voluto farsi un giro di giostra. Comprensibile. Che abbia arpionato una in un locale può non voler dire niente. Oppure vuol dire che il giro delle ragazze lo ha perso, stando dentro, e che non ha una da cui tornare al volo per farsi una scopata. L'annuncio di Diana Gold non lo trova subito, perché è in un sito un po' al di sopra della media macelleria di Milano. Ma infine eccola, un'inserzione piuttosto generica che rimanda a una homepage personale: la signorina Diana dimostra al mondo che sì, è gold anche là sotto, e si vede benissimo nonostante la rasatura artistica, il barista si sbagliava. Può viaggiare, parla inglese, non fumatrice, beve ma solo per compa-

gnia. Poi c'è una pagina coi prezzi, cari, e le cose che potete chiederle di fare per voi, ma è tutto un «prima parliamone, conosciamoci». Una mail, un numero di cellulare, un po' di foto mentre balla, cioè mentre si avvolge a un palo. Belle tette.

Il numero non risponde.

Ora è l'una e un quarto, le cose si muovono. Cioè, i bar della gente normale si svuotano, quelli dei delinquenti si riempiono. Carella si fa un paio di locali. Vuole beccare l'autista che sembra un ragazzino.

Ora che la voce gira facciamola girare per bene.

Beve una birra sulla porta, perché vuole fumare, e sta con un piede dentro e uno fuori. Intanto guarda. Ci sono gruppi di due o tre uomini, alcuni soli che sembrano aspettare, ogni tanto rispondono a una telefonata, quasi senza parlare, e se ne vanno, come se avessero ricevuto un ordine, come i fattorini che consegnano il cibo. Due o tre ragazze troppo truccate chiacchierano, aspettano, guardano il cellulare. Carella finisce la sua birra.

Lo trova alle tre e dieci in un locale seminascosto al Gallaratese. Anche questo non è un bar con l'insegna, ma un grande seminterrato riadattato, con una porticina e un campanello, zona tranquilla, viavai discreto, niente donne. Fuori, c'è la Mercedes del ragazzino, posteggiata male.

Carella suona, gli apre un tipo grosso.

«Ti conosciamo?».

«No, non credo. Ma sono invitato».
«Da chi?».
Carella fa un cenno verso la macchina lì davanti.
«Il ragazzino che non sa parcheggiare».
È un rischio. Non sa il nome, non sa chi è quello che lo avrebbe invitato, la macchina potrebbe guidarla qualcun altro, questa sera, e poi... ma l'uomo ride e si fa da parte.
Dentro c'è un bancone in legno, qualche sedia, due tavoli quadrati con gente che gioca a carte, i soliti gruppetti, tutti con il telefono in mano, o vicino, pronti a scattare se qualcuno chiama. Oppure chiamano loro.
Mette un gomito sul bancone, studia la fila delle bottiglie, poi il barista.
«Dammi una vodka». Mette venti euro sul piano lucido. Si guarda in giro, individua il ragazzino della Mercedes, che sta in un gruppetto di quattro persone. Ridono, parlano, dev'essere l'ora libera dei delinquenti. Un minuto e il ragazzino si stacca, va in bagno, anche se sulla porta che apre non c'è scritto niente. Carella conta fino a cinque e si avvia anche lui.
C'è un antibagno con un lavandino, un ripiano con sapone e salviettine di carta. Poi la porta del cesso, chiusa. Carella fa un passo indietro, alza il piede destro all'altezza della maniglia e dà un colpo secco. Il piccolo chiavistello salta via come un tappo e ora sono lì, la porta scardinata, Carella che sorride e l'autista ragazzino molto sorpreso, con l'uccello in una mano e l'altra che corre alla tasca interna della giacca.

«Stai attento che ti pisci addosso», dice Carella.

«Chi cazzo sei?», dice l'altro. Ma la mano che correva alla tasca si è fermata.

«Finisci di pisciare, non è un bello spettacolo».

Quello si risistema, chiude la cerniera e si sposta davanti allo specchio.

«Allora? Chi cazzo sei?».

«Sono uno che cerca Alessio Vinciguerra».

«E allora vai a cercarlo, qui non c'è di sicuro».

«Certo. Ora mi dici dove lo trovo e io me ne vado».

L'uomo ha un buon controllo, pensa Carella. È vero che ha la faccia da ragazzino, ma a vederlo da vicino è solo la prima impressione. La voce, per esempio, è da adulto, da adulto incazzato, per dirla tutta. Ha l'eleganza dell'autista, un completo blu ben stirato, camicia azzurra, niente cravatta ma una pochette nel taschino. Un dandy di servizio.

«Non so dov'è il Vinciguerra. Magari non so nemmeno chi è. E di certo non lo direi a uno che non conosco e che magari è un poliziotto».

Carella ride. Un poliziotto. Ah, ah.

«Senti, io vengo in pace. Tu sei andato a prenderlo a Bollate, là, in galera, ci hai fatto pure una festicciola con le puttane. Come vedi tu non mi conosci, ma io sì, quindi adesso mi dici dove trovo lo stronzo, andiamo di là, ti offro da bere e amici per sempre, capito?».

«Amici un cazzo».

Ora Carella mette le mani sui fianchi, i gomiti aperti, come la maestra col bambino che non capisce quando è ora di smetterla. Sta così un momento, qualche secondo, come se pensasse. Poi fa una giravolta rapidissima e uno dei gomiti, il destro, si allarga un po', si muove, ruota, fulmineo, invisibile per quanto è veloce. Il naso del ragazzino esplode, cioè, quello che prima era un naso.

Qualcuno apre la porta del bagno.

«È occupato», dice Carella. La porta si richiude.

Ora l'autista con la pochette nel taschino si tampona il naso con le tovagliette di carta, gocciola sangue nel lavandino bianchissimo. Quando alza gli occhi per guardare Carella sono pieni di lacrime, ma nemmeno un gemito, nemmeno un suono, se ti fai spaccare il naso senza dire «ahi» vuol dire che non è la prima volta che le prendi.

«Non abbiamo tutta la notte. Dove lo trovo il Vinciguerra?».

«Non sai contro chi ti stai mettendo, ci hai pensato?».

«Ma chi, il Vinciguerra? Mamma mia che paura!».

«Ma no, chi se ne fotte del Vinciguerra... adesso il tuo problema sono io».

«Va bene, ci penserò».

Però non ci pensa per niente, anzi, allunga una mano verso la cintura dei pantaloni, sulla schiena, e ora ha in mano la pistola, lo fruga in fretta. Nel portafoglio ci sono i documenti. Saverio Sovinato, trentadue anni, nato a Cosenza. Poi due bustine di coca, che Carella appoggia vicino al sapone, le chiavi della macchina e una Beretta piccola, non nuova, non vecchia, ben tenuta, puzza d'olio.

Mette tutto sul ripiano del lavandino, la Beretta un po' più distante, che all'altro non venga l'idea di tentare qualcosa di stupido.

«Dai, Saverio, facciamo in fretta, magari i gentiluomini qua fuori devono pisciare».

«Non so niente del Vinciguerra. L'ho preso là in galera perché doveva sistemare un affare col mio capo. La serata con la troia è stata un'idea sua. Poi è sparito dai radar e nessuno ne sente la mancanza. È uno sfigato, non c'entra un cazzo con noi, se sapessi dov'è potrei persino dirtelo, per quanto me ne frega di quel coglione».

«Me lo diresti ma non lo sai».

«Forse te lo direi, ma non lo so».

Uh, l'ego, che brutta cosa. Carella mette via la pistola.

«Chi è il vecchio che stava con voi alla festa?».

«Non starai esagerando?».

Ora Carella capisce che ha fatto tutto quello che poteva. Là fuori ci sono gli amici del tipo, che finora si è dimostrato abbastanza sportivo. Ha preso un colpo senza chiamare aiuto, alla pistola ci ha pensato solo per un secondo e poi ha prevalso il buonsenso. Insomma, poteva andare peggio, e più di quello che ha detto non dirà. Ma Carella non si aspettava di sapere qualcosa da lui. Quell'irruzione al cesso, quel colpo in faccia, quel teatrino con la pistola puntata, lo sa benissimo, è solo una specie di inserzione. AAA Vinciguerra cercasi. Ora che lo sa un galoppino dei boss che cola sangue dal naso, lo sapranno tutti.

E il Vinciguerra aveva un affare col capo di questo qui. Interessante.

Carella esce dal bagno. Sul bancone c'è la sua vodka. Si stropiccia le mani come uno che se le è appena lavate e la beve in tre piccoli sorsi distanziati, con calma, come per sentirne bene il sapore, come se potesse cambiare tra un sorso e l'altro. Mette altri cento euro sul piano di legno e guarda il barista.

«Sistema la serratura del cesso, non si può nemmeno pisciare in pace, qui».

Non è uno sbirro, questo è sicuro.

Si avvia verso la porta ed esce, dopo un cenno di saluto al tipo grosso che gli aveva aperto.

«L'hai trovato il tuo uomo?».

«Sì, ma non mi vuole più bene».

L'altro ride e gli cede il passo. Carella cammina per duecento metri, sale in macchina. Sono quasi le quattro del mattino. Prende il telefono dalla tasca della giacca.

Diana Gold.

Non risponde.

Sette

Ghezzi arriva in questura che sono le nove e venti. Trova il sovrintendente Ruggeri alla macchinetta del caffè, esita un attimo e si ferma.

«Ciao, Ghezzi».

«Ancora niente?».

L'altro non risponde, ha la faccia di quello che porta un sacco che non può poggiare a terra, che non dorme, il caso Crodi è roba pesante, Ghezzi sa cosa vuol dire.

«Dai, Ruggeri, lo sai com'è, sembra tutta palude e poi succede qualcosa, le cose si muovono».

«Ma qui non si muovono, cazzo! Ci mancava questa stronzata dei rom».

«Che stronzata?».

«Ma sì, leggi il giornale... una che ha visto scappare due rom su un motorino alle tre di notte, da una finestra del quarto piano, settantanove anni».

«Però che vista, la signora! Di notte, dal quarto piano, riconosce i rom? O avevano un giubbotto fosforescente con scritto rom?».

«Ma figurati, Ghezzi. L'hanno sentita i ragazzi la mattina del ritrovamento del cadavere, poi le ho parlato anch'io. Solo quest'anno ha chiamato il 113 undici volte, sette volte i rom, due volte per un travesta che abita lì e che fa sbattere il portone, e un altro paio di cazzate. Al centralino la conoscono, dicono che chiama anche per fare due chiacchiere... I rom, pensa te, Ghezzi. C'erano seicento euro in contanti su un tavolo, vicino al corpo... I rom, ma vaffanculo!».

«Non perderci tempo, Ruggeri».

«Devo salire da Gregori, che è più incazzato di me, pensa che giornatina».

Quando si siede alla scrivania, Tarcisio Ghezzi, sovrintendente di polizia, con la clessidra che dice 59 anni e passa e il sapore del caffè cattivo in bocca, guarda desolato le carte da sistemare. In attesa che Gregori gli affidi un caso serio, si è tenuto da parte tutta la burocrazia da domare con pazienza, foglio per foglio, i rapporti, le seccature. E ora preferirebbe un pedinamento sotto la neve, fare il ragioniere non gli piace.

Sannucci non c'è, ma ha lasciato due giornali sulla scrivania. Ruggeri ha ragione ad essere incazzato, e Gregori avrà le convulsioni per come si stanno mettendo le cose con la stampa. Il titolo sul caso Crodi dice: «Omicidio Crodi, spunta la pista rom». Ma c'è di peggio: «Delitto Crodi, ignorata per due settimane la pista rom». Segue l'intemerata sulle forze dell'ordine che brancolano nel buio, mentre è tutto così chiaro, limpido, solare: sono stati i rom, e se non fosse per una brava cittadina che... Ghezzi legge solo le prime righe.

Sì, Ruggeri ha ragione. Ed è pure sfigato, perché là, intorno al laboratorio del Crodi ritrovato cadavere, non ci sono telecamere, né allarmi, né cani che abbaiano. A duecento metri c'è la movida dei Navigli, moderna, giovane, sazia e disperata, ma lì è tutto tranquillo, di notte sembra un paesino.

Pensa che la cosa può fargli gioco. Carella in ferie, Gregori preso da una rogna grossa, lui può respirare un po'. Poi pensa che dovrebbe chiamarlo, Carella. Che forse la cosa migliore è dirgliela dritta: guarda che Gregori mi ha fatto un discorso strano, la macchina da pappone, la bisca dei calabresi... Se stai lavorando in privato almeno a me dillo, ti copro un po', se posso.

Però con Carella non si sa mai. Può sedersi a riflettere su quello che gli dici o rivoltarsi come un cobra che non vuol tornare nella cesta. Quello che lo frena è che il discorsetto che gli ha fatto Gregori conteneva qualcosa che non gli è piaciuto: come se buttasse un'ombra su Carella, un dubbio. E Ghezzi quel dubbio non ce l'ha.

Quindi rimanda. Tira un sospirone come uno che sta per immergersi per il record di apnea e allunga la mano sulla pila di fogli. E lì c'è una cartellina gialla con scritto: «Salina».

Il lavoro di Sannucci. Bravo ragazzo.

Pietro Salina ha noleggiato una 500 L alla Stazione Centrale di Milano, alla Europecar, venerdì 11 settembre, alle quindici e venti, e l'ha restituita all'aeroporto di Malpensa martedì mattina, il 15, alle undici. Ha pagato 194 euro e sessanta, ha fatto settantasei chilometri in cinque giorni. Se togliamo i cinquanta percorsi per portarla fino a Malpensa, ha tenuto la macchina quasi una settimana per fare meno di trenta chilometri.

Sannucci ha scritto due note e messo nella cartellina le stampate delle mail inviate dall'autonoleggio, il contratto con le firme e tutto, i chilometri, gli orari precisi al minuto. Il Salina ha pagato con la sua carta di credito, numero...

Pietro Salina, per come se lo ricorda lui, era un tipo col braccino corto. Non sa se oggi duecento euro gli cambino qualcosa, gli intacchino il bilancio, magari no, però non è uno che noleggia una macchina cinque giorni per fare due passi. Se l'ha presa gli serviva. A cosa? Non per il colpo che aveva in mente con l'amico carrozziere, a meno che quello non reciti la parte, ma Ghezzi lo escluderebbe. In ogni caso un affare sotto casa, perché ventisei chilometri sono pochi per andare e venire da ovunque. E allora?

E perché restituire la macchina a cinquanta chilometri di distanza, quasi a Varese... Non ce lo vede il Salina scappare prendendo un aereo, però è una cosa che va controllata.

Lascia un appunto a Sannucci, ma lo strappa e lo getta nel cestino quando dalla cartellina spunta un altro foglio, scritto a mano, questo, frettolosamente, con la biro che sbava: «Prima che me lo chiede, sov. Nelle liste dei passeggeri in partenza da Malpensa il 15, da mezzogiorno a mezzanotte, non c'è nessun Salina. Cioè, uno, ma ha otto anni ed è andato in Sicilia con la nonna, non è lui, vero?». Una faccina che ride e la firma: «Sannucci».

Ghezzi fa quasi un fischio di ammirazione, il ragazzo lo stanno tirando su bene, tra lui e Carella. Dice anche un «Bravo Sannucci», che naturalmente non direbbe se Sannucci fosse lì.

Così fa passare la giornata ed esce presto.

È ancora estate, c'è una bella luce, la città riparte dopo il deserto di agosto, sembra nuova come ogni volta che arriva settembre e riinizia l'anno. Lui se la prende comoda e passeggia, con la sua borsa di pelle in mano. Piazza Cavour, i giardini di Porta Venezia, il prato dove i cani possono stare liberi. Ce n'è uno scatenato, uno spinone alto un metro che pensa di essere un cagnolino e provoca tutti gli altri perché vuole giocare.

Gli piacerebbe, un cane, uno che a fare due passi con te ci viene sempre. Però, col lavoro... E poi sai la Rosa... «Ma Tarcisio!». Non ha dubbi che nel giro di qualche giorno il cane sarebbe il re della casa. Scuote la testa: stai pensando di prendere un cane, Ghezzi? Davvero?

Quando è arrivato in via Felice Casati, dove c'è un'ombra fresca che sa di curry e altre spezie, chiama la Franca: «Sei libera? Posso salire?».

Ha una sua teoria, il Ghezzi. Che una madeleine è buona solo se hai voglia di mangiarla, se no fa schifo. E quindi sul pianerottolo della Franca non sa cosa aspettarsi. Ma la casa è molto diversa da un tempo. Si entra in una cucina moderna, ci sono altre stanze che lui non ricordava.

«Ci siamo allargati, abbiamo comprato da quello di fianco, e adesso sono quasi cento metri...».

«Casa e bottega, eh?».

La Franca ride: «Ma io la bottega ce l'ho sempre addosso!».

Però ora è vestita normale, cioè... ma sì, un paio di pantaloni, una maglietta e una giacca, niente trucco pesante, una bella signora tonica e vivace che fa gli onori di casa.

Poi cambia tono:

«Allora? Notizie?».

Ghezzi le spiega. La macchina, i pochi chilometri, Malpensa... Parte con le domande.

«Pensaci, perché poteva servirgli una macchina?».

«Non lo so, ti ho detto!».

«Ma non te ne aveva parlato... è stato qui... da venerdì 11 a quando è sparito?».

«Ma sì! Andava e veniva, aveva i suoi traffici».

«Quindi aveva la macchina posteggiata qua in giro e non ti ha detto che l'aveva».

«No».

«Che traffici faceva? Franca, qualcosa devi dirmela, però!», si sta spazientendo.

«Senti, Ghezzi, per quello che ne so io non voleva più fare quella vita là. Sì, ogni tanto diceva cose che potevano far pensare...».

«Cose tipo?».

«Ma niente, se passavamo davanti a una gioielleria, per dire, si fermava a guardare la vetrina, ma in realtà guardava gli allarmi, dove finivano i fili, se c'erano telecamere, anche nella via... ma così, credo, per...».

«Deformazione professionale».

«Ecco, quella roba lì... ma io lo conosco bene, il mio Pietro, se sta preparando qualcosa me ne accorgo...».

«E allora che traffici?».

«Ma lo sai com'è quando sei nel giro, Ghezzi! Ti chiedono un piacere qui, un piacere là... fammi un lavoretto... Lui sa aprire le cose, le porte, le serrature, quindi gli chiedevano quello. Però sempre al volo, niente faccende rischiose, credo...».

«Soldi?».

«A me non ne chiede, la casa è pagata... non ha tante spese, ha da parte qualcosa, si arrangia e gli sta bene così».

«Non mi aiuti, Franca! Dice il suo amico, quel Gregorio Risi da cui mi hai mandato, che invece stavano architettando un affare insieme...».

«Uh, quello là! Sempre a fantasticare su colpi sicuri, posti dove c'è l'oro, obiettivi facili facili, tutte chiacchiere, è un fanfarone, fa i suoi imbrogli con le macchine e basta. Sai che Diabolik, il Risi, si presenta uno mai visto e sentito e già gli spiattella del colpo del secolo... la parola giusta è mitomane».

«Sì, ci ho pensato anch'io... Senti, metti che sia andato via in aereo».

«Ma figurati».

«Perché no?».

«Il Pietro? Ma dove va? Non sa una parola di inglese, in quarant'anni avrà preso l'aereo due volte... no».
Poi si alza di scatto, scompare in corridoio e torna subito.
«Toh!», dice, e gli porge qualcosa. Il passaporto del Salina.
«Non vuol dire niente, Franca, si può andare all'estero anche con la carta d'identità».
Così stanno zitti.

La casa è proprio diversa, pensa Ghezzi. La sua madeleine non è comparsa, così si chiede che sapore avrebbe avuto. Ricorda che si entrava, e subito si vedeva il grande letto, la penombra scura, e lei apriva nascondendosi dietro la porta, casomai qualche inquilino salisse le scale e la vedesse, com'era svestita. Ora c'è un bell'appartamento curato, e il lettone sarà di là, insieme alla penombra e a trent'anni passati via come venti minuti alla stazione.
Cazzo, Ghezzi, sei scemo?

«Un telefono almeno ce l'ha?».
«Ecco! È questo che volevo dirti, Ghezzi! Col telefono potete rintracciarlo, vero?».
«No, Franca, possiamo rintracciarlo se c'è una denuncia, se un magistrato firma un foglio, se quel foglio si mette in fila all'ufficio giusto e se lui accende il telefono, sì, possiamo più o meno sapere dove si trova... Tu provi a chiamarlo? Gli scrivi?».
«Gli mando messaggi tutti i giorni, risultano non let-

ti. Se chiamo c'è quella vocetta stronza... il cliente da lei desiderato...».

«Va bene, dammi il numero... che telefono ha?».

«Non lo so, ma di questi qui moderni».

Ghezzi scrive il numero che lei gli detta, poi il nome: Salina, salva contatto. Ora alza gli occhi e la guarda. Ghezzi conosce bene quell'espressione. È la faccia desolata di chi assiste a un incidente senza poter fare niente, le facce che si vedono sul luogo del delitto, la faccia di chi ritrova il corpo. Trasognata e spaventata, la speranza che non sia vero che fa a pugni con la realtà.

«Come siete organizzati qui?».

«In che senso?».

«Il Salina, ha una stanza sua, un armadio, dei cassetti?».

«Vieni».

La stanza è una specie di sgabuzzino, una cameretta. C'è uno scaffale con pochi libri, una scrivania ordinata, un computer portatile, spento e staccato. Niente letto, ma un divano che può diventarlo, e così il mistero se il Salina e la Franca dormano ancora insieme, dopo decenni, anche se lei la dà via di mestiere, non si risolve.

«Posso?».

Ma non aspetta la risposta. Apre un cassetto, è pieno delle cose che ci sono nei cassetti di tutti. Un altro. Nel terzo, in fondo, c'è una specie di portafoglio di pelle, che in realtà è una busta di attrezzi, con tasche e scomparti. Lime minuscole, uncini, pinze di precisione. I ferri del mestiere. Delle carte ce le deve avere, però. Le bollette, le ricevute.

C'è una cartellina, poca roba, in cima, lo scontrino di un negozio di elettrodomestici.

«Avete cambiato la lavatrice?».

«Frigo», dice lei.

È rimasta sulla porta, in controluce sotto la lampadina del corridoio. Una bella donna alta, dritta, che sta guardando quella scrivania da studente, i tre cassetti, le mani di Ghezzi che corrono su quelle povere cose. Ecco il punto. Povere cose. Come se in quei sei metri quadri ci fosse un riassunto di tutto, di tutto quel poco che il suo mondo contiene, la garanzia del frigorifero, ferri per aprire le porte, e il suo uomo. Piange, ma in silenzio. Questa volta non è una recita.

L'ultimo cassetto, quello in basso, Ghezzi non lo apre soltanto, lo estrae dal mobile. Poi si mette in ginocchio e tasta nella polvere. Quando si volta ha qualcosa in mano, lei non vede bene.

«È una chiave, Franca. Tu sai cosa apre?».

«No... fa' vedere».

Ghezzi gliela mostra appoggiata al palmo della mano, lei non la tocca. È una chiave con la testa quadrata, strana, c'è una sigla incisa, forse qualche numerino, ma illeggibile, lì, con quella luce.

«La tengo io, va bene? Te la rendo se capisco che non mi serve a trovare il Salina... vuoi una ricevuta?».

«Ma cosa dici, Ghezzi!».

Ora che lei si è un po' ripresa, lui torna all'attacco,

di nuovo nella bella cucina di prima, dopo un bicchier d'acqua buttato giù d'un fiato.

«Sai se conosceva qualcuno vicino a Varese? Magari gli veniva comodo mollare la macchina a Malpensa».

«No».

Ghezzi è stanco. Forse l'idea del cane non è così sbagliata. I giardinetti, la Rosa che borbotta e niente su cui sbattere la testa, ancora, e ancora.

«Però, Franca, parliamoci chiaro, io sono fermo. Mi hai dato un bar qualunque... che poi da qua, andare al bar fino a metà viale Monza, ma vabbè, cazzi suoi, si vede che aveva i suoi traffici, come li chiami tu, da quelle parti».

Lei fa per interromperlo.

«No, aspetta... Mi hai dato quell'altro che tu stessa dici che è un fanfarone, un mitomane. Cazzo, Franca, da quanti anni stai col Salina? Lo hai aspettato quand'era in galera, gli hai messo su questa bella casa, vieni a piangere se scompare, e di lui non sai niente? Un nome, un posto dove andava in vacanza da giovane, parenti, amici, alberghi dove siete stati. Posti dove si può andare col treno, un cugino, uno zio...».

Lei si rianima un po'.

«Oddio, non ci avevo pensato... sì, Pietro ha dei parenti in giro, ma quelle cose della cartolina a Natale, un funerale ogni qualche anno... nemmeno so dove stanno...».

«Ecco, vedi di scoprirlo, anche tutto quello che ti viene in testa... hai detto che ha preso l'aereo due volte, dov'è andato?».

«Una volta in Sicilia, con me, una volta a Roma, da solo, perché gli avevano regalato il biglietto, se no andava in treno».

«Un giramondo, eh!».

Lei sorride.

Fossette.

Otto

Non ha chiesto niente a nessuno, ha salito le scale fino al reparto terapia intensiva, ha superato un paio di porte, una con la scritta: «Vietato l'ingresso». Ha guardato attraverso le grandi finestre che danno sulle stanze, come acquari, come si fa quando si va a guardare i neonati, i bambini nuovi esposti in vetrina per la meraviglia frastornata dei parenti.

Alcune finestre sono oscurate da tapparelle, altre no, si vede dentro, anche se i vetri sono sporchi, e il riflesso dei neon del corridoio...

Poi la vede, cioè, individua il letto, ha le braccia abbandonate lungo il corpo. È in un angolo della stanza, lontano da dove sta lui, quindi quasi solo ombre. La faccia bianca, i tubi nel naso, i fili, i macchinari. Se non ci fossero quelli sembrerebbe addormentata. O morta.

Passa un'infermiera, nel modo in cui passano loro, decise e ferme, imperiose, anche se questa qui è bassina e giovane. Si vede che sta per dire qualcosa, ma lui fa prima:

«Buonasera, secondo lei è possibile parlare con un dottore che si occupa...».

«Non è l'orario di visita, eh! Non può stare qui».

«Sì, lo so, ma io faccio orari un po' strani». Lo dice estraendo il tesserino. Quella lo guarda, per niente impressionata. Finalmente si ferma, però, perché fino ad ora aveva continuato a camminare con le sue cose in mano, lenzuola, forse.

«Il professor Carrai era da queste parti... se lo incontro glielo mando, ma non le assicuro... aspetti qui».

Lui aspetta. Appoggia la fronte al vetro per schermare i riflessi e guarda ancora nella stanza. C'è una sagoma interamente coperta, anche lei attaccata a fili e respiratori. C'è un vecchio che sembra sveglio. E poi L, là in fondo. Vede le lineette verdi che fanno su e giù, qualche spia delle macchine, il petto che si solleva pianissimo.

Si volta solo quando sente dei passi. L'infermiera di prima e un signore elegante, giacca e cravatta, mocassini lucidissimi, capelli sale e pepe, sorriso da barca a vela di proprietà.

«È lui», dice la ragazza, e passa via come passano loro.

«Buonasera, aveva chiesto di me? Sono il dottor Carrai, il primario, mi trova per puro caso...».

«Sì, era un tentativo, buonasera, dottore, sovrintendente Carella, polizia».

«Sì, mi hanno detto... Posso... sto andando, se è una cosa breve...».

«Brevissima, dottore», indica il vetro da cui stava guardando. «La paziente...», all'improvviso non ricorda il nome, L, Elle, Laura e poi...

«Ma quale, la Marazzini?».

«Sì, Laura Marazzini... è lì, ho visto».

Quello fa il gesto che non si vuole mai vedere, da un dottore, allarga un po' le braccia e le lascia cadere piano, niente di plateale, un gesto sincero di sconforto.

«È un parente?».

«No, mi interessa per un caso, l'avvocato Fidenzi mi ha detto che potevo vederla».

Il nome dell'avvocata sembra sbloccare un po' di cose.

«Non dovrei dirle niente, per la legge sulla privacy, sa...».

Carella fa una smorfia: c'è gente che muore, qui, e mi parla di privacy?

«... Però parenti non ne sono mai venuti, solo l'avvocata Fidenzi... Cosa vuole che le dica, tecnicamente è in coma. Quando l'hanno portata qui era in overdose da eroina, abbiamo fatto le solite procedure, sembrava riprendersi... sa, di solito i tossicodipendenti hanno un fisico debilitato, non reggono a una botta simile... ma lei non è... ehm... tossica, ecco. Un segno solo, nel braccio, forse lo faceva tempo fa, ma questo qui era il primo buco da un bel po', da quello che abbiamo capito».

Sì, questo lo sa.

Ora Carella dovrebbe dire le cose che dicono tutti: beh? Allora? Si sveglia? Quando? Come? Danni cerebrali? La riavremo? Però non dice niente.

«So cosa vuole sapere, sovrintendente, è quello che vuol sapere anche l'avvocata Fidenzi... è quello che vogliono sapere tutti, in questi casi, ma io non posso dirglielo. In queste condizioni, potrebbe svegliarsi lentamente. Ci sarebbe bisogno di una riabilitazione seria, ma potrebbe tornare come prima. Capita che risponda agli stimoli, e capita che non risponda... Oppure potrebbe non svegliarsi più, restare così, alimentazione forzata, zuccheri... e allora verrà il momento di decidere se staccare le macchine... senza parenti sarà un problema».

«Cose che si possono fare?», chiede Carella.

«Dipende, lei è credente?».

«No».

Il dottore allarga le braccia, più di prima.

Carella stringe la mascella, gira le spalle e se ne va, esce dalle porte come da un saloon, spingendo i due battenti, le scale, veloce, la luce fuori, un tramonto giallo, senz'aria.

Il piano è di ricominciare il giro, battere un po' i locali, no, non i locali. Le stanze sul retro, i divanetti nei séparé, gli spazi spogli dietro le porte con scritto «Privato». I club dove si entra solo se ti conoscono. I posti dove si smazza la coca, si sistemano gli affari, si stringono patti, si decidono zone e interessi per i prestiti.

È vestito come loro, ha la stessa macchina, cerca di pensare come loro.

È uno di loro.

Mette in moto e nasconde il tesserino, sotto il sedile di guida, lo incastra tra la struttura e il cuoio del sedile. Poi parte.

Sa che deve solo aspettare, farsi vedere, essere rintracciabile. Ma ora non ha voglia della birra in piedi con l'aria da duro, e nemmeno dell'hamburger solitario. Fuma. Guida. I movimenti precisi, come se sapesse dove andare, e invece non lo sa. O forse sì, perché finisce in via Savona. Passa e ripassa, siccome è un senso unico, deve fare il giro, si ferma quando trova un parcheggio, cerca un anellino con due chiavi in uno scomparto del cruscotto e si avvia a piedi.

Il cancello, le scale, la porta, due mandate, una serratura Yale semplice, potrebbe entrare anche un bambino. Non accende la luce perché basta, anche se a stento, quella che viene da fuori. È una stanza che sembra una cella, quadrata, con tre porte su tre pareti, l'ingresso, un bagno grande come un francobollo e un cucinino ancora più piccolo. Sul quarto muro c'è la finestra che dà sul cortile. Un lettino singolo, una specie di branda, due sedie, un tavolo, un armadio di tela, gli scaffali a vista, con un po' di roba piegata e altra buttata lì malamente. C'è una maglietta, sul letto, e un grembiule blu, la divisa da lavoro. Non c'è nessun odore sgradevole, anche se è una tana.

Le chiavi di casa di L le aveva tenute la bella avvocata, era venuta a prendere qualche maglietta, e biancheria per la ragazza, che era stata portata a Niguarda, all'ospedale, e aveva detto che l'avevano ripresa per i capelli, L, un minuto prima della fine. Overdose. Poi le aveva date a lui. Voleva dare un'occhiata, vedere il posto, capire se quell'unica pera era un tentativo di suicidio, oppure se qualcuno... ma no, Carella non ci credeva.

Troppo presto. Impossibile.

E ora è lì, dove sarebbe lei. A quest'ora avrebbe finito il turno, sarebbe tornata a cambiarsi, a levarsi di dosso l'odore del supermercato, i suoni, il metallo, le casse, le scatolette di tonno da sistemare.

«Part-time», aveva detto.

«Ah, quindi hai un sacco di tempo libero», aveva scherzato lui.

«Sì, finché dura, al supermercato... ma cerco qualcos'altro, se avessi due lavori...».

È già stato seduto lì. Ci è venuto altre volte, in sere come quella, a guardare la luce fuori che se ne andava, a guardare le cose di L. Pochi libri senza criterio, trovati, forse, o regali di qualcuno che non sapeva dove metterli, roba inutile. Uno specchio con un piccolo ripiano davanti, trucchi, rossetti, tubetti di mascara, roba da poco, non c'è nessuna scritta Dior, o Chanel, insomma. L'armadio, anche lì, due stracci, qualche paio di jeans, un vestito avvolto nel cellophane, tre paia di scarpe, uno col tacco basso, le altre sono sneakers.

Cosa ci fa lì?

Si è messo in testa di cominciare un lavoro, e aveva uno scopo. E poi quello scopo è, come dire, venuto meno, si è ritirato dal gioco.

Proteggere L, curarla, stare attento a lei, starle vicino quando avrebbe avuto davvero paura, con il Vinciguerra fuori di nuovo, libero di cercarla.

Lui sarebbe stato presente, certo. Gli sembrava di stare al mondo per quello, in certi momenti. Voleva dimostrare coi fatti quello che aveva detto con le parole agli incontri, con addosso gli occhi di quei cerchi nell'acqua ferma. Il dolore. La mancanza. In fondo doveva solo convincerla: io ci sono, se serve a evitare, limitare, attutire tutto questo. Così si era offerto come argine alla paura della ragazza, aveva riso con lei, e non era bastato.

L si era fatta una pera tre giorni prima del 7 settembre. Il Vinciguerra era ancora dentro e contava le ore, e per lei invece saliva la temperatura, il fuoco si alzava, la pentola a pressione non aveva una buona valvola, e...

«Ma si fa le pere?».
«Ma chi?».
«L, Laura, è una tossica?».
«Parli come uno sbirro, Pasquale».
«Sono uno sbirro... beh?».
L'avvocata lo aveva guardato in quel modo... come dire: anche se non volessi tu sai che te lo direi lo stesso, te ne approfitti... E poi:
«Pulita, da più di due anni. Recupero, riabilitazione, comunità, tutto. Niente vecchie compagnie, niente fidanzati che ti fanno battere per la roba... lavora, vuole ricominciare a studiare... ha capito che era una cazzata, capito davvero, intendo... È una ragazzina che ci prova sul serio».

Se non altro aveva capito, la bella avvocata, che

l'interesse di Carella non era di quel tipo che di solito... Ma lei le aveva viste le scintille, durante quegli incontri, quando L aveva raccontato la sua storia e quel dolore che non se ne andava. E poi, dopo, al bar, quando si parlava di niente, che L lo guardava come si guarda un animale nuovo, un uomo che non ti mena, che non ti vende una bustina, che non ti frega sugli straordinari, che non ti tocca il culo mentre sistemi la maionese sugli scaffali alti. Cazzo, se si vedeva!

E lui? Lui gentile, quasi sempre zitto. Avevano scherzato.

«Ma sicuro che sei un poliziotto? Non sembri».

«Sicuro sì».

«E la pistola ce l'hai?».

«Ce ne ho due, ma non qui, non sono in servizio».

«Quindi fammi capire, tu cerchi quelli stronzi e li porti in galera?».

«Più o meno».

«E con quelli stronzi stronzi come fai?».

«Ma non è difficile, L, basta essere più stronzo di loro».

«Mi piace che mi chiami L».

L'avvocata, come al solito, aveva capito. Lo aveva guardato con infinita dolcezza dicendo senza dirlo: non è per te.

E lui le aveva sorriso per dire: ma sì, lo so benissimo, per chi mi prendi?

L non aveva capito niente.

Ora è buio.

Carella si alza ed esce com'era entrato. Scende le scale, passa dal secondo piano, l'appartamento sotto quello di L. Ci sono ancora i segni dei sigilli della giudiziaria, ma ora ci abita qualcuno, sente una madre gridare in una lingua che non saprebbe dire, ma le grida delle madri sono tutte uguali, no?

L'aria gli fa bene, sale in macchina, sono le nove e dieci.

E poi Diana Gold risponde al telefono.

Non quelle frasi che ti aspetti, niente roba da puttane. Solo: «Pronto?».

«Buonasera, signorina Gold, ho visto il suo annuncio, interessante, volevo sapere se possiamo combinare un incontro per... conoscerci meglio, ecco».

Ha usato le stesse parole del sito, le sta dicendo che ha capito come funziona e che vuole stare alle regole...

«Potrebbe offrirmi da bere, un aperitivo, per esempio, così capiamo se non ci stiamo proprio antipatici...».

«Non stasera, quindi... Domani?».

«Stasera?», ride. «Stasera è tardi per un aperitivo! E domani... ah, domani sera ballo, e quando ballo non... cioè... non sarei al massimo... è stancante, sa?».

È andata in confusione, ma si è ripresa subito. Mestiere. Ore di volo.

«E dove balla, se posso sapere?».

«Al Kontatto, è un club... sta...».

«Se lo cerco lo trovo».

«Venga a vedermi, allora, e da bere me lo offre lì».
«Bene, a domani sera, se sono ancora vivo...».
«Ma che cafone sarebbe a morire prima, scusi?».
Lui ride, lei anche, sono già amici.

Nove

Il caffè lo beve al bar di sotto. Vuole evitare la macchinetta del secondo piano, dove ferverà l'attività di informazione, disinformazione e pettegolezzo sul caso Crodi. Cosa dice Gregori, cosa dice il sostituto, cosa fa Ruggeri. Ghezzi lo sa bene perché quando il caso rognoso lo ha in mano lui manda Sannucci a origliare.

Per il resto, ha imparato negli anni che arrivare in questura, salire le scale, borbottare quei ciao frettolosi nei corridoi e sedersi alla scrivania ha creato una ragnatela di abitudini che gli piace, lo rassicura. Nella vita bisogna fare così: salire le scale, salutare, sedersi.

Sannucci alza gli occhi dalla *Gazzetta*. Si aspetta i complimenti per il lavoro di ieri e ha ragione, la faccenda delle liste dei passeggeri è stata un colpo da maestro.

«Bravo Sannucci, bravo due volte, così te l'ho detto anche per Carella che è in ferie, e siamo a posto... a proposito, di Carella si sa niente?».

Sannucci esita, quindi Ghezzi capisce che qualcosa c'è.

«Dai, Sannucci, non farmi incazzare subito alla mattina».

«Cose che si sentono in giro, sov, le cazzate della macchinetta del caffè, lo sa com'è, qui basta poco...».

«Allora?».

«Circola una voce... una mezza leggenda... dice che Carella ha un sacco di soldi, che gioca, che gira con un Suv top di gamma, cose così... va in posti che uno col suo stipendio... insomma, sov, ha capito, no?».

«Cioè Carella sarebbe un po'... sporco? Così, Sannucci?».

Quello sta zitto.

«E tu ci credi, Sannucci?».

«Io credo che se Carella si veste da balordo è per incastrare un balordo. E che se guida il macchinone è per mischiarsi a quelli col macchinone. In poche parole, sov, Carella sta lavorando in proprio... un caso suo, qualcosa del genere, perché altrimenti alla bisca dei calabresi al Giambellino ci va solo a fare una retata...».

«Lavora da solo... E questo ti preoccupa di più o di meno, Sannucci?».

Sannucci ride.

«Forse dovrebbe dargli un colpo di telefono, sov, dirgli che se voleva farsi notare dai cattivi c'è riuscito, perché l'hanno notato anche i buoni».

«I buoni saremmo noi, giusto?». Ghezzi ci prende gusto a confondere Sannucci, è la sua forma di maieutica. E poi: «Va bene, magari lo chiamo. Adesso dimmi una cosa, che io per i nomi... quello che abbiamo giù, dagli scienziati, quello che se la tira da mago delle serrature, come si chiama?».

«Ma dice il Magoni, sov? Quello pelato?...».

«Ecco, Magoni, sì, grazie...». Ghezzi si alza. «Scendo un attimo da 'sto Magoni, allora... tu cosa devi fare, Sannucci?».

«Gregori ha chiesto un po' di gente per risentire tutti nel caso Crodi. Un altro giro di inquilini, vicini, gente che dorme con le finestre aperte... inutile, secondo me, ma sono disperati e...».

«Vai, vai, Sannucci, se ho bisogno ti chiamo».

Dagli scienziati l'aria è diversa. Tutto pulito e silenzioso, le stanze sono più piccole perché ognuno si è fatto il suo mini laboratorio. Giorgio Magoni sta nel suo, seduto chino su un bancone di metallo pieno di piccoli aggeggi. Ha una lente incastrata in un occhio, come gli orafi, come quelli che riparano gli orologi.

Ghezzi bussa sullo stipite della porta aperta. «Visite», dice, l'altro si volta.

«Ah, che piacere... Ghezzi, giusto? Vieni, vieni, non ci conosciamo, ma la tua fama ti precede...».

Ghezzi ride, si stringono la mano. Poi gli mostra la chiave che ha trovato dal Salina tra l'ultimo cassetto e la struttura del mobile, nascosta.

«Buona chiave, buona serratura, svizzera... chiave di sicurezza, le chiamano così, adesso».

«Cosa vuol dire?».

«Che se vai in un negozio a farne una copia ti dicono che non si può, ci vuole una tessera, nome, cognome, un codice che ti hanno dato quando hanno montato la serratura... Insomma, non è di quelle che fai le copie dal ferramenta».

«Idee di cosa possa aprire?».

«Ora le fanno sempre più piccole, è vero, ma io dico che questa... Devi cercare un armadietto blindato, o un cassettone, un armadio, una cosa così, però... Però... la testa quadrata... è strana, diciamo non frequente. Quindi io direi che è di un posto che ha tante chiavi simili, tipo cassette di sicurezza, ma guarda che sto indovinando, potrebbe aprire qualunque cosa, in realtà, ti sto facendo perdere tempo...».

«La sigla che c'è sopra?».

«No, è del fabbricante, non ci dice niente».

Ghezzi rimette in tasca la chiave e cerca un modo per andarsene gentilmente, l'altro si è di nuovo incastrato l'occhio di lince nell'orbita sinistra e scruta un ferro grande come un capello, però ha voglia di chiacchierare.

«Tu sei sul caso Crodi, con Ruggeri?».

«No, no, sono fuori. Carella è in ferie e io sono in fase scartoffie... Ci sono novità?».

«Macché, Gregori è sotto pressione... certo che quel Crodi...».

«Cioè?».

«Mah, con le cose che aveva là dentro, roba di valore, eh... insomma, aveva un antifurto del cazzo, due fili, pure in vista, e anche la serratura... Ma io non lo so la gente che ci ha in testa. A sentire la tivù sono tutti terrorizzati che gli entri qualcuno in casa, poi per proteggersi mettono due fili del cazzo... mancava solo la scritta “tagliare qui”... e infatti hanno tagliato lì, per entrare... anzi, i fili erano già stati staccati, secondo me, perché lì dove li hanno tagliati c'era una giunta sistemata col nastro isolante».

«Però non manca niente, giusto? Mi ha detto Ruggeri che c'erano addirittura dei contanti, bene in vista, e che non li hanno presi».

«Già... ma anche questo... Vai a sapere cosa c'era là dentro. Il posto è un labirinto di scaffali, nicchie, casse, mobili, antichità... oddio, io non saprei nemmeno cosa rubare, non è che mi intendo di antiquariato...».

Ghezzi saluta, si stringono la mano e si avvia verso la porta, ma...

«Aspetta, Ghezzi, vieni qui, dammi la chiave».

Magoni la mette dritta sul bancone che ha spazzato con la mano, accanto a una scala graduata in millimetri, la fotografa con il telefono e gliela rende.

«Così, per scrupolo... metti che incontro qualcosa di simile, magari ti dico».

«Grazie, Magoni».

«C'è una signora per lei, sovrintendente», dice l'agente che tiene il traffico dei passaporti e delle denunce. Ghezzi gira la testa e vede la Franca che si alza da una seggiola e gli va incontro, Ghezzi le fa strada verso il suo ufficio. Un giovane che sta lì si imbizzarrisce, sbuffa, non si tiene, sbotta.

«Ma insomma, c'ero prima io della signora!».

Ghezzi torna indietro, sono tre passi esatti, e si mette davanti al giovanotto, che ora non è più così sicuro di sé.

«Cosa aspetta, lei? Cosa deve fare?».

«La denuncia. Mi hanno fregato la moto».

«Che sfortuna. Beh, aspetti qui, prima o poi succederà qualcosa. La signora è un caso più importante, non ce l'ha, la moto».

Quello rimane lì senza sapere cosa dire, gli altri che aspettano guardano da un'altra parte o sghignazzano in silenzio.

Ora sono seduti, la Franca si è messa al tavolo di Sannucci e non sulla sedia degli ospiti, così si guardano con le due scrivanie in mezzo. Fruga nella borsa e tira fuori dei fogli.

«Ti ho fatto una lista».

«Come quella dell'altra volta?».

«No, c'è più roba, ho trovato i parenti».

«Li hai chiamati?».

«Ghezzi... no».

«C'è qualche problema, Franca?».

«Dai, su, cerca di capire, anche tu! Comunque sia, anche se è un parente, il Pietro è uno che è stato in galera, che vive con quella che fa le marchette... loro non credo che mi sentano volentieri, e io non sento volentieri loro».

«Fammi vedere».

Lei gli passa i fogli, ma lui dà solo un'occhiata distratta.

«Poi ci penso io... senti, Franca... una cosa».

Lei giocherella con le penne sulla scrivania, ha la faccia stanca.

«A casa tua... nella stanza del Salina... come mai mancano le carte?».
«Che carte?».
«Dai, Franca, tutti abbiamo un mucchio di ricevute, bollette, lettere della banca, che ne so, andrà dal dottore, ogni tanto... invece solo la garanzia del frigorifero nuovo e un paio di altre scemenze. Niente carte, insomma, eppure lo so che ci sono...».
«Ma... dici che le bollette possono aiutarci a trovarlo? Comunque non so che carte dici, perché le spese della casa le tengo io, faccio io il ragioniere, lui...».
«Voglio dire questo, Franca. Magari uno che di mestiere ha fatto il ladro...».
Lei fa per protestare.
«Ma sì, ma sì, anche se non lo fa più... però potrebbe avere un posto dove tiene un po' di roba... non necessariamente roba rubata, eh!», questo lo dice per placarla. «Una cassetta di sicurezza, un armadio da qualche parte, un magazzino... scommetto che lì ci troviamo anche un po' di carte, perché non esiste un uomo che non ha una cartellina con dentro i cazzi suoi in forma di burocrazia, Franca».
«Non lo so... dici quella chiave?».
«Beh, una chiave nascosta qualcosa dice, no?».
«A me niente».

Quando Franca se n'è andata – l'ha accompagnata alla porta, dove c'è la fila delle denunce, il ragazzo della moto è ancora lì – Ghezzi legge i fogli che gli ha portato.

Porca miseria, il Salina che sembrava solo al mondo, solo lui e la sua Franca, ha una lista di parenti che pare la Bibbia. Un fratello in Liguria, ad Albissola, sposato, si chiama Giuseppe, ha due figli, quindi il Salina è pure zio. Un altro fratello dalle parti di Ancona, fa il cuoco in un albergo, che lei sappia non ha famiglia, si chiama Angelo.

Franca ha aggiunto qualche nota: con Giuseppe sì, Pietro ha qualche rapporto, una telefonata ogni tanto, con Angelo zero, gelo da anni. Ci sono i numeri di telefono.

Poi c'è una vecchia zia, se è ancora viva, che sta in un paesino sul lago. C'è il numero anche lì, ma non un cellulare, un prefisso che comincia con zero, come nel Seicento.

Più interessante il secondo foglio, che si apre con la scritta: «Amici?».

Ghezzi apprezza il punto di domanda. Ci sono tre nomi e qualche riga di spiegazione. La calligrafia della Franca è comprensibile e chiara, almeno questo.

In prima fila c'è uno che si chiama Gedino, era in galera con lui a Bollate, la prima volta. Un tizio di Pavia che era dentro per scasso anche lui, niente nome di battesimo e niente numeri, più anziano del Salina. Il secondo è un altro balordo, di Milano, questo, un tale Franchino Ghiglioni che si è fatto la galera con lui, ma la seconda volta, a Opera. Non sa per cos'era dentro, ma usciva dopo il Salina, e Franca ricorda che quando lo rilasciarono lui andò a una specie di festa, o cena, insomma, erano rimasti in contatto.

Il terzo nome è abbastanza sorprendente, una donna. Sandra Pirosi, che a Opera cura i rapporti con le associazioni, i gruppi esterni, tiene viva un'idea di carcere umano che non va certo di moda adesso. Il Salina l'aveva sentita per un po', dopo essere uscito, e magari è ancora in contatto.

C'è un'altra pagina, che la Franca ha intitolato: «Improbabile».

Si apre con un posto in montagna in cui andarono insieme qualche anno prima, l'Hotel Edelweiss, vicino a Bormio, con numero di telefono e mail. Segue un elenco di bar, dove il Salina capitava ogni tanto a cercare affari, a guardarsi in giro, anche se ultimamente le risulta che andasse solo là, al bar Tramonto, dove Ghezzi è già stato. Legge gli indirizzi. Sono tutti in zona, anzi, tutti si allontanano dalla zona. C'è un bar in fondo a via Tadino, quasi all'angolo con Vitruvio, un altro – tavola calda – al Casoretto, un terzo più avanti in via Padova. Il bar Tramonto è ancora più in là, come se il Salina si allontanasse da casa ad ogni bar che cambiava, ma sarà solo un caso.

Poi c'è un negozio di apparecchiature elettroniche, impianti di videosorveglianza, cose così, in viale Sarca. Ogni tanto il Salina faceva qualche lavoretto per loro.

Il quarto foglio è una foto del Salina, si vede abbastanza bene nonostante la stampante da poco.

Ghezzi guarda quel ritratto cercando di togliergli trent'anni. Ciao, Pietro Salina, guarda che non mi scappi.

«È la più recente che ho», c'è scritto a penna.

Non è molto, anzi, non è niente, però, giusto per non lasciare nulla di intentato... Ghezzi copia i numeri sulla sua agendina. Dei bar scrive l'indirizzo, uno, due e tre, mette l'agendina nella borsa ed esce.

Appena fuori dal portone gli suona il telefono. Sannucci.

«Dimmi, Sannucci, che c'è?».

«Niente, sov, è che ho finito qui da Ruggeri e... se non c'è niente di urgente io andrei, oggi è...».

«Ci sono novità?».

«Niente di niente, sov, Ruggeri è disperato, Gregori pure, e i giornali non mollano la presa. Il sostituto però ha un paio di idee e...».

«Vai, vai pure, Sannucci, voglia di lavorare saltami addosso, eh!».

«Uff, sov... va bene, grazie, ci vediamo domani».

Questi nuovi orari non gli dispiacciono per niente. A metà pomeriggio, andarsene praticamente a zonzo... gli piacerebbe riattraversare i giardini, stare un po' lì a guardare i cani. Però deve andare da un'altra parte e non vuole allungare troppo. Prende la metro, la linea 3, poi cambia e prende la lilla, cammina dieci minuti ed è arrivato. Non è proprio un negozio, più un ufficio con laboratorio e magazzino, cioè non c'è la vetrina, solo un ingresso, dentro un bancone e dietro un signore che batte sui tasti di un computer. Alza gli occhi quando Ghezzi entra, si alza anche lui, si avvicina al bancone, dall'altra parte.

«Buonasera».

«Buonasera... il signor...».

Tutto inutile. Sì, il Salina, come no, fa dei lavoretti per loro ogni tanto. Cose semplici, tipo disegnare degli impianti da far vedere ai clienti. Capita che lo chiamino con delle piantine in mano, case, o terrazzi, o giardini, per capire dove è meglio mettere i sensori. Antifurti, insomma. Ma adesso di quei lavori lì ne fanno meno, è un po' che non lo sentono, eccetera, eccetera. Chissà se lo sanno che il Salina è un ladro. E chissà se lui fornendo 'ste consulenze tiene presente il suo lavoro vero, magari dà una mano ai colleghi.

Comunque niente.

Ora dovrebbe fare il giro dei bar, ma all'improvviso non ha più voglia di quell'indagine. Perché correre dietro a uno che è andato via di sua volontà, avvertendo, addirittura? Sì, c'è pericolo. Sì, ha visto qualcosa che non doveva, questa è la cosa interessante. Cos'ha visto il Salina da farlo spaventare così tanto? E la macchina?

Ghezzi non si accorge nemmeno che sta camminando. Si insegue da solo in quel labirinto senza uscita del Salina sparito nel nulla. Da viale Sarca è tornato verso la città, con le torri d'acciaio e vetro che riempiono l'orizzonte come le montagne in fondo alla Dead Valley. Ora sta vicino al palazzo della Regione, pensa che tornare a casa a piedi non sia una missione impossibile.

Ma no, in realtà non ci pensa.

Macina quello che gli viene in mente come un ruminante. E parla, sottovoce, mentre cammina né veloce né lento, col suo passo.

Dalla Franca non si è fatto vivo nessuno, eppure a chiedere in giro lo sanno tutti che il Salina sta con lei... Due sberle e la faccia brutta: «Dov'è il tuo uomo?», se qualcuno davvero lo cerca sarebbe il minimo sindacale. Invece niente. Prende una macchina per fare trenta chilometri, anche meno, e la tiene cinque giorni senza dirlo alla sua donna, e ha un posto segreto dove custodisce le sue cose ma imbosca la chiave come un ragazzino che nasconde la sua prima canna ai genitori. Mette una mano in tasca e tocca la chiave. Qualcosa di solido che non siano chiacchiere.

Ecco il quadretto, si dice Ghezzi, chiodo nel muro, cornice, faretto e tutto, solo che non c'è disegnato niente.

Ma soprattutto ora Ghezzi si chiede perché corre dietro al Salina. Uno che non è una cima, e l'unico talento speciale che ha è quello di mettersi nei guai.

Fu il suo primo arresto, è vero. E allora? È una questione di nostalgie, dunque? Di cerchi da chiudere? Ma no, cosa c'entra... che poi non c'è niente da chiudere.

Quanti ne ha visti, di Salina? Decine. Più o meno abili, più o meno furbi, tutti convinti di farla franca, tutti stupiti, quando scattano le manette, di non aver ingannato il mondo intero con il loro genio, il piano perfetto, i dettagli studiati al millimetro.

Non ci arrivano, tutto qui.

Il mito del criminale è sopravvalutato. Al novanta per cento sono dipendenti di grandi imprese, le mafie, le organizzazioni, fanno quello che gli dicono di fare, puoi avere i contanti in tasca e il tuo giro, ma le decisioni le prendono più in alto. Gli indipendenti, come il Salina, cosa vuoi che combinino? Ha qualcosa da parte, aveva detto la Franca. Cosa? Quanto? Più o meno di un impiegato di medio livello? La tredicesima? Le ferie? E anche fosse di più, si dice ora Ghezzi, anche fossero soldi veri... ma che vita è? Sempre in campana, sempre a guardarsi le spalle. Con la Franca che manda avanti la baracca a colpi di... finché ce n'è.

Ma se non vale la pena di fare la vita del Salina, si chiede ora Ghezzi, perché dovrebbe valere la pena corrergli dietro? Scappare, nascondersi, non è la sua vita? Quella che si è scelto?

Senza accorgersi ha aperto il portone, salito le scale, poi la porta di casa, e ha appoggiato la borsa su una sedia in salotto. Forse è per questo che stiamo al mondo, per salire le scale, aprire la porta, appoggiare la borsa, dire: «Rosa, sono a casa!».

Lei sfreccia verso la cucina dove ha il ferro da stiro attaccato.

«Lo hai trovato 'sto Pietro Salina?».

«No, e tu che ne sai?».

«Mi ha telefonato tre volte, oggi».

«Chi?».

«La tua Franca, sempre in lacrime...».

«La *mia* Franca?».

«... Il mio Pietro di qua, il mio Pietro di là... tutta impaurita che gli facciano qualcosa di male, ma in fin dei conti cosa fa il suo Pietro?, il ladro, e lei, lasciamo perdere, va', che ho visto un annuncio... certe foto... anche la pioggia dorata, roba da matti... Che gente frequenti, Tarcisio!».

«Io... frequento?».

Ma lei ha messo giù il muso, stira come se passasse la pialla su un tronco di pino.

Dieci

Sa che arriverà, ma non sa da dove.

Sa cosa lo aspetta e può solo sperare di limitare i danni. Sa che deve restare vigile e freddo, ma si guarda alle spalle troppo spesso. Sente che involontariamente tende i muscoli, gli addominali carichi, le spalle dritte.

Ora va verso la macchina, il suo compito è essere un bersaglio e ha posteggiato lontano. Sono solo le nove e mezza, quindi può anche essere che questa attesa snervante duri molte ore, magari di più.

E poi, invece, ecco.

Sente dei passi sul marciapiede alle sue spalle. Gira la testa, così non si accorge di quello davanti, che esce dall'ombra dei lampioni, tra due macchine parcheggiate, non lo vede nemmeno partire, ma quando arriva lo sente bene. Un colpo dritto nello stomaco, nel buco che c'è tra lo stomaco e i polmoni, con tutta la forza.

Carella si svuota di colpo. Un elefante che salta su una cornamusa, ecco l'effetto. Gli si riempie la bocca di qualcosa di amaro, schifoso.

Fa appena in tempo a ricordarsi di cadere da un lato, non dritto in avanti. Così si evita la ginocchiata al mento, mossa classica, ovvia, se ti pieghi in avanti in quel modo perché non hai più lo stomaco. La ginocchiata la prende di striscio, una guancia, un orecchio, dai, non si muore. Ora pensa: i denti no, cazzo. Ma il problema è respirare, riempire d'aria quello che si è svuotato di colpo, altrimenti si annebbierà la vista e... Si piega a terra cercando di coprire la testa, ma agita le gambe per tenerli lontano. Quello che l'ha colpito per primo è grosso, ora gli sta sopra, forse l'ha preso, con un calcio, ma così, alla cieca. L'altro lo martella nelle costole con la punta delle scarpe. Non parlano, non ansimano, picchiano e basta, si vede che lo sanno fare.

Poi arriva un'onda di dolore, tutta insieme, mentre la sorpresa e il getto di adrenalina si dissolvono piano. Male, male, male. Però capisce una cosa: sente il dolore perché non arrivano altri colpi, i due hanno smesso. Si mette sulle ginocchia, appoggia le mani al marciapiede freddo, vomita.

«Alzati».

Carella prova a mettersi in piedi, ma ricade subito.

«Alzati, stronzo», questo è quell'altro, quello dei calci.

Alla fine ce la fa. Il tempo di provare se le ginocchia reggono e arriva una macchina che inchioda proprio lì di fianco. Mercedes nera. I due lo caricano dietro, in mezzo tra loro, stordito.

Quando Carella si decide a riaprire gli occhi vede quello che sapeva: alla guida c'è l'uomo con la faccia da ragazzino, Saverio Sovinato. Ha il naso gonfio e rosso in mezzo alla faccia, non sembra più un ragazzino, al massimo un ragazzino che è caduto con la bici.

Nessuno dice una parola, niente scemenze da film, nessuna battuta ruvida, né da delinquenti né da eroe che le ha prese con una certa dignità. È chiaro che ognuno pensa ai fatti suoi, i due hanno fatto i compiti, bravi soldatini. Il Sovinato è già su un'altra scala di valori: ha appena sottolineato con la biro rossa che chi lo colpisce non va in giro a raccontarlo per troppo tempo e che lui sa farsi rispettare. Quel che succede da ora in poi lo riguarda meno. Carella riprende fiato e valuta i danni: la faccia gli brucia, le costole cercano di uscire da sole, lo stomaco pulsa. Però l'aria entra, esce. Si concentra su quello. Non iperventilare, stai calmo, regolare, conta.

Conta.

Fino a due per inspirare, fino a quattro mentre espira. Gliel'ha insegnato un pugile, magari funziona.

Si fermano davanti a una palazzina di tre piani, il cancello elettrico si apre senza che nessuno azioni un telecomando, è evidente che li aspettano. Carella non saprebbe dire dove sono finiti, non si sono preoccupati di bendarlo, o di fargli tenere giù la testa, ma con i due a fianco, il buio, i finestrini oscurati, ha capito solo che sono andati a nord, prima Fulvio Testi, a sinistra per Cinisello e dopo chissà, perché da quelle parti Carella si perde anche se guida lui, e quindi...

Lo spingono in un ingresso buio, poi in una grande stanza, un salone che occuperà tutto il piano terra, divani, poltrone, un enorme tavolo di cristallo con tante sedie intorno, Carella non le conta. Vede prima lei, la ragazza. Sotto i trenta, mora, un vestito nero, le scarpe col tacco, troppo elegante per una villetta del cazzo nei labirinti di Cinisello Balsamo. Ma anche l'arredamento è pretenzioso, più adatto a una villa con giardino che a quella casermetta grigia, come se fosse stato trasportato da un posto più grande, e più elegante. Poi vede lui. Un uomo sulla cinquantina, snello, curato, in giacca e cravatta, uno di quelli che quando stanno seduti in poltrona la occupano come un trono.

Carella lo riconosce. È uno dei due fratelli Pugliese, Carlo e Vito. Uno latitante per anni, catturato in Argentina, o quei posti là, l'altro libero senza troppe storie. Carlo o Vito? Uno dei due. Radici a Crotone o da quelle parti, il sospetto è traffico di droga a Milano e tutto il resto, dalle bische alle ragazze. Ma naturalmente sono tutti si dice, voci, sussurri, perché quando gli si mette addosso qualcuno, al Pugliese, Carlo o Vito, insomma, a quello in attività, arrivano gli avvocati, i testimoni scompaiono, o hanno visto male, o ritrattano, eccetera, eccetera. Il livello è medio alto, non stellare, ma non siamo a casa dell'ultima ruota del carro. È uno di quelli che mandano in galera i sottoposti e garantiscono un reddito alle mogli, ma è un sottoposto di qualcuno anche lui.

L'uomo ha un bicchiere in mano, le gambe accavallate e una faccia che dà ordini senza parlare.

Infatti i due picchiatori se ne vanno al volo. Saverio Sovinato esce dalla stanza, ma rientra subito, la ragazza scatta e torna con due bicchieri, uno per il ragazzino che non è un ragazzino e uno per Carella.

Whisky. Brucia. Poi si allarga in una ventata calda che placa un po' il dolore allo stomaco.

Un altro cenno del mento. Questa volta verso il Sovinato, che toglie dalle tasche della giacca il suo bottino e lo mette sul tavolo. C'è la pistola di Carella, la K100, e il portafoglio con i documenti. Estrae la carta d'identità e legge:

«Vincenzo Di Natale, nato a Milano... 26 giugno '77... commerciante». L'ultima parola l'ha detta con un sorrisino, come se volesse chiedere: «In cosa commerci, Vincenzino?», ma non lo dice, lascia la battuta al capo, se vorrà farla.

Il Carella picchiato e dolorante ringrazia il Carella lucido e operativo, quello che prepara le cose per bene. Mettere una foto sul documento di uno che ha beccato lui, che si farà otto anni, che non cercherà la sua carta d'identità... procurarsi un timbro a secco... si era chiesto perché, mentre lo faceva, e si era risposto che la prudenza non è mai troppa, e che... Certo, può sempre capitare che uno dica: io lo conosco, il Di Natale, non è questo qui, ma che sfiga sarebbe?

E comunque non succede.

Saverio Sovinato fa due passi e porge al capo il documento, quello fa un segno con la mano come dire, via, via, non mi serve. Sorseggia il suo whisky in modo un po' plateale e parla, finalmente:

«Vincenzo... Enzo... come ti chiamano i tuoi?».

«I miei chi?».

«Mettila così, Enzino... che sei ancora in piedi perché io sono curioso, dovresti ringraziare».

Solo un lontano sapore di sud nell'inflessione. Parole scandite, voce chiara, da capo.

Carella non dice niente. Ha recuperato un respiro regolare, tutta la parte tra lo stomaco e i polmoni è indolenzita, ma ora soprattutto gli fa male la guancia destra, dove lo hanno preso di striscio. Non sanguina ma scotta.

La ragazza coglie un gesto impercettibile che viene dal trono ed esce dalla stanza.

L'uomo scavalla le gambe e si siede un po' piegato in avanti, come uno che spiega le cose, si stira i calzoni sulle ginocchia, che la riga non si sciupi.

«Vai in giro a fare domande e rompi il naso ai miei amici, non va mica bene, Vincenzino... sembri uno a posto, mi hanno detto, ma perché cerchi il Vinciguerra? Se la passa male, non ha niente da darti».

Carella tace. La ragazza rientra nella stanza e gli porge un sacchetto di plastica trasparente. Cubetti di ghiaccio. Gli sorride, ma forse è disprezzo. Carella ringrazia, comunque, e si appoggia quel sacchetto da dentisti improvvisati sul lato destro del viso.

«Mi spiace per il naso del suo amico, ho cercato di essere... non troppo violento, ecco. Era l'unico modo per parlare con qualcuno che sa qualcosa... cioè con lei, credo...».

«Spaccare la faccia alla gente è il tuo modo di dire "mi chiami il direttore"?».

«Se gli avessi detto "mi chiami il direttore" offrendogli da bere sarei qui?».

Freddo ma gentile, gli dà del lei. Le botte sono archiviate, così spera che il Sovinato archivi il suo naso gonfio. L'uomo continua:

«Posso assicurarti che non c'entriamo niente col Vinciguerra... ma mi rimane la curiosità di sapere perché lo cerchi, e chi cazzo sei, anche perché in giro fino a qualche giorno fa non ti si è visto, mi dicono i miei...».

Il finto ragazzino è in piedi vicino alla finestra, la signorina si è seduta su un'altra poltrona e osserva la scena come se guardasse la tivù. La donna del capo, o una delle, ma abbastanza importante da essere ammessa a simili riunioni della ditta.

«Allora?».

«È una questione privata, tra me e il Vinciguerra, non è roba di affari».

«Privata, Enzino? Privata corna? Privata soldi? Privata come?».

«Una cosa tra me e lui... nessuna interferenza con gli affari vostri. Solo, ho visto lui...», indica l'autista di Mercedes nere, «... che lo raccattava fuori di galera. Poi ci ha fatto una festicciola in un night... il Vinciguerra è sparito dalla circolazione e nessuno sa dov'è. Ma il tuo uomo dice che con lui avete sistemato un affare, e dopo, puff, niente più Vinciguerra, anche se uno appena uscito di solito vuole divertirsi un po'... farsi vedere in giro, invece...».

«Chi siamo noi, il numero verde, che chiami e chiedi informazioni alla signorina? Io dico che ci stai prendendo per il culo, e c'è puzza di sbirro, anche perché uno compare così, dal nulla, si fa notare, fa domande in giro, se non ha le risposte che vuole picchia la gente... Sei un poliziotto, Enzino bello? Carabinieri? Che cosa?».

Carella fa la faccia sconsolata, non ci mette nemmeno una spruzzata di espressione offesa, pare solo annoiato dall'astrusità della cosa.

«Da dove vieni?».

«Roma, qualche anno. Non era più aria».

«E di cosa ti occupavi a Roma?».

Carella non risponde, e questa volta la faccia dice: non sono cose che si raccontano in giro. Ma quello aspetta, la corda si tende. Gli stanno chiedendo il pedigree da delinquente.

«Due rapine buone, furgoni portavalori, con la dritta giusta. Poi altre cosette, niente di che».

«Non le fanno i serbi, quelle cose lì?».

Carella fa un sorrisino che dice due cose in una: non dirò niente di più, e anche: fuochino, amico.

«Furgoni portavalori con la scorta, il blocco della strada, i mitra? Tutto il teatro? È rischioso».

Carella tace.

«E la questione privata col Vinciguerra? Era in galera, non a Roma, giusto?».

«È una cosa di prima, una cosa personale».

«Roba di donne?».

Carella tace. Stavolta la corda non si tende, perché il capo ha voglia di fare il discorsetto.

«Quelli che litigano per una donna per me sono un po' sotto la merda di cane, come livello, ma alla fine, se non rovinano gli affari, cazzi loro. Però se vuoi un consiglio, lascialo perdere il Vinciguerra. Ha gestito male le sue cose, è uno sfigato».

«Cioè?», chiede Carella.

«Diciamo così, che era entrato in galera credendo di avere una specie di assicurazione, fuori, un piccolo capitale per rientrare nel giro. Invece il capitale, ciao ciao, se n'è andato non so come, e lui è col culo per terra. Secondo me non ha nemmeno i soldi per pagarsi un pompino, a proposito di donne».

La ragazza sorride.

Poi il capo cambia tono.

«Non me ne frega un cazzo di te e del Vinciguerra, che sia chiaro. Ma non voglio stronzi che vanno in giro a colpire i miei uomini, e resta sempre il problema che ti dicevo, se sei un poliziotto oppure no. Se sì, è un problema. Se no, sei solo un incosciente e devi ringraziare che Saverio è un tipo in gamba, se trovavi uno un po' meno intelligente a quest'ora eri morto».

«Non sono un poliziotto».

«Se lo fossi lo diresti?».

Ora parla il ragazzino, ha in mano la sua pistola.

«Perché giri con una cecoslovacca?».

«È slovacca, la Cecoslovacchia non esiste più... buona pistola, anche se credo che... boh, una vale l'altra, ma come si dice... quindici colpi meglio di nove... era un affare».

«Che poi tu ti trovi meglio con... AK-47? M16? Cosa usate per i furgoni blindati dei portavalori, Enzino, dai, insegnaci qualche trucco».

Questo era il capo.

Ora stanno zitti. La ragazza si alza e rabbocca i bicchieri, nessuno ringrazia. Un bel tappeto, anche lui troppo grande per la stanza, attutisce il rumore dei tacchi. Carella segue per un po' il disegno, una scena di caccia, la volpe in un angolo, come volesse scappare via sotto i loro piedi.

«E che fai di bello a Milano, Vincenzino... a parte cercare un cretino che tra un po' ruberà i portafogli alla stazione?».

Sembra persino una conversazione normale, anche se Carella sente dolori ovunque. Però capisce che deve approfittarne.

«La sa una cosa? Lo cerco da un bel po', il Vinciguerra, e se non lo trovo vuol dire che si nasconde bene. E per nascondersi bene un po' di soldi bisogna averli. Coperture, gente che ti avverte, anche solo un posto dove stare... Lo dico per capire meglio le cose... questa storia non va tanto d'accordo con quella del Vinciguerra disperato che ruba le offerte in chiesa».

L'uomo ha sollevato lo sguardo dal bicchiere e guardato Carella come se fosse la prima volta.

«Sì, c'è una logica. Però io ti dico quello che so, magari il Vinciguerra ha altre risorse... può darsi, ma non quelle che aveva lasciato fuori prima della condanna. Lo so per certo e non dirò altro».

«Per voi sarebbe un giochetto, trovarlo».

«Si dice sempre così, ma è un errore, Enzino. E lo sai perché? Perché vorrebbe dire che ora Saverio esce, fa il giro, dice agli uomini che incontra: ehi, cerchiamo un tizio. E così tutti sanno che lo cerchiamo, e cominciano a dire: ma perché cercano uno sfigato simile? Forse che è meno sfigato di quanto crediamo? Cosa c'è sotto? E lo cercano in pace o lo cercano in guerra? E così nascono le leggende, Enzino, le chiacchiere, le voci. E le voci poi arrivano in questura, qualche fetente che vuol fare carriera si trova sempre, no? E oplà. Per fare un piacere a te – perché poi? – finisce che mi fotto da solo. Metti che lo trovano morto, il tuo Vinciguerra, o che combina dei guai ancora una volta... se sanno che noi lo stiamo cercando fanno due più due in un secondo... Ti gira, 'sto ragionamento, o ti sto sopravvalutando?».

«No, no, gira benissimo. Però, senza mettere voci in giro, se sapete qualcosa, dico qui, in questa stanza...».

«Enzino, caruccio mio... mi stai chiedendo un piacere? Picchi i miei uomini in un cesso, vieni qui a farti una bevuta e mi chiedi una cortesia? Fai così anche coi tuoi amici serbi?».

Carella cerca di muoversi sulla poltrona, di cambiare posizione, ma una costola gli ricorda che non può. Lascia andare un piccolo gemito. Intanto pensa.

«Ha ragione. Però mi ero fatto l'idea che a lei non costasse niente, e che poi, là fuori, è meglio avere un amico, uno che se trova un buon affare magari viene a parlarne da socio, senza picchiare nessuno in un cesso...».

Ora Carlo, o Vito, Pugliese si alza dalla sua poltrona e si mette a camminare su e giù, quasi veloce. La ragazza deve spostare le gambe in un lampo, per non farlo inciampare, per non prendere un calcio. Va a mettersi in piedi vicino alla finestra, guarda fuori, ma solo per un attimo. Sembra trattenersi, e invece no, non si trattiene per niente.

«Quanto mi state sul cazzo, voialtri. Indipendenti. Liberi professionisti. Se ha un affare magari viene a parlarne da socio...», ha detto l'ultima frase facendogli il verso. «Vieni qui a chiedere informazioni e fai pure il superiore... però ora voglio proprio vedere. Mi chiedi una cortesia? Sì, forse qualcosa posso dirti sul Vinciguerra, no, non dov'è, scordatelo, non lo so e non me ne fotte niente. Posso darti una traccia. Ma il problema non è questo, il problema, Enzino mio bello, è: se io faccio qualcosa per te, tu cosa fai per zio Vito? Che regalo gli puoi portare? Ora. Questa sera. Non un colpo forse un domani, vediamo, pensiamoci. Adesso. Eh?».

Vito, allora.

«Sa benissimo che non posso darle niente».

«Ma forse qualcosa puoi fare...». Guarda il Sovinato e si rivolge a lui: «Là sei già andato?».

Il ragazzino guarda l'orologio, sono le undici e mezza.

«È presto, vado più tardi».

Ora Pugliese sorride. Si vede che gli è venuta un'idea e che la sta accarezzando, le toglie gli spigoli, la modella come una palla di neve, quando sarà bella rotonda la tirerà in mezzo alla stanza.

Ecco.

Fa un cenno dei suoi e indica Carella.

«Portalo con te, fallo fare a lui, il lavoro».

Ora sorride anche Saverio, e la faccia è davvero da ragazzino. La voce no, però:

«Così vediamo se sotto il cuore batte un distintivo».

E Carella? Carella li guarda, prima l'uno e poi l'altro. Al posto della guancia destra sente di avere un guanto da baseball. Non è il momento di perdere la parte.

«Vi divertite, eh? Io non ammazzo nessuno per i vostri giochetti del cazzo, se devo rischiare non lo faccio in conto terzi».

«Ma che ammazzare! Uh, che melodramma!», ride Vito Pugliese. Ride anche la ragazza, è ammaestrata bene.

Solo quando sono in macchina Carella si rivolge direttamente a Saverio.

«Mi spiace per il naso, niente di personale».

«Niente di personale un cazzo, comunque è un trucco da stronzi. Se si diffonde la voce che per parlare col capo bisogna menare qualcuno è finita, lo sai?».

«Non ci avevo pensato».

Carella rimette al suo posto la pistola, tra la cintura e il coccige, il movimento gli strappa un gemito.

«Davvero hai fatto i furgoni col mitra o era solo per impressionare il capo?».

«Non è così come si dice, non è la guerra, non farti il viaggio... è una cosa di precisione con gli orari, riguarda le cose che puoi fare in centottanta secondi, centosettantanove vinci, centottantuno sei fottuto».

«Beh, comunque sì, era impressionato. Dai, dimmelo, non fare la bella figa. Perché cerchi il Vinciguerra?».

«Te l'ho detto, è una cosa personale».

«Non dai l'idea di cercarlo per dargli un premio, lo sai, questo? Magari è sparito proprio perché lo cerchi tu».

«No... parlami di questo lavoro, dimmi che è una cosa veloce».

«Abbiamo problemi con questo ingegner Savoni, un pezzo grosso, amministratore delegato eccetera eccetera. Ci deve sessantamila, col fatto che è uno importante gli avvisi sono stati blandi. Un discorsetto, un altro discorsetto un po' più ad alta voce. Niente, sempre delle scuse, gli interessi crescono...».

«Da come me lo dici, l'ingegnere pezzo grosso è uno che pagherà, prima o poi, se gli interessi crescono meglio, no?».

«In linea teorica sì, ma in linea pratica manco per niente. 'Sto coglione del Savoni butta i soldi dalla finestra, gioca e perde, ma non gioca più da noi, fa debiti anche con la concorrenza, abbiamo saputo. E chiacchiera. Perde a poker e chiacchiera dicendo che con noi ci si mette d'accordo, che siamo amici, gente alla mano che non bada troppo alle scadenze... capirai che è un messaggio che non deve girare. Ecco, è il momento di fargli il discorsetto serio».

«Serio con prognosi riservata o serio da spaventarlo?».

«Non è la stessa cosa?».

Carella sta zitto.

«Senti, Saverio, è una pagliacciata. Cioè, io sarei qua a picchiare uno che nemmeno conosco per dimostrare a te e al tuo capo che non sono uno sbirro e in cambio di qualcosa sul Vinciguerra, mi sembra una cazzata ma va bene, ci sto dentro, lo capisco... però si fa a modo mio, tu stammi dietro, fai quello che vuoi ma il mazzo lo tengo io, d'accordo?».
L'altro ci pensa un attimo mentre guida preciso e veloce.

Carella valuta la situazione. Sta per commettere un reato. Non è più questione di farsi prestare una macchina o di buttare i risparmi al tavolo da gioco per accreditarsi come delinquente. Non è una recita, se vai a fare l'esattore del cravattaro e devi prendere a botte il debitore per spiegargli che i debiti si pagano... Ecco, sarà difficile tornare da Gregori a dire: capo, ho fatto questo lavoro da solo, mi spiace, ma...
Carella vede il piano inclinato.
«Va bene», dice il ragazzino. «Vediamo come se la cava il nuovo sceriffo».
Viaggiano ancora dieci minuti, poi girano tre volte intorno all'isolato, via Sardegna, verso la circonvallazione, posteggiano e aspettano. Niente conversazione.

All'una e venti arriva un taxi, scende un signore anziano che fa di tutto per non sembrarlo. Jeans, giacca sportiva, passo veloce.
Carella lo intercetta tra il marciapiede e il portone, mentre il taxi se ne va.

«Ingegner Savoni? Prego, di qua».

Lo prende per un braccio e stringe forte, l'altro lo segue meccanicamente, quando comincia a chiedere... ma chi è... ma che cosa... è già in macchina, sui sedili di dietro della Mercedes, Saverio è rimasto al posto di guida.

«Buonasera, ingegnere», dice, «si ricorda di me?».

Ora il Savoni ha capito di cosa si tratta e quasi si rilassa. Errore. Carella gli dà una sberla forte, palmo aperto, gran rumore, molta scena. Ma l'ingegner Savoni non è abituato, una sberla così per lui è come un pestaggio in piena regola per uno dei ragazzi che Carella frequenta in queste sue notti da balordo. E Carella vede tutte le sfumature negli occhi del tizio: umiliazione, paura, allarme.

Parla con grande calma, come se avesse tutto il tempo del mondo.

«Per motivi aziendali che non sto a spiegarle, ingegnere, la ditta qui rappresentata da questo signore che lei già conosce», indica Saverio, «si è vista costretta a cedere parte dei suoi crediti. Mi risulta un debito di sessantamila euro, che da questo momento sono sessantacinquemila... spese di riscossione, la metta così, e mi risultano anche due solleciti garbati... non è il mio stile, ecco, questo sarebbe bene che lo capisse subito».

«Ma io...». L'uomo trema, balbetta.

«Dica», dice Carella, cortese. Il Sovinato guarda la scena senza fiatare.

«Ma io... il debito era di quaranta, e poi... ho chiesto una proroga...».

«Ecco, ha fatto bene a dirmelo. Le condizioni sono un po' cambiate. Niente proroghe e niente avvisi gentili. Alla scadenza si paga, come le bollette, ha presente? Così non ci sono sospetti che si facciano due pesi e due misure, lo capisce questo, ingegnere? Come paga di solito?».

«Il signore ci invita nel suo studio», dice Saverio, che si è adeguato al clima, sembra divertito.

«Bene, allora facciamo così. Domani alle... sedici e trenta ti va bene, Saverio? Bene... alle quattro e mezza, domani, il signore qui passa dal suo studio... dov'è, tra l'altro?».

«Corso Vercelli 22», dice Saverio. Adesso si diverte proprio.

«Ecco, e lì lei gli consegna i sessantacinquemila, senza troppe cerimonie. Il signore sarà ancora incaricato dei ritiri, come prima, io non vorrei scomodarmi, cioè, glielo dico chiaro e tondo, ingegnere, quando mi muovo io la gente si fa male, certe volte molto male, magari anche parenti, mogli, nipotini... quindi meglio che me ne sto a casa tranquillo. Capito? Dica che ha capito».

«Alle... alle quattro e mezza...».

«Mi raccomando».

L'uomo pare quasi sollevato, respira profondamente, per scendere da quella macchina prometterebbe qualunque cosa, sta già muovendosi sul sedile.

«Ah, ingegnere...».

Quando si volta, Carella gli stampa un'altra sberla sull'altra guancia, più cattiva, questa, fa meno rumore di quell'altra, ma gli spacca un labbro, ora l'ingegner Savoni ha un rivolo di sangue sul mento.

«Dicevo, ingegnere... ce l'avrebbe un biglietto da visita?».

L'uomo è frastornato, scosso, trema più di prima. Prende un portafoglio di coccodrillo dalla tasca interna della giacca e ne estrae un bigliettino color crema. C'è il suo nome tra grandi svolazzi. Carella glielo preme sul mento finché il sangue non lo sporca per bene.

«In ricordo del mio primo giorno di lavoro», dice.

L'uomo scende dalla macchina, barcolla verso il portone, per due volte rischia di cadere. Saverio mette in moto e partono.

Carella appoggia il biglietto sporco di sangue sul cruscotto.

«Dallo al tuo capo... portami alla mia macchina, ti dispiace?».

Dieci minuti dopo chiudono il cerchio della serata, passano dove Carella è stato aggredito, svoltano un angolo, e c'è il Suv.

Carella scende dalla Mercedes.

«Se domani alle quattro e mezza prendi i soldi, i cinquemila in più tienili, ti pago il naso. Però ricorda al tuo capo che mi deve una dritta sul Vinciguerra. Gli affari sono affari».

L'altro, il ragazzino, l'autista, scuote la testa e ride. Sgomma via.

Un'ora dopo Carella è a casa, sotto la doccia. La faccia è gonfia, la schiena piena di lividi, sullo stomaco c'è una ragnatela di fili viola, un po' di vasi piccoli non hanno retto al colpo. Prende un tubetto di antidolorifici e ne butta giù due, poi si lascia cadere sul letto. Aspetta l'onda, ora, aspetta di farsi il discorsetto: ecco, sei come loro, Carella, anzi, sei proprio dei loro. La seconda sberla al vecchio ingegnere era necessaria? O, peggio ancora... gli è piaciuto farla partire, sentire il rumore? Aspetta un flusso di pensieri che contenga tutto questo, ma non arriva niente, solo dolore quando si gira nel letto, addormentato secco.

Undici

Il sovrintendente Tarcisio Ghezzi appoggia la sua borsa sulla scrivania. Sannucci sta scrivendo qualcosa sul telefono, non alza nemmeno la testa.

«Cos'è qua fuori, Sannucci, la processione del Corpus Domini?».

«Ah, sov, è lei... No, è un'idea del sostituto sul caso Crodi». Lo ha detto continuando a scrivere i suoi messaggi.

«Mi spieghi o devo pregarti in ginocchio, Sannucci?».

«Un momento».

Finita la corrispondenza con la fidanzata o chissà chi, Sannucci aveva parlato, alla buon'ora.

Era nato tutto da un cliente del Crodi. Una cliente, per la precisione, una signora della Milano super-bene, benissimo, anche meglio, che aveva urgenza di recuperare un oggetto affidato alle cure del bravo restauratore. La bottega era chiusa, coi sigilli della procura, lei non sapeva come fare, ma a cosa serve essere della Milano-bene, benissimo, anche meglio, se non riesci a parlare con un sostituto procuratore? Ci aveva parlato, infatti. L'oggetto era un orologio da scrivania, in legno intarsiato, preziosissimo, epoca napoleonica, una quarantina di centimetri, alto trenta, un gioiello, che la signora aveva venduto, e che prima della consegna al nuovo proprietario doveva essere messo in ordine dal bravo e fidato artigiano. Pulizia, lucidatura...

L'inventario di tutto quel che c'era nella bottega era stato un po'... improvvisato, ecco. Ma non si poteva fare altro, c'erano centinaia di oggetti, e il Crodi non era tipo da ricevute o tagliandini compilati, una stretta di mano con clienti che conosceva da cinquant'anni e via. E sulla scena, niente segni di perquisizione, nulla che fosse fuori posto, era naturale escludere il furto, ma non sanno veramente se è sparito qualcosa. Quando il sostituto è andato là, ha staccato i sigilli, l'orologio da tavolo di Napoleone non si è trovato da nessuna parte, così hanno pensato che chissà quante altre cose sono scomparse.

«Avrà fatto il culo a Ruggeri», dice Ghezzi.

«Ma no, il sostituto è uno bravo, ha capito perfettamente, tra l'altro è uno che si intende di quelle cose lì, mobili antichi, roba preziosa... il Crodi lo conosceva, di fama».

Comunque l'idea era questa: convocare i clienti, almeno quelli più recenti, del Crodi, ricavati dai registri, dalle agende, dal telefono del morto. Chiedere se avevano portato lì qualcosa da sistemare, o da restaurare... e ritrovare gli oggetti nella bottega. Insomma, capire con quel metodo empirico se oltre all'orologio di Napoleone è stato rubato qualcos'altro.

«Un furto su commissione, Sannucci? Quanto può valere questo orologio?».

«La signora dice che l'ha venduto a Sotheby's per centosettantamila».

Ghezzi annuisce. Ha visto ammazzare per molto meno di centosettantamila euro.

La fila fuori, quindi, è quella dei clienti del Crodi morto, che avevano affidato qualche tesoro al Crodi vivo, ansiosi di sapere se il loro tesoro c'è ancora.

Però, a parte la solidarietà al sovrintendente Ruggeri, a Ghezzi la faccenda non interessa. È facile mettersi lì seduti comodi davanti al giornale e dire io farei così, io farei cosà. Il caso è rognoso, questa dei clienti può essere una svolta, ma può anche incasinare tutto. Per rispetto al collega Ruggeri, Ghezzi si tiene alla larga, sa il fastidio che si prova quando lavori su un caso ventiquattr'ore al giorno e uno che non ne sa niente ti dà consigli alla macchinetta del caffè. Quindi passa ad altro.

«Oggi ci divertiamo, Sannucci, cerchiamo un paio di balordi».

Scartabella il suo taccuino con gli appunti che ha preso dalla Franca.

«Un certo Gedino, non so il nome, ma è stato in galera, a Bollate, trent'anni fa, è tutto quello che so. L'altro si chiama Franchino Ghiglioni, questo è più fresco, ma per modo di dire: è stato a Opera... diciamo dal 2009».

«Trent'anni fa e dieci anni fa, capo, non è mica una passeggiata».

«Tu prova a vedere se sappiamo qualcosa».

Sannucci sparisce, per questioni così vecchie il computer, mah... bisogna ancora cercare nella carta. Ghezzi esce anche lui, fende la fila dei clienti del Crodi mischiati alla solita calca delle denunce e dei passaporti e scende dagli scienziati.

«Posso?».

«Venga, venga».

Questo è l'antro dei maghi dei telefoni, tavoli con schermi, cuffie, tastiere, fili, tanti fili che collegano apparecchi e hard disk, nell'aria c'è un fruscio elettrico, tutti lavorano in silenzio, tanto che Ghezzi, intimorito, non entra.

Uno degli scienziati si avvicina.

«Mi dica... Ghezzi, giusto?... sono Camilli, sostituisco De Masi che è in ferie».

Non lo conosce, non sa da dove cominciare.

«Ho un numero di cellulare e mi piacerebbe sapere dove si trova 'sto telefono», dice. Poi aggiunge in fretta: «È una cosa che sto seguendo io, quindi non ho moduli, né mandati firmati dalla procura e nemmeno l'ok di Gregori, diciamo che vengo umilmente a chiedere un favore...».

Questo Camilli è uno giovane, uno di quelli che sono più scienziati che sbirri, così Ghezzi pensa che magari a uno scienziato il favore lo farebbe, ma a uno sbirro no.

«Il numero è in uso?».

«Cioè?».

«Sa se il tizio lo accende, ogni tanto?».

«Non lo so... non legge i messaggi da qualche giorno...».

«Lei lo sa, sovrintendente, che mi chiede una cosa illegale?».

«Illegale, che esagerazione! Non voglio mica i tabulati, mi basta sapere dove si trova, se si può...».

Il giovane si avvicina a un tavolo che sta lì, prende un post-it arancione e un pennarello. Scrive il numero che Ghezzi gli detta e appiccica il foglietto al bordo di uno scaffale, come fanno i pizzaioli con gli ordini che arrivano dalla sala.

Ghezzi conta, il suo post-it è in dodicesima posizione, dopo altri numeri scritti su quadratini di carta arancione, ma ce ne sono anche di azzurri e gialli.

«Non le assicuro niente, Ghezzi, queste ricerche... informali, diciamo, per i colleghi, le facciamo nei ritagli di tempo, e non ne abbiamo tanti, di ritagli. Ogni sostituto ci sta col fiato sul collo, credono che se portano qui un telefono noi gli diamo l'indirizzo del colpevole...».

Ghezzi ride, si stringono la mano.

«Domani?», osa Ghezzi.

«Provi, ma è difficile», dà un'occhiata alla fila dei post-it, «... meglio dopodomani, senza farsi troppe illusioni, eh».

Sì, le illusioni, buonanotte.

Ghezzi risale alla sua scrivania, fende di nuovo come un rompighiaccio la piccola folla in sala d'attesa. È un colpo d'occhio interessante, perché quelli che aspettano sono quasi tutti stranieri, e gli italiani sono quasi tutti clienti del Crodi che saranno sentiti dal sostituto. I primi hanno gli occhi della pazienza infinita, di chi è abituato a stare in fila; i secondi parlano piano tra loro, di oggetti preziosi, del povero Crodi, si godono l'avventura, la racconteranno a cena, o alle amiche del burraco.

Quando entra nella sua stanza, sente il telefono, ovattato. Scava nella borsa e risponde senza guardare il display.

«Ghezzi, sono la Franca», la voce è eccitata.

«Dimmi, Franca, cosa c'è?».

«Ha letto i messaggi, Ghezzi, allora è vivo, vero?».

«Spiega bene, Franca».

«Il mio telefono mi dice "letto", quando uno ha letto il messaggio, mentre ieri c'era scritto solo "consegnato"... vuol dire che il Pietro ha acceso il telefono... non ha risposto, però ha letto».

«È una buona notizia, Franca... vedrai che ci pensa su un po' e ti risponde».

«Speriamo».

Non è vero, potrebbe non essere una buona notizia. Potrebbe anche essere che qualcuno ha trovato il telefono e lo ha acceso. Oppure che gliel'hanno rubato, o...

«Dai, Franca, stai tranquilla».

«Ma tu continui a cercarlo, vero?».

«Ma sì, ma sì».

Che fastidio, che nervi. Sì, continua a cercarlo, ma perché lo cerca non lo sa.

Poi arriva Sannucci, ha dei fogli in mano. Ghezzi si mette comodo: «Sentiamo».

«Allora, sov, il Gedino... Ludovico Gedino, mah... dopo quella volta di trent'anni fa è stato dentro altre due volte... è del '47, quindi ha settantatré anni. Sulle schede c'è un indirizzo, l'ultimo che sappiamo, via Dalmazia 32».

«Che sta dove?».

«Quartiere Forlanini, verso l'aeroporto, le case popolari».

Ghezzi scrive sul suo taccuino, alza lo sguardo su Sannucci per dire: beh? Ti sei incantato?

«L'altro... Franchino Ghiglioni... Franco, dice qui. È entrato a Opera nel 2008, ottobre, e uscito nel 2011, maggio, dopo più niente. Abbiamo l'ultimo indirizzo, Robarello, una specie di cascina, se ho capito bene... è sul Naviglio, appena prima di Corsico».

Decidono di provare prima il Gedino, escono nel sole, Ghezzi aspetta sul marciapiede che Sannucci si faccia dare una macchina. Arriva con una Toyota blu quasi nuova e Ghezzi si sistema davanti.

Ecco, così gli piace, il movimento, andare a vedere, a fare domande. Non l'ufficio, le carte, le voci che corrono su Carella, su Ruggeri che non ce la fa, su Gregori incazzato. Meglio qui fuori, a farsi un po' i cazzi degli altri. Secondo il capo Gregori, che un giorno gli aveva parlato in tutta sincerità, da uomo a uomo, era per quello che Ghezzi, anche ora, in vista della pensione che incombe come un avvoltoio, è rimasto e rimarrà sovrintendente. Non cura le voci, non sta dietro alle faccende, non è del giro, insomma.

«Bisogna tenere buoni rapporti con la procura, Ghezzi, bisogna leccare un po' il culo a quelli sopra e farlo, invece, il culo, a quelli sotto. Tu preferisci scarpinare, parlare con le portinaie e i baristi».

Forse aveva ragione.

Ma Ghezzi ricorda di aver pensato, quella volta: «Sì, sì, d'accordo. Ma non è per le brave portinaie e i bravi baristi che facciamo 'sta vita? E allora?».

E allora è contento.

Sannucci guida tranquillo, lui guarda fuori, la città delle dieci del mattino, incredula che il ritmo ricominci dopo quello strappo delle settimane estive. C'è la luce che c'era prima delle vacanze, ma ora i milanesi sono partiti, sono tornati, ed è tutto come prima, si ricomincia. La ruota, il criceto, il modello per il paese.

In via Dalmazia 32 ci sono le case popolari, né belle né brutte, parallelepipedi giallini, come cartoni del latte poggiati su un tavolo. Il cancello è aperto, nella guardiola del custode c'è scritto: «Sono su scala D».

Allora guardano i citofoni scala per scala, niente alla A, niente alla B, ma alla C c'è un Gedino, il portoncino è aperto, quindi salgono le scale, al primo piano niente, al secondo c'è una targhetta: «Gedino», la porta è socchiusa, si sentono voci di donne.

Ghezzi spinge un po' il battente accostato e dice: «Si può? C'è qualcuno?», ed entra in un ingressino che dà su un'altra stanza.

«Come, venti euro! Il cinese, là dietro alla chiesa, me lo fa per dieci, un lavoro così».

«Signora, questo qui è un cachemire buono, filo doppio, se vuole un lavoro fatto bene... è una cosa di precisione...».

«Sì, ma venti euro... il cinese...».

«E allora vada dal cinese, signora, cosa devo dirle...».

Ghezzi scuote la testa, Sannucci si guarda i piedi. Ma poi, meglio evitare che quelle escano dalla stanza e li vedano lì impalati, giusto? Può essere che si spaventino... Allora Ghezzi fa un passo avanti e dice a voce più alta: «Permesso?».

Ora la signora del golf di lusso da rammendare se n'è andata, forse dal cinese. Chiara Gedino è seduta alla sua sedia, dietro la macchina da cucire, circondata di stracci e vestiti, pantaloni rivoltati, fili. Tiene le mani in grembo, come una che si prende un attimo di pausa con gli amici. Quando le hanno chiesto di Ludovico Gedino, che risulta essere il padre, ha fatto un sospiro lungo. Non sta lì, sta in una clinica... ma che clinica, un cronicario, un cimitero per vivi, ha fatto capire, senza dirlo. Ictus, sono già due anni. E lei fa i salti mortali per pagare la retta del posto che lo tiene, fuori Milano. Un postaccio, ma è quello che poteva permettersi, costa meno del giro di badanti... no, non ci va mai, le fa tristezza, e poi, quel padre...

Sannucci sta in piedi vicino alla porta, ma Ghezzi si è seduto comodo, tranquillo, su una sedia dove forse siedono le signore del quartiere a discutere di orli, di tagli, di rammendi di precisione. Ascolta, senza fretta, e lei se ne accorge, le fa piacere.

«Mi spiace per suo padre... ovviamente non cerchiamo lui, cerchiamo uno che potrebbe averlo visto... nell'ultimo mese, diciamo».

Lei ripete che nell'ultimo mese, e anche nell'ultimo anno, suo padre non ha visto nessuno, o se ha visto qualcuno non lo ha riconosciuto, perché le sue condizioni...

«Una pianta, avete presente? Ecco».

Un po' dura, per essere una che parla del padre. E poi: «Chi è questo che cercate?».

«Si chiama Salina, Pietro Salina, mai sentito?».

«Oh, non so, forse sì, forse no... Quando papà era... quando lavorava, insomma, era un viavai di amici balordi, gente come lui, dentro e fuori di galera. Io tornavo da scuola e lui poteva esserci, o poteva essere a Opera, o a Bollate. Dentro e fuori...».

È diventato uno sfogo, Ghezzi la lascia andare, non tira le redini, un bel galoppo ogni tanto fa bene al cuore, e forse lei quelle cose che pensa del padre e di quella vita che fa non le dice mai a nessuno.

«Che poi, fai il ladro? Va bene, ma dov'è la refurtiva?... i soldi?... Uh, il ladro, la bella vita senza lavorare... ma guarda qui...», muove una mano per abbracciare la stanza, «... cazzo, se faceva il tranviere stavamo meglio tutti, a quest'ora».

Quasi con rabbia prende un rocchetto di filo e lo piega in curve e ghirigori, alza e abbassa piccole leve, poi lo infilza nell'ago della macchina. Ci infila sotto qualcosa e fa partire quel suono da mitraglietta.

«... Quella là col cinese, ma va' a dar via il culo, cretina, te e il cinese!».

Ora vanno da quell'altro, che sta, se ci sta ancora, sui Navigli, anzi, appena fuori città sul Naviglio Grande. C'è traffico, entra aria dai finestrini aperti, la luce è ancora viva, ma si è un po' sporcata. Sannucci l'aveva preso sul ridere, il monologo sul cinese, ma poi, capito il tono sconsolato, la rabbia senza sfogo, l'impotenza della Gedino figlia, si era incupito anche lui, come Ghezzi. La vita è questa roba qua, fare gli orli come un ergastolo, tornare da scuola, e papà dov'è? A Opera, a Bollate, a San Vittore... Bella vita, 'sti criminali, eh? Anche se non li prendiamo noi, se la fanno lo stesso, la galera, pensa Ghezzi.

Sulla Vigevanese, tra Milano e Corsico, bisogna girare a sinistra, piccole strade di campagna dove si vedono bene i rimasugli della notte, cartacce, preservativi buttati tra le erbacce. Forse nigeriane, o quelle dell'Est, insomma, lì c'è un bel viavai, dopo il tramonto. Ora invece niente, non passa nemmeno una macchina. Entrano in un cortile di cascina, ma la cascina non c'è, sono appartamenti realizzati da poco, un piano terra, un primo piano e basta, tre o quattro casette così intorno a quella che una volta era un'aia e ora è un parcheggio per i residenti.

Il Ghiglioni lo trovano che sta lavando una macchina. Una Giulietta vecchia, sarà degli anni Sessanta, inizio Settanta, rossa, tenuta come un gioiello. È un signore coi capelli bianchi, passa la pelle di daino su quel rosso fiammante con devozione zen, centimetro per centimetro.

«Franco Ghiglioni, Franchino?», chiede Ghezzi.

Quello è sorpreso ma non impaurito. La polizia, uff, ancora. Ma non ha niente da nascondere e lo fa capire subito, mette giù lo straccio e tende una mano da stringere, se pensi che siano lì per te, i poliziotti, di solito non lo fai.

Quando gli dicono che cercano il Salina, fa uno sbuffo che sta a metà tra il «cosa c'entro io» e il «lo sapevo».

Li aveva accompagnati ad una porta lì vicino, che dà sul cortile, poi in una cucina piccola ma pulitissima, un bel tavolo, il lavello che brilla. Ha messo su una moka senza chiedere, tre tazzine sul tavolo, scompagnate, per lui, anzi, una tazza da colazione.

«Allora l'ha visto?».

«Sì, l'ho visto, il Salina, è venuto qui, mi ha fatto strano, perché eravamo amici, una volta... ma una volta, eh! Era cinque o sei anni che non lo sentivo, e me lo sono trovato qui, come voi».

«Come ci è venuto, fin qui?».

«Aveva la macchina».

«Una 500 di quelle grosse, per caso?».

«Sì, mi pare di sì... era i primi di settembre, non so la data esatta, però era venerdì, questo lo so perché al venerdì mia figlia mi porta il nipotino e io faccio la pasta al sugo...».

Se aveva già la macchina era venerdì 11, pensa Ghezzi, ma sul taccuino non scrive niente. L'uomo versa il caffè: un po' a Ghezzi, un po' a Sannucci, dosi da bar. Per lui tiene il resto della moka, saranno tre tazzine abbondanti.

«Cosa voleva?».

«È nei guai?».

«Può darsi, è sparito. Non c'è nessun reato, anzi guardi, Ghiglioni, io sono qui per fare un piacere alla moglie che è preoccupata, cioè, la moglie...».

«La Franca, sì... come sta? Me la saluti, eh, anche se gli amici di galera del Pietro non è che le piacciono tanto». Ride.

«Insomma, cosa voleva il Salina?».

«Sicuro non lo metto nei guai?».

«Dai, Ghiglioni, non faccia il prezioso, ho detto che non c'è nessun reato, lo cerchiamo per la Franca, tutto qui».

«Voleva sapere se avevo posto per tenergli delle cose qualche giorno».

«Quali cose?».

«Non lo so e non gliel'ho chiesto, ma non cose grosse perché mi ha detto che bastava un armadio, una cassapanca, anche una cassetta in garage».

«Ma 'ste cose le aveva con sé?».

«No, voleva capire se poteva portarle qui, ma sbagliava i conti... cioè, credeva che io abitassi in campagna, in una specie di cascina... invece è un bilocale, il garage è una tettoia in comune con gli altri che abitano qui... Poi...».

«Poi?».

«Senta... Ghezzi, ha detto? Senta, Ghezzi, due cose. La prima, anche se a voialtri sembrerà la solita recita, è che io sono pulito. Anche la volta che mi hanno beccato, che è vero che avevo fatto una cazzata, non era proprio... beh, lasciamo perdere, è una storia lunga. Insomma, se il Salina doveva portare qui qualcosa è perché era roba non proprio pulita, capisce? Ecco, meglio di no. Questa qui era una catapecchia sfondata, ora sono sette appartamenti, una cooperativa di ex detenuti, non è un posto buono per tenere roba... poi metti che sa qualcosa mia figlia, adesso che le cose vanno meglio, con lei, con Viktor...».

«Chi è Viktor?».

«Il nipotino».

Sannucci, che è stato zitto fino ad ora, fa una domanda:

«Vabbè, lui ha chiesto e lei ha detto di no, capito... e non ha chiesto altro?».

«Non sono cose che si chiedono, sa, giovanotto? Il Salina faceva il ladro, cosa vuole che portasse qui, o da qualche altra parte, il corredo di nozze da stirare?».

«Ma dopo tanto tempo che non vi vedevate due chiacchiere le avrete fatte, no? Com'era il Salina, agitato? Nervoso?».

«No, non direi... aveva fretta, questo sì, doveva sistemare la questione, quando gli ho detto di no non ha insistito, ha capito la situazione, ma era già subito concentrato per trovare un'altra soluzione... Cioè, l'impressione che mi ha dato è che 'sta roba da nascondere non ce l'aveva ancora in mano, ma stava cercando un posto per portarcela al momento giusto».

Poi il Ghiglioni ha una piccola esitazione, e Ghezzi si infila, lo incoraggia, gli dice ancora che lo cercano perché la Franca piange.

«Se gliela devo dire tutta, commissario...».

«Sovrintendente».

«Sì, va bene... se devo parlar chiaro, non è che io del Salina mi fidavo tanto, eh! Voglio dire, uno che hanno già beccato due volte... non è che la terza lo beccano mentre tiene la refurtiva in casa mia? Ecco, un po' vigliacco, se vuole, ma mi sono detto questo. Tu gli fai un piacere da amico, e dopo salta fuori ricettazione, favoreggiamento, complicità... Dai, cazzo, ci sono già passato».

«Quindi se n'è andato e tanti saluti».

«Sì. E io ero contento che se ne andasse».

Ora è mezzogiorno e Ghezzi non ha nessuna voglia di tornare in questura. Così si fanno in successione i tre bar della lista della Franca. Prima in via Tadino, niente, del Salina non si ricorda nessuno. Il barista ha guardato il foglio con la sua faccia stampata e ha detto forse sì, forse no, ne vede tanti...

Al bar del Casoretto hanno mangiato in piedi all'una meno qualcosa, prima dello scatenarsi delle orde impiegatizie. Due birre medie e due panini che grondano salse, buoni, ma del Salina nessuna traccia, nessuno l'ha mai visto. Uguale al terzo bar, in via Padova, dove bevono il caffè, c'è una ragazza cinese, dietro il bancone, che guarda il foglio con la foto del Salina, ma fa gli occhi bovini e scuote la testa.

Tornati in questura, Ghezzi si affaccia dagli scienziati, da quello dei telefoni, ma lo vede in fondo al corridoio che gli fa un segno con la mano: domani, domani, allarga le braccia.

Allora sale nel suo ufficio, c'è ancora qualcuno dei clienti del Crodi che fa la fila, e la solita processione di cittadini dolenti per le denunce.

Sandra Pirosi, l'altro nome che gli ha dato la Franca, ha risposto al telefono gentile e stupita. Il carcere? Ah, non ci va più da tre anni, adesso lavora in provincia, con i bambini disabili, finalmente ha avuto un posto fisso, vicino a Monza, il volontariato in carcere era diventato impossibile. Del Salina non si ricorda, capitava che quelli usciti si facessero vivi con lei, per salutare, per fare due chiacchiere. Le faceva piacere, ma durava un mese o due, poi venivano risucchiati dalla vita fuori, bella o brutta, e al carcere non volevano pensare più.

Grazie, molto gentile.

E ora Ghezzi mette i piedi sulla scrivania e si allunga sulla sedia, mezzo sdraiato. Gli manca Carella, è convinto che in due si lavori meglio. Gli manca quel «Parlami, Ghezzi», che per lui è come una scossa elettrica, che lo obbliga a mettere in fila le cose.

Il Salina ha preso una macchina a noleggio vicino a casa, alla stazione, venerdì 11 settembre. Vuol dire che già sapeva di avere un colpo in vista. Il giorno stesso è andato dal Ghiglioni a chiedere se poteva prestargli un po' di spazio, un deposito, un armadio per tenere qualcosa. Martedì mattina, il 15, ha portato la macchina a Malpensa, ha pagato e non si è più visto né sentito. Domande. La roba che doveva nascondere, poi l'ha presa? Dove? E dove l'ha messa? Nel biglietto che ha lasciato alla Franca c'è scritto «ho visto una cosa», non «ho fatto una cosa», ma non vuol dire niente, per uno che fa ancora il ladro di nascosto anche dalla moglie. Comunque, che sia per una cosa che ha visto o che sia per una cosa che ha rubato, il Salina è nascosto da qualche parte, e uno che non ha tutti questi contatti – nemmeno un amico che gli tiene al sicuro la refurtiva – non dovrebbe essere difficile trovarlo. Eppure...

I fratelli, niente.

Il cuoco di Ancona aveva quasi messo giù il telefono, Pietro non lo vedeva e non lo sentiva da dieci anni, e non voleva vederlo e non voleva sentirlo più. Però ci teneva ad alimentare il suo odio benpensante.

«Sta ancora con la puttana?», aveva chiesto. E così il telefono lo aveva messo giù Ghezzi.

L'altro fratello, Giuseppe, si era preoccupato, invece. Come, sparito? Come, non si trova? Gli sarà mica successo qualcosa? Alla fine aveva pure avuto un guizzo di umanità:

«Mi spiace per la sua donna».

Ecco, bene, prevalga la pietà. Ma notizie sul Salina, zero.

Dodici

Se volete la foto di uno che le ha prese per bene, scattatene una a Carella in questo momento. Sono le quindici appena passate e lui è sveglio da un bel po', e non riesce ad alzarsi. La schiena si rifiuta, e c'è una costola in basso, lato sinistro, che gli dà il tormento ogni volta che tenta di mettersi seduto. Per quanto può vedere, lo stomaco è una chiazza viola che sta già scurendo, la faccia gli sembra meno gonfia, ma per quella serve lo specchio. Se ci arriva.

Dopo la doccia va un po' meglio. Caffè, altre pasticche per il dolore. Dovrebbe fare qualche esercizio e un po' di stretching, ma è già spossato. In faccia ha un livido accettabile, nel senso che non sembra più uno scoiattolo con le noccioline in bocca.

Si siede in mutande sulla sedia della cucina, la finestra aperta, l'aria che lo asciuga. Cosa sappiamo? Parlami, Ghezzi. Ma Ghezzi non c'è, deve fare tutto lui.

Allora, il Vinciguerra è uscito il 7 settembre. Bene. Ha fatto le cose che fanno tutti quando escono. Poi la festicciola con il ragazzino e le ragazze, più un vecchio.

Quando? Il giorno dopo, l'8? O il 9? Ha sistemato i suoi affari con il clan Pugliese. Quando, prima della festicciola o dopo? E il vecchio chi è?

Cosa sappiamo? Non sappiamo un cazzo.

Ma soprattutto, perché scomparire così? Se la voce che gira è che il Vinciguerra è uno sfigato, puzza, non sa gestire i suoi affari, per smentirla bisognerebbe stare in vista, no? Farsi notare. Il codice di comportamento direbbe questo, e invece no.

Prova a vestirsi, sembra uno di quei malati che vogliono uscire a tutti i costi dall'ospedale anche se quasi non si reggono in piedi.

Poi suona il telefono.

«Sono io».

Saverio, l'autista ragazzino, mister naso rotto.

«Sessantacinque puliti alle 16.30 precise. Bella valigetta. Grazie dei cinquemila».

«Figurati. Ora tocca a voi».

«Il capo sarà ammirato dal risultato, ma soprattutto dallo stile. Stai attento, l'ho già visto quando corteggia qualcuno, gli promette mari e monti e poi finisci a farti spaccare il naso in un cesso del cazzo».

«Divertente. Per me hai qualcosa?».

«Quello che ti ha detto il capo, una cosa che può essere una pista utile».

«Dove?».

«Facciamo verso le undici», gli dice un posto sui Navigli. Carella fa due calcoli.

«Va bene».

Ora deve mangiare, levarsi di dosso la nausea, lo stomaco chiuso deve riaprirsi alla vita, o almeno ricordarsi di esistere. La cosa che lo aveva spaventato nella notte, una punturina secca al polmone sinistro, non la sente più, ma quando infila la pistola tra il coccige e la cintura dei pantaloni e piega il braccio destro, non può impedirsi un gemito, Tex Willer con l'artrosi. Ad ogni boccata di sigaretta sente bruciare i polmoni, come quando fumi dopo una corsa, dopo una nuotata. Ma cazzo.

Il locale sui Navigli è un bel bar con le luci soffuse, con dentro un bel ristorante con le luci soffuse, con dentro un altro bar dove non possono entrare tutti. Luci soffuse.

Probabile che il proprietario abbia visto molti western, perché sembra un saloon, tavoli in legno, bancone lungo, lucido, con gli sgabelli davanti. Le solite belle facce che aspettano una telefonata, o il momento di farla. Manca solo il pianista e qualcuno che gli spara. Su uno degli sgabelli, con una gamba che pende nel vuoto, c'è il Sovinato. Il naso sembra stare meglio, è tornato a dimensioni umane. Si spostano a un tavolino, ognuno col suo drink in mano.

«Allora?», Carella è impaziente.

«Dice il capo che se cerchi un lavoro, puoi fare domanda e lui ti fa passare il concorso».

«Gentile. Digli grazie, ma cosa cerco lo sai. Allora?».

«Potrei girarci un po' intorno, ma te lo dico dritto: tutto quello che sappiamo è che il Vinciguerra è disperato, e sta cercando uno, un truffatore, uno che presta i soldi a strozzo e fa un sacco di traffici, piccolo calibro, ma forse non tanto piccolo, potrebbe avere un bel giro che noi non sappiamo. Si chiama Cosimo Romano, batte più o meno la zona Bresso, Sesto San Giovanni, Cusano, quei posti lì, però dicono che ha clienti importanti anche a Milano, somme notevoli in ballo».

«Tutto qui? Ho preso a sberle un vecchietto per questo?».

«È quello che sappiamo, ma secondo me non è poco. Se è vero che il Vinciguerra non sa dove sbattere la testa e cerca un tizio, basta stare dietro al tizio, no? Quando lo trova, tu trovi lui».

Carella pensa. È rischioso. Vuol dire spostare tutta l'attenzione su questo Romano, che poi magari, se non è vero niente, si perdono giorni. E lui è solo, non può dividere il lavoro con nessuno.

«Quanto è attendibile, questa storia?».

«Sicura, dico io».

«Di cosa hanno parlato il Vinciguerra e il tuo capo?».

«Questo non si dice, Vincè, le sai le regole. Però ti aiuto... il gesto dei cinquemila è stato... elegante, ecco».

«Dai, però!». È quasi mezzanotte.

«Quando il Vinciguerra è andato in galera aveva mezzo ammazzato una delle sue troie... gli è andata di lusso, quattro anni. Prima, dico, aveva affidato a qualcuno la sua assicurazione per quando sarebbe uscito. Un chilo di coca, pulito pulito, roba buona, quasi non tagliata, avrebbe potuto farci un sacco di soldi, appena fuori, e in più farsi rivedere in giro senza l'ombra della sfiga, ma anzi... tornare in pista col cavallo bianco, era ben pensata».

«E dal tuo capo cosa voleva?».

«Chiedeva un'offerta all'ingrosso. Diceva: "Io la vendo anche da solo, e ci faccio il doppio, ma non voglio pestare i piedi a nessuno, manco da quattro anni e le zone magari sono cambiate". Il capo ha apprezzato la delicatezza. Insomma, veniva a chiedergli il permesso di vendere il suo chilo e, in caso contrario, a offrirlo a noi a prezzo di realizzo».

«E voi?».

«Il capo non gli ha detto né sì né no, ovvio. Gli ha detto: ma come faccio io, amico, a comprare un chilo di pere senza sapere che pere sono, se sono marce, se sono acerbe... e il Vinciguerra aveva promesso di portare un campione per dimostrare la qualità della coca e chiudere l'affare. Il mio parere è che avrebbe preferito meno soldi, ma subito, che mettersi a smazzare un chilo, che se sei fuori dal giro può essere rischioso».

«E poi?».

«E poi più sentito».

«Quando, tutto questo?».

«Era il 9, credo, perché lui era uscito il 7...».

«E la sera siete andati in quel locale con le zoccole».

«Oh, piano con le parole. Io ero con la mia ragazza».

«Oh, pardon... la porti in bei posti, complimenti, peccato che non ci sono i combattimenti dei cani, se no chissà come si divertiva... e il vecchio chi era?».

«Non lo so, davvero, mai visto. Ma quando sono passato a prendere il Vinciguerra c'era anche lui. Non si conoscevano bene, perché quello sbagliava nome, il Vinciguerra lo chiamava un po' Alessio e un po' Alessandro... Voleva qualcosa da lui, credo. Ma l'altro pensava di più alla fica, sai, questione di priorità».

«Qualcosa da lui...».

«Boh, è quello che ho capito io».

«E dopo?».

«Dopo cosa?».

«Dopo la festa».

«Guarda che la chiami festa solo tu. Era una bicchierata tra amici che sono quasi in affari. In un paio di giorni avrebbe portato la coca da assaggiare e forse si sarebbe fatto l'affare, ma intanto, una bevuta, perché no?, lui voleva rimorchiare e siamo andati lì».

«E dopo?».

«Dopo niente, il vecchio se n'è andato a piedi, e io via con la mia ragazza. Si chiama Stella, se vuoi sapere, fa la Bocconi, altro che zoccola!».

«Il Vinciguerra?».

«Che ne so, sarà andato a farsi una scopata con la bionda».

«Pensaci bene, credi che sia tutto?».

«Anche di più di quello che avevamo stabilito».

Carella si alza.

«Paga tu, ringrazia il capo, digli che gli devo un whisky».

Ora è l'una meno dieci. Carella spera che non sia tardi. Dai Navigli a Ripamonti non è lunga, ma c'è il traffico della movida che va a dormire, migliaia di utilitarie con giovanotti che sgommano, accompagnano la fidanzata, la baciano sotto il portone, poi tornano a casa con lo stereo a palla. Bravi ragazzi.

Dai, su, levatevi dai coglioni.

Quando molla la macchina quasi davanti al Kontatto, con due ruote sul marciapiede, è l'una e venti. Il buttafuori gli sorride, conosce quel genere di cliente, uno che viene per parlare con qualcuno, perché non è il tipo che deve pagare il biglietto per vedere un paio di tette. Invece lui si siede a un tavolino in fondo alla sala buia, chiede una vodka a una cameriera che è accorsa subito, e si guarda lo spettacolo, una specie di Crazy Horse un po' parrocchiale, se non fosse che in parrocchia quelle lì non le farebbero entrare. Ogni ragazza fa il suo numero. Tra tavolini e bar ci saranno quaranta persone, tutti uomini tranne un paio di coppie che forse hanno sbagliato locale. Ora esce uno speaker tutto contento e dice che il pubblico di questa sera è particolarmente fortunato perché può assistere allo spettacolo di Diana Gold, e la presenta come se fosse una star che viene da Las Vegas.

La vodka arriva proprio mentre un cono di luce bianca investe il sedere dell'artista. È piegata in avanti, ma verso le quinte, quello che si vede per ora è solo... beh. La ragazza che porta da bere chiede se serve altro, lo chiede come se «altro» potesse contenere di tutto, compreso il trilocale in semicentro, il marmocchio da portare al nido, le vacanze al mare, una vita normale. Carella fa cenno di no e mette cinquanta euro sul tavolo.

Diana Gold sta sul palco per venti minuti. Subito dopo la presentazione che mostrava quanto piccolo possa essere uno slip da signora, si lancia in un paio di giravolte da lago dei cigni, quasi sulle punte, poi la musica si fa più ritmata – tutta robaccia elettronica – e lei comincia a fare le sue evoluzioni con il palo. Roba da atleti, ma Diana Gold sta molto attenta che lo sport non distolga l'attenzione dalle cose importanti: alla fine dei venti minuti sappiamo tutto di lei, è nuda come un serpente.

Lungo applauso.

Carella è perplesso. Forse dovrebbe stare dietro a quello là, come si chiama, Cosimo Romano, il truffatore, il cravattaro, invece perde tempo lì. Vede che la bionda si è cambiata, gira un po' per il locale, parla al barista, ma niente, non trova quello che cerca, che probabilmente è lui. Allora scompare in una porticina e torna dopo qualche minuto con una borsa in mano, il borsone di una palestra di moda.

Ora la ragazza è sul marciapiede. Raccoglie la borsa da terra quando il taxi si avvicina, ma Carella è più veloce. Si sporge al finestrino con cinquanta euro in mano e dice:

«La signorina ha cambiato idea, la porto a casa io, questo per il disturbo».

Il tassista arraffa, sorride complice e parte.

«Oh! Cazzo! Quello era il mio taxi!».

Carella allarga le braccia.
«La moglie. Sta partorendo. È dovuto correre alla clinica».
Lei non capisce.
«È un maschio».
Ora lo guarda meglio, anche perché lui si è avvicinato e le luci dell'insegna del Kontatto lo illuminano un po'.
«È scemo?».
«Ma come, già che sono rimasto vivo per te...».
«Ah, sei tu! Ti ho cercato, là dentro, ti pare l'ora di arrivare? Così ti sei perso lo spettacolo».
«Non me lo perdonerò mai... beh, dove ti porto?».
«Te l'ho detto, le sere che ballo non... cioè, che ore sono, le due passate... non ti piacerebbe... Cos'hai fatto alla faccia?».
«Ho vinto una scommessa».
«Pensa se la perdevi».

Vanno in un locale all'Isola. Carella si guarda intorno. I suoi primi giorni di polizia a Milano, dieci anni prima, veniva qua a beccare qualche tossico, o chiamato per risse di puttane e travesta che si litigavano il marciapiede. C'era un centro sociale, scoppiati ma simpatici, molto reggae e odore di canne, quartiere popolare. Ora ci sono le Porsche in seconda fila e tanti ristoranti che potrebbero sfamare tutto il Sud-est asiatico. Si siedono fuori, in un posto fighetto famoso per il gin, se vuoi un gin tonic ti portano una lista lunga come la dichiarazione dei redditi di un Agnelli. Lui prende una vodka, lei un Moscow Mule, così il cameriere che ha fatto il master in gin se ne va deluso.

In macchina non si sono quasi parlati, cioè, le solite sciocchezze. Il vestito di lei è salito ben oltre le ginocchia, DefCon Tre, e poi più su ancora, DefCon Due, belle gambe, toniche. Del resto le ha visto fare cose, attorno a quel palo, che... sono arrivati.

«Lo so che questa sera non uniremo le nostre solitudini, si fanno due chiacchiere per conoscerci, giusto? Per vedere... come hai detto... se non ci stiamo proprio antipatici».

«No, antipatico non sei, te lo concedo, hai la battuta pronta, il numero del taxi faceva ridere. Però davvero, stasera non faresti un grande affare».

«Ok, nessun problema, non è il piacere l'attesa stessa del piacere? Però... metti che io lo voglia fare lo stesso, così, al volo, un'oretta tranquilla... quanto mi costerebbe?».

«In linea teorica, allora? Diciamo cinquecento».

«Andata. Cinquecento».

Lei sbuffa, fa per alzarsi, ha capito che lui vuole...

Ma Carella la ferma.

«Dove vai, possiamo farlo qui». E poi, quando lei lo guarda confusa: «Voglio solo fare due chiacchiere. Parlare».

Lei si risiede, ma non sembra per niente sollevata. Si sposta una ciocca di capelli dagli occhi:

«Oh, cazzo».

«Fammi capire, sei uno sbirro?».

«Da quando è cominciata questa storia mi chiedono tutti se sono della polizia, dei carabinieri, finanza, forestale, sommergibilisti, che palle!».

Poi le spiega. Sta cercando un tizio, lei è tra le ultime persone che l'hanno visto in giro, quindi tutto quello che può dirgli su quella serata del 9 settembre, anche le cazzate insignificanti, anche i dettagli, può servire.

«Anche i dettagli?», chiede lei. Fa un sorriso ammiccante, ma le viene da ridere.

Era presto, comunque, prima delle undici. Lei aveva fatto un po' di prove, allenamenti, cioè, il locale vuoto, il proprietario è un amico, poteva usare il palo, a casa non ce l'ha. Stava andando via, ma il barista le aveva indicato il gruppetto, un giovane con una ragazza, uno più anziano e uno grosso, che cercava compagnia, sembravano allegri.

«Hai deciso per la cosa al volo?», chiede Carella. «Ma come, con me "prima conosciamoci" e con il primo che passa ti butti subito?».

«Era una cosa semplice, si vedeva. Un po' sbronzo, il tipo, un salto da me, una sveltina e poi tanti saluti. Se fossero venuti anche gli altri no... è rischioso in gruppo, se non li conosci bene, ma lui ha messo le cose in chiaro subito: beviamo un bicchiere, molliamo questi qui e ci facciamo una scopata allegra. Mille euro, un'ora e mezza in tutto».

Mille euro, più il conto del night, che sono minimo altri trecento. Prima di volatilizzarsi dunque il Vinciguerra era solvente, uno col rotolo in tasca.

«Come ha detto che si chiamava?».

«Franco, credo... o Francesco... non ricordo, ovvio che non era il suo nome».

Il delinquente che dà il nome falso alle puttane.

«Aveva la coca?».

«Sì, si è fatto un paio di tiri già nel locale, e un altro paio da me, ha offerto, ma io non... cioè, mai quando lavoro o sto con uno che non so chi è».

«Brava».

Mettiamoci anche la coca, almeno un paio di cento euro. Il Vinciguerra era sulle spese. Ora Carella sa che deve stare attento. Lei non ricorda niente, ha già detto due volte che non ha notato nulla di particolare, né ha raccolto confidenze. Quindi deve guidarla, farle le domande giuste, fare una griglia. Prima casella, il Vinciguerra e l'autista ragazzino, il Sovinato.

«Pensa a lui e al giovane, che rapporto avevano, cosa si dicevano?».

«Niente di che. La ragazza del giovane era un po' intimorita e un po' divertita dal posto, questo lo ricordo, non una abituata all'ambiente. Il giovane, che poi non è così giovane, ha solo la faccia... beh, lui sembrava che stesse lì per dovere, aveva l'aria come di uno che sta per andarsene, beviamo qualcosa e buonasera a tutti, forse voleva solo togliere la ragazza dall'imbarazzo».

«E con il vecchio?».

«Il vecchio, che poi... vecchio, sarà stato sui sessantacinque... comunque gli girava un po' intorno, a quello grosso. Dovevano fare qualcosa insieme, con questo Franco, o Francesco, e sembrava agitato».

«E lui?».

«Indifferente. Come se fossero già d'accordo e quell'altro lo seccasse con dettagli inutili. Come se dicesse, ma sì, stai calmo... intanto beveva e pippava, e aveva cominciato ad allungare le mani».

«Tutto qui?».

«Ora che mi ci fai pensare, quando sono arrivata al tavolo, il giovane sembrava sollevato, come se io fossi la garanzia che la serata finiva in fretta. Il vecchio invece si è agitato ancora di più, come se temesse di non riuscire più a parlare a quello grosso per colpa mia».

«Poi siete andati via solo tu e lui... che ora era?».

«Mezzanotte. Casa mia, cioè... il posto dove lavoro, sta là vicino, ci avremo messo cinque minuti».

«Come ti è sembrato?».

Lei ride. «Davvero vuoi saperlo? Cioè, ti interessa? Vediamo... in due parole... aggressivo e veloce... può andare?».

Ora ride Carella, cioè fa quella cosa con le labbra che fa lui, che uno distratto può anche pensare che stia ridendo.

«Ma no... intendo, lui, che tipo è, era triste, era allegro, ha detto qualcosa di sé, cosa fa, cosa farà, oppure qualcosa a proposito dei compagni di bevuta della serata... dai, tu li conosci, gli uomini... sei anche un'artista!».

«Senti, mi ha detto che era uscito di galera da due giorni, e questo però lo sapevo perché ne aveva già parlato là, nel locale. In generale sembrava molto sicuro di sé, non uno che si guarda alle spalle, ecco. Ho pensato che fosse l'euforia di uno che esce dal carcere, più la coca. Dava la sensazione che in qualche giorno sarebbe successo qualcosa e che tutto sarebbe andato per il meglio, era... ottimista, ecco. Ha detto una frase così, ora non ricordo le parole esatte, ma più o meno: "settimana prossima ti porto a cena e festeggiamo", non ci ho fatto caso più di tanto, lo dicono in parecchi, sai, in quei momenti, gli uomini...».

«Ha pagato?».

«Dieci biglietti da cento, nuovi».

«Prima o dopo?».

«Prima, ovvio».

«E com'è che io pago dopo?».

Lei lo guarda stupita. Lui sorride, il livido sulla guancia lo rende più pericoloso, ma adesso è uno zuccherino.

«Boh, le regole si fanno caso per caso, e non so nemmeno come ti chiami».

«Vincenzo».

Il poliziotto che dà il nome falso alle puttane.

«Forse è tutto... dove ti porto? O vuoi chiamare un taxi? Magari quello là si è già rotto le palle del bambino nuovo».

Corso Sempione, non è lontano, ci arrivano in dieci minuti, sono quasi le quattro e non c'è in giro nessuno a parte i buoni sulle macchine bianche e azzurre, e i cattivi al lavoro, i semafori disegnano le case con murales di giallo intermittente.

«Avevi detto che casa tua era vicino al night...».

«No, là ci lavoro, è il mio studio, qui ci abito».

«Porca miseria, addirittura l'indirizzo privato, sono davvero un tipo speciale, eh!».

Ferma la macchina sul passo carraio, spegne il motore e tira fuori un mattoncino di banconote dalla tasca destra dei calzoni, conta dieci biglietti da cinquanta e li porge a Diana Gold.

«Mi spiace, non ho fatto il pacchettino col fiocco, ma è il pensiero che conta».

Lei apre la portiera e mette fuori le gambe, poi si allunga all'indietro come per sdraiarsi mezza dentro e mezza fuori e gli dà un bacio sulla guancia ferita. La gonna si è alzata troppo, DefCon Uno.

«Hai ragione, mi sa che non sei un poliziotto, sai come trovarmi, anzi ci conto», dice lei. Chiude la portiera, fa due passi, cerca le chiavi in una tasca della borsa da palestra e apre il portone.

Carella fa ciao con la mano.

Tredici

Il clima in questura è da stato d'assedio. Convocare i clienti del Crodi ha scatenato l'inferno, sembra che ognuno di loro abbia un amico nei giornali. Così le cronache sono piene di ricordi e aneddoti sul bravo restauratore milanese, di recriminazioni sulla polizia che non trova l'assassino, dei soliti «dove andremo a finire?», come se non ci fossimo già finiti da un pezzo. Sono uscite foto e descrizioni delle cose preziose che risultano scomparse, e quelle le potevano fornire solo loro, i clienti. C'è l'orologio napoleonico, ma anche una scacchiera persiana del XVII secolo in legno, oro e avorio, e il cliente che l'aveva affidata al Crodi si dispera, sotto il titolo: «Hanno ucciso per il mio tesoro». Poi una piccola icona russa che il Crodi doveva pulire.

Ghezzi mette la borsa sulla scrivania e si siede. Un minuto ed entra Sannucci con due bicchierini di caffè.

«Buona giornata, sov!», dice mettendogliene uno davanti.

«Che si dice, Sannucci?».

«Gregori ha chiesto di lei. Per il resto... beh, basta guardare i giornali per sapere di che umore sarà».

Ghezzi sta per dire qualcosa, ma a Sannucci suona il telefono. Così si alza con un sospiro ed esce per salire dal capo Gregori, chissà cosa vuole, ma rogne, sicuro.

L'agente Sannucci guarda il cellulare e fa una faccia strana, perché il display gli dice: Carella.

«Pronto, sov! Buongiorno... ma dove sta in vacanza?».

«Ciao, Sannucci. Alle Maldive, ma piove».

«Che sfiga, sov... però bello, vero?».

«Bellissimo. Senti, Sannucci, la trovi un'oretta per una ricerchina che mi serve?».

«Le serve una ricerchina alle Maldive, sov?».

C'è un tono ironico, non tagliente come quello che avrebbe usato Ghezzi, più da sottoposto che da parigrado, però si sente, di sicuro lo sente Carella, ma se ne frega, tipico.

«Cosimo Romano. Truffe, strozzinaggio, traffici strani... credo che sia già stato nostro cliente, ma non lo so per certo. Tutto quello che trovi, ma in fretta... cosa stai facendo, tra l'altro?».

«Poca roba... do una mano alla squadra di Ruggeri sul caso Crodi quando serve, ma più che altro sto con Ghezzi, che mette a posto la burocrazia...».

«Allora hai tempo, dai, vai, mi serve veloce, mandami tutto per mail».

«Ha fretta alle Maldive, sov?».

«Dai, Sannucci, non rompere il cazzo».

L'agente speciale Senesi, quella che fa la guardia alla stanza di Gregori, che gestisce il traffico e che informa i visitatori sull'umore del capo, è al telefono, ma fa a Ghezzi un gesto vago che dice: entra pure, peggio per te.

Gregori è alla scrivania, al telefono anche lui, quindi Ghezzi si siede e aspetta.

Quando quello riattacca fa la sua faccia che domanda, ma Gregori non parla subito, mette in ordine le carte sulla scrivania e poi lancia come un verso di animale ferito. Forse vuole solo sostegno, parlare per calmarsi, e l'ha chiamato per quello.

«Il caso Crodi, giusto?».

«Lascia stare, Ghezzi. L'idea del sostituto di fare una specie di inventario sentendo i clienti non mi sembrava nemmeno male, ma ora mi accorgo che è stata una cazzata».

«Perché, capo? Ora sapete cosa manca là dentro, no? Il delitto sembrava inspiegabile, e invece adesso si spiega con il furto. È un passo avanti».

«Ma no, Ghezzi, invece ci incasina ancora di più. Primo, perché sapere cos'è stato rubato ci serviva per battere la pista dei ricettatori, collezionisti e cose così, ma ora che tutti i giornali hanno le foto della refurtiva solo un pazzo cercherebbe di venderla... quindi invece che aprire una strada ce la chiude. E cos'è stato rubato veramente non lo sapremo mai con precisione... C'è anche il caso che qualcuno non denunci la sparizione di tesori di cui non può spiegare la provenienza... con gli oggetti d'arte succede spesso. Quindi risultati pochi e rotture di palle tante. E poi... Le tre cose che risultano rubate sono preziose, sì, ma là dal Crodi ce n'erano altre ancora più preziose che non sono state nemmeno toccate, senza contare quei seicento euro in contanti vicino al morto, e questo non si spiega...».

Ghezzi capisce. Però ci tiene a mettere una parola buona, a incoraggiare, conosce bene l'impotenza che ti prende quando l'indagine si complica pur restando ferma.

«Sì, capo, è chiaro. Però rispetto al nulla di prima è meglio, no? Qualcosa si muove... le cose che risultano rubate erano assicurate? Se fossi il ladro contatterei l'assicurazione, magari quelli preferiscono ricomprare l'orologio di Napoleone a prezzi di saldo, che pagare tutto il valore...».

«Sì, sì, Ghezzi, è vero, le assicurazioni li fanno dei pasticci così, ma non quando c'è in ballo un morto. Un conto è trattare con un ladro senza farcelo sapere, il derubato ritira la denuncia e chiuso. Ma se trattano con un assassino noi ci incazziamo un bel po'... altra strada chiusa. E poi, credi che un'assicurazione paghi così sull'unghia? La roba assicurata deve stare in cassaforte, Ghezzi, o trattata... come dicono le polizze?... con cura e sicurezza. Invece quelli portavano i loro tesori a riparare da uno che aveva un antifurto tenuto insieme col nastro isolante...».

«Vabbè, capo, che devo dire, mi spiace. Ma non mi ha chiamato per questo, vero?».

«No, Ghezzi, ti ho chiamato perché ti ho dato un ordine e non ti ho più sentito».

Quale ordine? Ghezzi fa la faccia stupita.

«So che è incasinato, capo... che ordine, comunque?».

«Non fare il pesce in barile, Ghezzi, lo sai cosa ti ho chiesto. Voglio le cartoline delle vacanze di Carella. Che cazzo sta combinando? A me risulta che gira ancora col macchinone da stronzo, qui a Milano, e che qualcuno gliele ha date di santa ragione, perché quello che l'ha visto mi ha detto che aveva una guancia come un melone».

«Non è mica facile pestare Carella, capo».

«Tu non l'hai sentito, quindi? Sicuro, Ghezzi? Guarda che mi incazzo, eh!».

«No, capo, non l'ho chiamato. Non mi piace andare in giro a far domande su un collega... Carella è adulto e vaccinato».

«Fa a cazzotti in giro, ha soldi in tasca e li butta via, guida una macchina che un poliziotto non si può permettere. Ghezzi, non capisci. Corrono voci, che a Carella gli piace la bella vita, che è sporco, che se la fa con quelli che noi dobbiamo prendere, non farci culo e camicia nei bar di delinquenti dove si smazza la coca».

Ghezzi ha un moto di fastidio. Carella sporco è una stronzata che non si può sentire.

«Non ci crede nemmeno lei, capo».

«È vero, Ghezzi, non ci credo perché so che Carella è sbirro dai piedi ai capelli. Però non me ne frega un cazzo se è vero o no. Quelle voci lì ti restano appiccicate per sempre. Un collega può scordarsi se hai fatto una cazzata, se hai avuto la mano pesante con un fermato, persino se hai aggiustato un po' un caso per fare bella figura... va bene... Ma di stare dall'altra parte della barricata no, questo non te lo perdonano... già

Carella sta sul cazzo a tutti... sai cosa vuol dire, Ghezzi? Vuol dire che io lo faccio trasferire, e mi spiace, perché Carella è un campione, ma se il campione mi rovina tutta la squadra allora via, fuori dai coglioni».

Ghezzi sa che deve dargli qualcosa per rassicurarlo, ma non ha niente da offrire.

«Per come la vedo io, capo, sempre se le voci sono vere, vai a sapere... per come la vedo io, Carella ha qualcosa in ballo, qualcosa di personale, o un caso che ha deciso di affrontare da solo...».

Meno male che voleva rassicurarlo. Invece è come buttare il kerosene nella stufa, e Gregori tira una delle sue manate sulla scrivania.

«Porca puttana, Ghezzi, non siamo mica al circolo del giallo, qui, che ognuno si fa i cazzi suoi e fa Montalbano in proprio. Che cazzo dici?».

«È una mia ipotesi. Preferisce Carella sporco o Carella che si fa un giro di giostra da solo, capo?».

«Non preferisco niente, Ghezzi. Anzi, sì, preferisco che quando do un ordine ai miei uomini, quelli lo eseguano, o almeno ci provino. Ora, forse è colpa mia, forse l'altra volta ne ho parlato in modo vago. Allora mettiamola così: sovrintendente Ghezzi, il tuo caso ora è Carella. Cosa combina, dove, con chi e perché. E guarda che lo faccio per il suo bene, prima che si metta... e mi metta, in qualche casino grosso. Dimmi che cosa cazzo sta combinando. È un ordine, se vuoi te lo metto per iscritto».

Ghezzi si alza.

«Mi mette un po' nella merda, capo».

«Fino a dove, Ghezzi? Fino alle caviglie? Fino alle ginocchia? Io ci sono fino al collo, se vuoi saperlo. E Carella sarà immerso nella merda dove non si tocca, te lo assicuro».

È vero, ha sbagliato.

Ghezzi se lo dice scendendo le scale. Poteva inventarsi qualcosa, fare una telefonata a Carella. Invece ha lasciato perdere, ha ignorato la cosa, sperando che Gregori se ne scordasse, Carella tornasse al suo posto e fine della storia. Invece no. Colpa mia, si dice, ora.

Sannucci non c'è.

Ghezzi prende il telefono, ma esita... Non vuole chiamarlo, magari un giorno o due e la cosa si risolve... Magari no, però. Così fa il numero di Carella, che ha nei tasti rapidi, ed è il numero due, dopo la Rosa. Suona a vuoto sei, otto volte, poi scatta la segreteria, ma Ghezzi non lascia un messaggio e mette giù.

Sente quel piccolo sollievo bugiardo che dice: beh, io ci ho provato, ma sa che non basta.

«Siete di compagnia, eh!».

Bianca Ballesi si è affacciata alla porta del salottino. La Rosa, dietro, ha detto: «Ma che bello qui! Un vero boudoir!».

Carlo ha riso, la Ballesi si è seduta accanto a lui sul divano, ma appena un po', come appoggiata, perché anche lei ha avuto la sensazione di aver interrotto qualcosa.

«Che noioso che sei, Tarcisio, il povero Carlo sarà stremato!», ha detto la Rosa.

Questa volta ha riso il Ghezzi, ma anche lui con un pizzico d'impazienza per il racconto lasciato in sospeso.

«Le ragazze vanno al cinema!», ha detto la Ballesi. «Visto che siete così presi dalle vostre storie, io e la Rosa ci ribelliamo».

«Non ti secca, vero, Tarcisio? Poi mi porta a casa lei, dice che è di strada, a me non sembra, ma...».

«Su, su, che si fa tardi e là non si posteggia», ha detto la Ballesi.

Si è chinata su Carlo e gli ha detto qualcosa in un orecchio, si è staccata, lui le ha trattenuto il braccio, ma solo un secondo, solo per dire che aveva capito. Lei ha fatto quegli occhi luminosi che...

Beh... un minuto dopo erano vestite e operative, e poi il sovrintendente Ghezzi e Carlo Monterossi si sono guardati. C'era lo scrigno in penombra di quel salottino, la musica che veniva da lontano, ma non più le voci allegre di Bianca e Rosa, che avevano atteso l'ascensore ed erano sparite verso il portone, la strada, il mondo, con la leggerezza delle amiche nuove.

Non si sono detti niente, per non rompere ancor di più il ritmo del racconto, che Ghezzi faceva piano, senza sottolineature, senza effetti speciali; solo, mettendo cura nei dettagli.

Ora ha ricominciato a parlare come se non fosse mai stato interrotto, con la smorfia divertita e fatalista di chi ha cominciato, e sa che deve finire. Forse non lo fa nemmeno per il suo piccolo pubblico – il Monterossi che si è rimesso comodo al suo posto – ma per sé, o per tutti quelli che sono finiti in quella rete, per la Franca, per il Salina, per Carella, per la giovane L, per tutti quelli macinati e triturati, per tutti i miserabili di quella storia.

Per i cerchi nell'acqua che tutti abbiamo.

Quattordici

Si è fatto la moka grande appena sveglio, le quattro del pomeriggio. E ora è come al solito in cucina ad asciugare all'aria della finestra, la sigaretta accesa. La faccia va un po' meglio, anche le costole. Lo stomaco è di un bel blu cobalto, sembra un tatuaggio che ha perso l'inchiostro.

La mail di Sannucci è arrivata, l'ha vista sul cellulare. Così ora apre un computer portatile per guardarla con comodo. Sono tutti documenti sparsi, anche scansiti male, foto di fotocopie sfocate, fa fatica a leggere.

Sì, Cosimo Romano se lo era immaginato più o meno così. Nato nel '58, a Pescara, sposato, uno e settantacinque, c'è anche una foto, ma è quella del documento, è tutta scura e la faccia proprio non si vede. Non risulta porto d'armi. L'unica condanna è roba vecchia, del 2005, due anni e tre mesi per truffa. Aveva venduto i macchinari di un'azienda in crisi, capannoni sbarrati, operai a casa, ma la ditta non era sua. Era venuto fuori che vendere i macchinari faceva parte di un piano: una bancarotta fraudolenta messa in atto dal padrone della ditta, e va bene. Però i soldi delle macchine vendute il Romano non li aveva mai resi, e il processo si era trasformato in una lite confusa e isterica tra due truffatori.

Nemmeno un giorno di galera, comunque.

Poi c'erano le denunce, un paio archiviate, le altre dimenticate, o ritirate. Sempre truffa, perlopiù, ma si vede che era passato ad altre cose, polizze come nodi scorsoi, investimenti sicuri, sicurissimi, rendimenti spaventosi, anche il trenta, il quaranta per cento, i mercati emergenti, le materie prime... spariva coi soldi, un classico. Tutto con una certa continuità, perché le segnalazioni erano del 2006, 2008, 2012 e 2017. Carella sa che quello che si vede dalle carte è solo la superficie, l'increspatura dell'acqua, le poche volte che le cose sono andate storte. E sa che certi reati lì non compaiono, per esempio l'usura, perché di solito la vittima non denuncia.

Poi, ultimo allegato, c'è una nota, scritta a mano e fotografata, che dice:

«L'ultima residenza che conosciamo è via Ginestra 21, Cusano Milanino. Risulta sposato. Sov, me lo porta un souvenir dalle Maldive?».

Firmato Sannucci e una faccina che ride.

Cretino, pensa Carella.

Ora guida piano, quasi a passo d'uomo, con un certo stupore, tra le vie di Cusano Milanino. Sono stradine con alberi e siepi, tenute benissimo, ville e villette di un certo pregio, con il cancello e un giardino che in qualche caso potresti anche chiamare parco. Incredibile, perché a cinque minuti di macchina c'è la grande città cattiva, zona nord, e lì invece sembra di essere in un paesino del Sussex, con tutto che Carella nel Sussex non c'è mai stato, ovvio.

Via Ginestra è una viuzza di quelle, che fa una curva, e anche se il numero è il 21 ci sono solo tre case, una villa imponente, chiusa sbarrata, i cardini del cancello arrugginiti. Poi altre due case più piccole, una con il giardino ben tenuto, l'altra più bella ma un po' lasciata andare, che è quella che interessa a lui. Carella non rallenta e non si ferma, appostarsi lì è come mettere un cartello che stai cercando qualcuno. Allora fa il giro, posteggia in un viale grande e comincia a passeggiare, è incredibile, ma un perdigiorno che fa su e giù guardando le ville e il foliage di inizio autunno si nota meno di uno che aspetta in macchina.

Comunque tutto tace, le luci sono spente, nessun segno di vita, anche se il prato all'interno del cancello mostra che lì mettono una macchina, e c'è una finestra accostata al primo piano.

Perché il Vinciguerra cerca questo Romano? Uno che presta a strozzo, ha detto il Sovinato, forse non solo. Comunque uno che traffica, che maneggia soldi, non sembra della sua categoria, e nemmeno il tipo che frequenta i bar malfamati, quindi per trovarlo ha solo quella villetta, fare la posta, e questo è un tempo morto, non va bene.

Perché i tempi morti lo costringono a pensare.

Si è spinto fino a lì, ma ora si chiede se ne vale la pena. Ha trattato il Vinciguerra come una preda, la sua preda, ma non è questo il problema. Si è un po' bruciato con la cosca dei Pugliese, ora lo conoscono, sarebbe difficile fare un'indagine regolare su di loro senza farsi notare. In più la cosa incomincia a costare, credeva fosse più breve, aveva stanziato cinquemila euro dei suoi risparmi e probabilmente ne ha spesi di più. Ma non è nemmeno questo, dopotutto li avrebbe spesi anche andando veramente in vacanza. Si accorge che sta cercando delle scuse per aggirare un pensiero che detesta. Punta la sua preda, va bene, un figlio di puttana, uno che non l'ha pagata tutta. Perché? Perché non è giusto che quello stia fuori a fare altri danni, ma questa è la risposta da manuale, quella che direbbe all'avvocato, quella che tiene da parte per Gregori quando gli farà il culo come una capanna. Il poliziotto indisciplinato ma bravo che scantona dalle procedure, che passa un po' la linea, ma poi torna a casa col fagiano tra i denti.

Carella sa che la risposta vera è più complicata, ed è che per una volta gli sembra di far parte di quei cerchi nell'acqua ferma. Le aveva viste tante volte quelle onde di dolore, di impotenza, ogni volta che aveva avuto a che fare con una vittima. Le aveva capite. Ma esserci dentro, essere in qualche modo uno di quei cerchi concentrici, cambiava la prospettiva. C'entra con la storia di L, certo, non ha retto alla tensione, ma soprattutto non si è fidata.

È questo che gli brucia.

Sull'uscita di galera del Vinciguerra era riuscito pure a farla ridere, a scherzare. Prima aveva provato con il ragionamento, la razionalità, l'esperienza. Uno che poteva farsi dieci o dodici anni in carcere e invece se ne fa quattro, quando esce non dà la caccia al testimone che ha cercato di incastrarlo, ha già vinto, non cerca la rivincita. Certo, non gli sarà piaciuta, la galera, ma doveva sapere che scontava meno della metà di quel che gli sarebbe spettato, doveva ripetersi spesso «mi è andata bene». Insomma, il Vinciguerra non sarebbe andato a cercarla, e di questo Carella era convinto.

Lei annuiva, ma un conto è crederci e un conto è controllare tutta la parte di te che non ci crede.

Allora lui era passato alle promesse solenni, e la più solenne l'aveva fatta al tavolino di un McDonald's vicino al supermercato dove lei faceva il turno settemezzogiorno. Si erano visti al volo, lui, lei e la bella avvocata Fidenzi, per mangiare un panino e salutarsi.

«Ci sono io, di cos'hai paura?».

«Metti che in quel momento preciso tu non ci sei».

«Io credo che non ci sarà nessun "momento preciso", ma in ogni caso non aspetteremo. Appena esce lo curo io, il Vinciguerra, gli sto dietro, gli rompo un po' i coglioni».

«Figurati, e perché?».

«Perché mi sta sul cazzo. Cos'è, L, a te sta simpatico?».

«Uh, tantissimo».

Rideva anche l'avvocata.

«Giura che non lo perdi di vista».

«Giuro».

«No, devi fare una croce».

«E con cosa?».

Aveva fatto una croce rossa con il ketchup, sul vassoio, tra le patatine. L'avvocata sembrava contenta, i suoi occhi capivano tutto, L non ci pensava quasi più, al Vinciguerra.

Poi, tre giorni prima che quello uscisse, aveva finito il turno al supermercato, si era procurata l'eroina ed era andata a casa, aveva bevuto, con l'intenzione di stordirsi, e questo Carella lo sa dalla bottiglia di cognac scadente, e un solo bicchiere, che ha trovato sul tavolo, dopo che la Fidenzi l'aveva chiamato urlando e piangendo.

Che era un suicidio e non un buco finito male, Carella lo aveva capito subito. La casa era ordinatissima, messa a posto, pulita, lei stava composta sul letto perfettamente rifatto, la siringa a pochi centimetri dal braccio abbandonato sul copriletto rosa. I suicidi lo fanno, lasciano in ordine, pulito, chissà perché.

L aveva sempre l'aria di chi deve ripetersi che è bravo, che si sta comportando bene, che ce la sta facendo. Automotivazione, ogni giorno è un giorno in più, avanti, coraggio, quelle cose che ti lascia addosso la comunità. Non sono più una tossica. Non sono diventata una puttana per comprarmi la roba. Lavoro. Ho qualche amico. Sono viva. Una vita così, in quel buco di tre metri per tre, tra quegli scaffali, lavoro di merda, salario di merda. Però una vita.

E poi...

Senza il Vinciguerra non ci sarebbero state botte a... come aveva detto il Sovinato?... a una delle sue troie, sì. L non avrebbe dovuto tenere in grembo la testa spaccata della sua amica, né testimoniare, non avrebbe avuto paura, ora non sarebbe una bambola rotta che respira grazie alle macchine, lui non sarebbe lì, a passeggiare indolente mentre aspetta.

Cerchi che si allargano... uno, due, tre, infiniti, a contarli.

Lo prendono in giro, in questura, perché Carella fa sempre molto sul serio. Quando gli altri vogliono andare a mangiare Carella continua a lavorare, quando è ora di andare a casa lui è lì, se c'è da muoversi alle cinque del mattino lui si muove, Carella non dorme, Carella non mangia, Carella se ne fotte dell'encomio e della promozione. Come aveva detto una volta un collega, «Carella cerca ogni balordo come se gli avesse scopato la fidanzata», un commento cretino, ma aveva attecchito, anche se Carella la fidanzata non ce l'ha. Gregori gli ha detto più volte che farne una cosa personale non è un atteggiamento sano, e a volte può persino incasinare le indagini. Ghezzi capisce, invece, sa che c'è una linea da non superare, ma un passo... due passi... cosa vuoi che sia? E ora Carella ha superato quella linea di qualche decina di metri, non sa nemmeno se Ghezzi potrebbe o vorrebbe venire a riprenderlo.

Quindi in più questa volta c'è solo una cosa, si dice Carella nel chiaroscuro dei marciapiedi di quella zona che non conosce: questa volta è personale davvero.

Ora è risalito in macchina e ha guidato lento per l'hinterland nord. Cusano, poi Bresso, Cormano, Cinisello. Si è fermato a mangiare una pizza, ha ricominciato a girare senza meta, passando ogni tanto da via Ginestra, guardandosi in giro, come di pattuglia, ma con la macchina dei cattivi.

Poi, all'ennesimo passaggio, vede una luce accesa. Qualcuno è tornato mentre lui girellava in macchina, ora può solo aspettare che esca per andargli dietro. Sono le otto e venti, è quasi buio, decide di rischiare e di parcheggiare, un po' distante, ma in modo da vedere se qualcuno esce dalla villa. Due ore, si dice Carella. Se tra due ore non è uscito, vado dentro a prenderlo.

Invece arriva una macchina, una Ford grigia, con due uomini. Uno scende ed entra nella villa, è Cosimo Romano, l'altro spegne il motore e aspetta fuori. Quindi in casa c'è qualcun altro, forse la moglie, il suo uomo è arrivato ora, e sembra che se ne andrà presto, perché quello fuori si appoggia alla portiera, si accende una sigaretta, guarda l'orologio.

Venti minuti dopo Romano esce, ha l'aria di avere fretta, una valigetta nera lucida, che brilla sotto i lampioni, e la Ford parte. Carella conta fino a dieci e si mette dietro, vanno verso Milano, maledice di avere una macchina che si nota, una specie di missile luccicante, deve stare a due auto di distanza, non può rischiare di perderli per un semaforo, ma i due non danno segnali di essersi accorti di lui.

La Ford viaggia tranquilla, regolare, una guida fluida. Si ferma in una traversa di viale Fulvio Testi, Romano scende, si avvicina a un portone, suona il citofono e aspetta qualche secondo. L'altro resta in macchina, Carella prosegue e fa il giro dell'isolato, anche se la giungla di sensi unici gli fa fare un tragitto lungo. Sono le nove e un quarto, dove se ne va citofonando alla gente il Romano?

Esce alle dieci meno dieci, più di mezz'ora, e la Ford riparte. Ora va più veloce, si vede che hanno fretta, ma non c'è traffico e Carella riesce a tenerla. Poi si ferma di nuovo.

Ora sono in una traversa di via Melchiorre Gioia, Carella non può fare il giro, perché i sensi unici lo ributterebbero sulla circonvallazione e a tornare lì ci metterebbe dieci minuti buoni. Rischia di perderli. Merda. Allora li supera, gira a destra e si ferma: spera che l'autista del Romano non si metta a passeggiare fino all'angolo, e comunque per andarsene dovranno svoltare di lì per forza, passargli davanti.

Dieci minuti, venti. L'altra volta Romano è stato via mezz'oretta, se tiene lo stesso ritmo, nelle sue misteriose visite a domicilio, manca poco.

Poi sente un motore che spinge forte e una frenata secca. Può essere qualche ragazzino coglione che fa il numero su Melchiorre Gioia, però...

Istinto.

Carella scende dalla macchina, fa due passi veloci e sente uno sparo. Due. Pausa, un altro. Il motore di prima riprende a lamentarsi e quando lui gira l'angolo un'auto chiara gli passa accanto in ripresa, seconda, terza, questo lo registra mentre comincia a correre verso il portone dov'era entrato il Romano. Senza accorgersene ha tirato fuori la pistola, vede una sagoma per terra, l'altro uomo, l'autista, è lo spavento fatto persona, bianco come il vestito del papa, trema, si mette le mani nei capelli. Vede Carella che corre verso di loro, armato, allora salta sulla Ford, mette in moto e parte proprio mentre lui arriva vicino al corpo a terra. Il Romano.

«Che male, cazzo, che male, cazzo, che male, cazzo...».

È seduto con la schiena contro il muro, dondola la testa e ripete la sua giaculatoria infinita. Certo deve far male, cazzo. C'è parecchio sangue sul marciapiede. Carella mette via la pistola e si china, quello fa per sottrarsi.

«Fammi dare un'occhiata, stai buono, non fare il coglione».

C'è un buco in una coscia, uno strappo nei pantaloni, la stoffa che si mischia alla ferita non fa vedere di più, e la luce è solo quella dei lampioni. Però il sangue esce, quello si vede bene. Carella si toglie la cintura dei pantaloni e la stringe intorno alla coscia del Romano. Se è l'arteria femorale mi muore in mano, pensa, ma in realtà non ci pensa. Gli passa il braccio destro sotto un'ascella e fa per tirarlo su.

«Ce la fai?».

«No... che male, cazzo».

«Se non ce la fai muori qui, lo sai?».

Quello si alza sulla gamba sana, con un gemito. Non passa nessuno, almeno questo.

«La borsa!», dice.

Carella si china e prende la valigetta nera. È leggera, la tiene con la sinistra mentre puntella il ferito che gli ha passato un braccio intorno al collo.

Ora Carella lo sostiene per una trentina di metri, fino alla macchina, quando quello rallenta lo trascina, apre la portiera del passeggero e lo fa salire, poi va al posto di guida, butta la valigetta sui sedili di dietro e parte.
«Ti porto all'ospedale».
«No... che male... no, niente ospedale, niente polizia... ti pago bene».
Il Romano gli serve. Se lo porta a un pronto soccorso, anche se lo lascia lì da solo, con una ferita d'arma da fuoco, arrivano subito i colleghi, e lui lo perde, e il Vinciguerra starà alla larga. Senza contare che intorno al Fatebenefratelli, che è il posto più vicino – buttarsi sparato in Melchiorre Gioia, a sinistra sui bastioni e sei arrivato, tre minuti, se guidi alla Carella – sarà pieno di telecamere, e se cercano la macchina prima o poi arrivano a lui.
«E dove, allora?».
«Che male...».
«Dove?». Carella ha quasi urlato. E ora anche l'altro:
«Non lo so!».
«Una casa non ce l'hai, cazzo?».
«No... sì... c'è mia moglie, là non va bene...».
Carella pensa. Guida veloce e pensa. All'incrocio con via Galvani svolta a sinistra, verso la stazione, dritto veloce in viale Abruzzi e ancora a sinistra.
«Fa male», dice Romano. «Cazzo che male». Si preme una mano sulla ferita, è tutta rossa.
«Stai zitto, mi sporchi la macchina».
Inchioda in piazza Aspromonte, davanti alla porta di un albergo a una stella, roba da studenti poveri e scan-

natoio per le puttane della zona. Lo lascia in macchina ed entra, saltando i tre gradini.

L'uomo che sta dietro al bancone, davanti a un computer portatile, lo riconosce e si alza, ma Carella non gli lascia il tempo di dire niente. Si conoscono, se si può dire così, per vecchie questioni di favori fatti, nomi che spariscono dai verbali, clienti dell'albergo registrati qualche giorno dopo, o non registrati per niente. Non ricorda il nome dell'uomo, ma quello ha capito, e basta questo.

«Mi serve una stanza, subito, ho qui fuori uno da far riposare».

«Portalo dentro, ti do la 22, che c'è meno viavai».

«Senza dirlo in giro, eh, non fare lo stronzo».

«Dai, muoviti», dice l'altro, come se avesse capito che c'è un'emergenza.

Le due rampe di scale sono un inferno. Il Romano si lamenta, anche se Carella continua a dirgli shhh, shhh... arrivati nella stanza lo fa stendere a letto. Il proprietario della topaia li ha seguiti a un passo, pulendo le gocce di sangue cadute sul linoleum.

Carella strappa i pantaloni, non allenta la cintura stretta attorno alla coscia.

«Asciugamani», dice. Il padrone schizza via. Quando torna porta delle salviette lise, ma pulite e stirate. Il Romano farfuglia, comincia ad essere debole, Carella non è riuscito a capire quanto sangue ha perso.

Ora la ferita è lavata, per modo di dire, acqua del piccolo lavandino che c'è nella stanza e cotone ruvido. C'è un buco bello grosso, ma Carella si dice che se era l'arteria femorale a quest'ora lo avevamo già salutato e stava all'obitorio. Lo pensa con un brivido e si vede la scena, lui, con un morto in un albergo a ore, il sangue in macchina, il portiere che parla coi colleghi. Un disastro. Si volta verso il padrone dell'albergo, che è il meno agitato dei tre.

«Un dottore sicuro, ce l'hai?».

«C'è quello che usano le ragazze, ma credo che sia più un ginecologo... cioè... è un medico in pensione, è amico dei peruviani che stanno qui dietro, qualche ferita da coltello l'avrà vista».

«Chiamalo».

Ora nella stanza ci sono solo Carella, seduto sull'unica sedia, e il Romano, che delira sul letto, un po' lucido, un po' no, scosso da brividi.

«Tu chi cazzo sei?», chiede, poi gli viene un pensiero. «Nando che fine ha fatto?».

«Ma chi? Quello che stava con te, quello che guida la Ford?».

«Sì... è...». Non riesce a dirlo.

«No, non è morto, stai tranquillo, e nemmeno ferito. È scappato con la macchina mentre tu stavi a terra... bella guardia del corpo che hai, complimenti!».

Cosimo Romano lascia andare la testa sul cuscino. Chiude gli occhi.

«Ha fatto bene a scappare. Non è mica una guardia del corpo... che male, cazzo... che male... È uno che mi deve dei soldi e allora gli ho offerto un lavoro, è un poveraccio, ha fatto bene a scappare».

«Chi è che ti vuole morto?».

L'uomo non risponde.

Carella lo guarda meglio. I capelli grigi incollati dal sudore, la bocca piegata in una smorfia, l'abito elegante, ha ancora la giacca, macchiata di sangue vicino a una tasca. Lo solleva e gliela sfila, quello lascia fare, del resto non può impedirglielo. Si lamenta. Una tasca è vuota, nell'altra c'è solo un mazzo di chiavi. Nelle tasche interne una penna d'oro, pretenziosa, e il cellulare, bloccato, serve un codice. Nel taschino sul petto ci sono cinque biglietti da visita. Cosimo Romano, RPC Financial Consultant. Investment Director Area Europe. Un indirizzo mail e un numero di cellulare.

«Ah, le fai col tuo nome vero, le tue truffe?», dice. Ma quello ha chiuso gli occhi, non sente, non capisce. Carella sa come funziona. Prima lo shock, poi i brividi di freddo, poi quella spossatezza da ubriachi che ti fa scivolare verso un posto ovattato.

Il portafoglio glielo sfila dalla tasca dei pantaloni. C'è la carta d'identità, regolare, col suo nome e indirizzo, due carte di credito, seicento euro, la foto di una donna. Vecchia, la foto, la donna invece è giovane.

Bussano. C'è il proprietario con un altro uomo, un anziano con una borsa in mano. Il dottore.

Non dice una parola, appoggia la borsa e comincia a lavarsi le mani, a lungo, con il sapone liquido che c'è lì, le asciuga per bene e poi si avvicina al ferito, Carella gli porge la sedia, lui la sistema accanto al letto e si siede, si china sulla ferita e finalmente parla.

«Non è la femorale... il proiettile è dentro, ma non troppo in fondo. Lo vedo».

«Quindi?».

«Quindi servirebbe un ospedale».

«Il signore non vuole», dice Carella.

«Avrà i suoi motivi».

«Sì, ma allora?».

Il dottore si volta verso il padrone dell'albergo, che è rimasto in piedi appoggiato alla porta, e intanto apre la borsa, ne cava una scatola di metallo e da quella prende due o tre ferri.

«Fai bollire questi, poi portameli con l'acqua bollente».

Il Romano si lamenta. Carella guarda la scena senza dire niente. La stanza fa schifo, il copriletto è tutto macchiato, non solo del sangue del Romano, le pareti sono scrostate per l'umidità agli angoli del soffitto, sui muri ci sono macchie di zanzare spiaccicate. La luce è fioca, una sola lampadina che pende dal soffitto, accanto al letto c'è un abat-jour, acceso anche quello. Il lavandino, la sedia, il linoleum per terra, una bacinella in plastica che dovrebbe servire da bidè.

Il medico prepara una siringa monouso, aspira da una boccetta. Cerca una vena, appena sotto l'inguine del Romano, e infila l'ago. La reazione è quasi immediata. Il respiro si placa e diventa regolare, i lineamenti si distendono, dieci secondi dopo dorme come un bambino.

Succede tutto in fretta. Il medico prende i suoi ferri bolliti e scava nella ferita, taglia, poi una pinzetta, poi il proiettile, un po' ammaccato, finisce appoggiato sul copriletto lurido. Lava tutto con cotone e garze, si toglie i guanti e fruga nella borsa.

Quando si alza dalla sedia, il Romano è steso in mutande, camicia e cravatta, con una fasciatura bianca che gli stringe mezza coscia, non sanguina più, o almeno non si vede. Dorme.

«L'ha portato qui lei?», chiede il medico.

«Sì».

«Ha rischiato, se era l'arteria...».

«Sì, lo so».

Il dottore fa il giro del letto e si avvicina al comodino, quello con l'abat-jour, è l'unico posto dove si può appoggiare qualcosa. Mette lì due fiale minuscole, quelle che si spezzano con un tac secco, e due siringhe monouso.

«La sa fare una puntura?».

«In vena?».

«No, sul culo, come ai bambini... una quando si sveglia e una dopo sei ore... capito? Non prima di sei ore, anche se si lamenta».

«Va bene».

«Ora dormirà un paio d'ore, come minimo. Deve bere, acqua. Assolutamente non muoverlo per... che ore sono?».

«Le undici», dice Carella.

«Ecco, almeno ventiquattr'ore... Se va tutto bene potete spostarlo domani a mezzanotte. Però deve andare in un posto tranquillo, riposare e muovere la gamba senza appoggiarla... ha capito? Le lascio qualcosa per fare un'altra fasciatura, pulisca con acqua ossigenata e guardi la ferita, se vede del giallo, pus, mi faccia chiamare, se è pulita senza infezioni rifaccia la fasciatura, non troppo stretta. Fategli mangiare qualcosa, ma non avrà fame».

«Va bene».

Carella mette la mano in tasca e ne cava il rotolo di banconote. Poi cambia idea e prende il portafoglio del Romano, conta dieci biglietti da cinquanta e li porge al medico.

«Bastano?».

Il vecchio non risponde, li prende e si avvia verso la porta. Esce. Il padrone della topaia esce con lui.

Ora Carella si riscuote. Mette in fila le cose da fare. Prende due asciugamani dalla pila che il proprietario ha portato prima e li inzuppa d'acqua, esce dalla stanza e scende le scale veloce. Una coppia sta salendo, lei tranquilla e sicura come una che va al lavoro. L'uomo che la segue sembra più timoroso e si intimidisce ancora di più quando vede Carella che scende i gradini tre alla volta, ma lei gli prende una mano e lo trascina. Entrano nella 20.

Carella sposta la macchina, la parcheggia bene poco distante e poi pulisce il sangue, il tappetino del passeggero, il sedile, l'interno dello sportello destro. Prende la valigetta, butta gli asciugamani sporchi in un cestino e torna all'albergo. Il Romano dorme, lui si siede sulla sedia, ha una macchia di sangue sulla manica destra della giacca.

Si accende una sigaretta e aspetta. Sa cosa succederà, sa come funziona. Le botte, la paura, la tensione, uno che poteva morire dissanguato nella sua macchina. E ora l'adrenalina che cala di colpo e una stanchezza senza fine che gli piomba addosso, che mischia il dolore alle costole con la frustrazione, la delusione, la nausea per quell'immersione sul fondo, i gironi infernali di spacciatori, trafficanti, truffatori, uomini di fiducia, boss, galoppini. La luce e l'odore di quei bar e di quei posti gli si sono appiccicati addosso, il fiato fetido dei miserabili, dei loro whisky bevuti aspettando, delle loro puttane, delle loro regole, codici, segnali, delle loro piste di coca tirate sui tavoli prima di andare al lavoro, un'estorsione, un pestaggio, la riscossione di un debito. È sceso là sotto, sotto la superficie, perché cercava il Vinciguerra, e lo cerca ancora. Ma sente che si sta sporcando, che ormai ragiona come loro senza nemmeno il giochetto dell'immedesimazione.

Sono i dettagli che lo aggrediscono, che gli saltano addosso. Gli occhi stanchi di Diana Gold, i tremiti di freddo e paura del Romano, la finta baldanza dell'uomo con la faccia da ragazzino, un impiegato, un travet. E la macchia di sangue sulla giacca Boglioli, che un poliziotto come lui non potrebbe permettersi, le liturgie di quel potere assoluto che ti dà l'essere al di sopra, al di fuori della legge, qualunque legge.

La testa pesante, le palpebre che stanno per cedere, Carella pensa che la sua irresistibile ascesa nel regno dei balordi, col nome d'arte di Vincenzo Di Natale, uno che riesce ad ottenere udienza dal boss, a parlargli quasi da pari a pari, a trattare con lui, coincide con l'irresistibile discesa di Pasquale Carella, sovrintendente di polizia.

Sporco.

Avrebbe voglia di cedere, di mollare, ma se torna indietro ora si sarà sporcato per niente, tanti danni, nessun risultato, solo macerie, compreso il corpo di L inchiodato a una macchina che le spinge l'aria nei polmoni, perché da sola non ce la fa, come lui.

«Ci sono io, di cos'hai paura?».

«Metti che in quel momento preciso tu non ci sei».

Sente arrivare il sonno, come un'onda. Ma non può, non deve. Si alza dalla sedia, con un gemito, si avvicina al lavandino e si sciacqua la faccia, sfrega forte anche se la guancia fa male, beve, sputa, si bagna di nuovo.

Ora sono le quattro del mattino. Il Romano si è svegliato, geme, Carella lo fa mettere su un fianco e gli fa l'iniezione, guarda l'orologio, la prossima non prima delle dieci, quindi. Lo guarda, ha gli occhi sbarrati, ora che il dolore pulsa nella ferita e percuote tutto il corpo, comincia a rendersi conto che qualcuno gli ha sparato, che a quest'ora poteva essere morto. È un uomo di sessantadue anni, spaventato, indifeso, Carella giurerebbe di aver visto due lacrime scendergli sulla faccia pallida.

«Chi sei tu?».

«Dormi, Romano, sono le quattro, stai buono, domani parliamo».

«Sì, ma come ti chiami?».
«Vincenzo».
«Ah... allora grazie, Vincenzo».
«Dormi, Romano, lasciami stare».
L'uomo chiude gli occhi, sospira, trema per il dolore, le lacrime ci sono davvero.
Carella si sistema sulla sedia, allunga le gambe e appoggia i piedi sul copriletto sporco. Sa che deve dormire, almeno un paio d'ore, altrimenti non sarà lucido, non va bene.
Grazie Vincenzo un cazzo. Poi buio.

Quindici

Quando il sovrintendente di polizia Ghezzi Tarcisio apre gli occhi sono le sette meno dieci. Il posto della Rosa è vuoto, sente i rumori gentili della cucina, beve la luce che entra, la usa come spinta nella piccola rincorsa che deve prendere per alzarsi.

Sbarbato, docciato, i capelli ancora umidi, vestito a metà – pantaloni, scarpe, canottiera – si siede al tavolo della cucina e la Rosa gli versa il caffè. Del Pietro Salina non hanno più parlato, lui ha dovuto chiamare la Franca per dirle di non disturbare più la Rosa.

«Ma se è così gentile!», aveva detto lei.

«Con te», aveva pensato Ghezzi. «Ma dopo...».

Era andato a dormire pieno di buoni propositi: chiamare Carella, magari vederlo, parlargli, capire. Poi fare rapporto a Gregori, attento a limare gli angoli, ad addomesticare la storia, a coprire il collega per quanto si può. E poi rivedere da capo tutte le mosse della sua caccia al Salina, sente che c'è qualcosa in sospeso, qualcosa che è lì da vedere, ma che lui non vede. E ora che il giorno nuovo è arrivato si sente ancora impotente.

La Rosa ha finito il suo caffè ed è andata di là, e ora Ghezzi la sente imprecare, perché è ancora uscita acqua dalla lavatrice, prima erano poche gocce, ora è un lago ogni volta che la fa partire. È un mese che gli dice che bisogna cambiarla, è un mese che Ghezzi fa finta di non sentire, cioè, sente, ma...

Lei torna in cucina, si siede e ha un moto di sconforto, come una che dovrebbe dire ma non dice.

«Sabato andiamo a comprare quella nuova, Rosa, mi spiace, ma non credo di avere tempo prima, se vuoi andare tu...».

«Sono stanca, Tarcisio, fai quello che vuoi, non ci sei mai».

È vero e non è vero.

«Quanto costa una lavatrice?».

«Quali, quelle belle? Anche sei settecento euro».

«E quelle per noi poveracci?».

«Trecento, tre e cinquanta».

«Va bene, Rosa, resisti fino a sabato».

«Io resisto da trent'anni, Tarcisio. Resisto e non cambia niente».

Ghezzi conosce quei momenti di sconforto. La Rosa ha una sua vita, le sue amiche, le ripetizioni, il volontariato. Legge, si informa, è una donna forte e indipendente. Ma è lui che detta i tempi, sono i suoi orari assurdi che scandiscono le giornate, e ogni tanto, quando ci pensa, se la figura lì che lo aspetta. È stanca.

Sono tutti stanchi, pensa ora Ghezzi. Gregori è stanco, la Franca è stanca, della sua vita e delle sue marchette. È stanco anche il Salina, ci scommetterebbe, e lui è stanco di cercarlo. Il paese è stanco, spossato dall'attesa di cose che non verranno mai. E quello che si dice sempre come massima ambizione, come orizzonte di speranza: una vita normale, un paese normale... non arriva mai, e intanto si aspetta, si sgrana il rosario delle giornate. È un'attesa che sfianca, l'attesa di cosa, poi?

Finisce il caffè e mette una camicia pulita. Scende le scale in fretta, si appunta mentalmente di chiedere ai colleghi più navigati nelle cose della vita se c'è qualche convenzione, qualche sconto, un posto dove vendono lavatrici agli sbirri con qualche agevolazione, trecento meglio di tre e cinquanta, due e cinquanta meglio di trecento. I conti della serva.

Poi, mentre si tiene in equilibrio sul tram, pensa al Salina. Non è una cima, anzi per quanto ha potuto capire è un vero cretino, e quindi non riuscire a trovarlo lo irrita ancora di più. Scomparso così, dalla mattina alla sera, con qualcosa da nascondere e qualcosa di cui ha paura. Ghezzi sa che da qualche parte c'è una carta che glielo farà trovare, ma bisogna cavarla fuori dal mazzo. È irritato, sono le otto e mezza del mattino e già deve sbollire, lasciar depositare le scorie, così scende dal tram dopo il ponte di via Farini e decide di fare il resto della strada a piedi, per pensare meglio. La giornata è luminosa, c'è un cielo atlantico, azzurro, con nuvoloni bianchi che corrono via, fa strano, a Milano.

Attraversa le vie della movida, corso Como, poi corso Garibaldi, che si svegliano piano dopo i bagordi della notte, i capannelli di gente davanti ai bar e ai ristoranti, le macchine in seconda fila, la spensierata gioventù dell'happy hour. Ora è tutto fermo, i negozi ancora chiusi, i locali dei cocktail che servono caffè e cappuccini, la gente che si affretta, ché alle nove comincia la rumba. I camion del Comune raccolgono i sacchi gialli e neri fuori dai locali.

Ghezzi ricorda quel quartiere lì tanti anni prima, una vita fa, quand'era popolare e addirittura povero, un po' malfamato, vagamente bohémien. C'era la pelota, in via Palermo, incredibile, un muro giallo e verde, la gente che scommetteva, i baschi che giocavano tirando con le ceste quelle palline dure che facevano il loro clac feroce e nitido contro il muro, la gente che dagli spalti gridava: «Chiudila, Pato!», che voleva dire: «Fai il punto! Vai all'attacco!». La tris potevano pagarla anche venti volte, venticinque. I baschi avevano le loro donne che facevano il tifo, Ghezzi aveva un informatore, al 27, un signore anziano che vendeva cocaina, e sembrava una stranezza per ricchi, un lusso vietato, trasgressivo, quasi un vezzo, un vizio, da alta società.

Ora è tutto uno scintillare di negozi, due librerie chic nel giro di cento metri, bar, appartamenti per alti redditi, una giacca in vetrina che costa più di mille euro, come tre lavatrici. Al 27 la palazzina è la stessa, ma ora sembra un'attrazione turistica, la gente guarda nel cortiletto ordinatissimo, smerigliato, le ringhiere pittate di verde lucido e dice: oh! Una cartolina, ecco.

Siamo più felici? Siamo migliori?

La cocaina adesso la vendono di sera, in corso Como, piccole bande volanti di africani, l'ultimo anello di una catena di schiavi che parte da chissà dove, la Bolivia, il Messico, la mettono a trenta euro la bustina, la comprano anche i ragazzini, e chissà cosa c'è dentro.

Vede un altro cane, che porta in giro una signora anziana. È un bastardo con la faccia da spinone, ma piccolo, molto fiero di sé. La signora gli parla.

Ghezzi sa che deve uscire da questo labirinto che si è costruito da solo. È stata la Franca, a stappare il vaso? Il pensare a se stesso trent'anni prima? Quaranta? È passato da ragazzino a poliziotto, ma quarant'anni fa, a vent'anni, non si era già più ragazzini da un pezzo, e lui aveva preso una decisione da uomo, quella di mettersi sul confine tra buoni e cattivi e fare la guardia. Poi anni e anni di onorato servizio, e ora quel confine a cui fa la guardia non è più così netto. Si sente stranito, non è da lui questa nostalgia nera, questo ricordo che si sporca solo a ricordarlo.

Dai Ghezzi, non fare il coglione. Si sforza di pensare ad altro.

Il Salina ha una doppia vita, questo è chiaro. Ruba ancora, ma senza dirlo alla Franca, che ha le fette di salame sugli occhi. Prende una macchina, e lei non lo sa. Ha un posto segreto dove tiene chissà che cosa, e lei non lo sa. Finora ha scavato nella prima vita del Salina, e non ha trovato niente. Per frugare in quell'altra, di vita, non ha nemmeno un appiglio. Poi c'è un'altra questione che non ha ancora messo a fuoco, ma che è piuttosto semplice. Nella storia del Salina c'è sicuramente qualche reato. Se hai visto una cosa che ti ha spaventato al punto da scappare, se scrivi alla tua donna «c'è pericolo», se cerchi un posto dove nascondere qualcosa, di solito alla polizia interessa. Quindi c'è anche il caso che se lo trova, il Salina, dovrà interrogarlo ufficialmente, e magari arrestarlo. E allora la faccenda della Franca non sarà più una cosa tra amici, ma una questione di lavoro, gli dispiace per lei, forse nella sua voglia di mollare il caso, di interrompere le ricerche, pesa un po' anche questo.

Prende via Pontaccio per andare verso la questura, il marciapiede è stretto, si mette dietro a un signore con un cane che gli rallenta il passo. L'uomo avrà la sua età, qualche anno in più, forse, ha l'aria del pensionato con troppo tempo libero, il cane è un lupo vecchio, che cammina indolente un passo dopo l'altro, sembra che faccia un piacere al padrone, a fare quel giro tra le macchine e l'asfalto: va bene, se proprio ci tieni andiamo. Appena il marciapiede glielo consente, Ghezzi accelera e li supera, ma si volta a guardare il cane, ha la faccia paziente di uno che preferirebbe stare sul divano, sul tappeto, vicino alla sua ciotola, non lì per la strada. Anche le pisciate che fa sembrano svogliate.

Poi, quando è all'incrocio con via Brera, via Solferino a sinistra, è quasi arrivato, gli suona il telefono. Lo recupera da una tasca della giacca cambiando di mano alla borsa marrone.

«Pronto».
«Ghezzi».
È Carella.
Pensava di doverla fare lui, la telefonata, era certo, certissimo, che Carella non lo avrebbe chiamato, e ora gli viene in mente che se quello lo cerca vuol dire che la situazione non è come dovrebbe essere.
«Carella, dove cazzo sei? Gregori sta...».
«Vieni qui, Ghezzi, subito».
Gli dà un indirizzo, un albergo di piazza Aspromonte.
«Problemi, Carella?».
«Vieni qui».

Ora Tarcisio Ghezzi, poliziotto di basso rango, cinquantanove anni con la sabbia della clessidra che scivola verso i sessanta, stanco come il lupo anziano, si riscuote dai suoi pensieri, la passeggiata non ha più senso. E nemmeno il Salina.

Prende la linea verde della metro, sballottato e pressato in mezzo a quelli che vanno a lavorare, gli studenti sono già scesi tutti, e ora anche lui. Cammina per duecento metri e vede l'ingresso dell'Hotel delle Stelle, che di stelle ne ha una sola, l'insegna sporca, i tre scalini da salire. All'angolo c'è già una signora che passeggia e aspetta clienti, e non sono nemmeno le nove del mattino. Ghezzi la guarda e lei guarda lui.

Poi è davanti al bancone dell'albergo, con un ragazzo giovane che lo squadra per bene, non chiede niente, è lui che deve parlare.

«Mi aspettano», dice.

«Sì, mi hanno avvertito, nella 22, su per le scale a destra».

Le scale puzzano, il corridoio puzza, il linoleum è macchiato. Le stanze sono quattro al primo piano e quattro al secondo, il bagno in corridoio, Ghezzi si chiede perché le hanno numerate partendo dal venti. Comunque bussa e sente la voce di Carella:

«Entra, Ghezzi, è aperto».

Così Ghezzi apre la porta e quello che vede è un uomo steso a letto, forse dorme. È in mutande e camicia bianca, ha una gamba fasciata. Carella è in piedi vicino alla finestra, fuma, ha la barba lunga, gli occhi pesti di uno che non dorme dallo sbarco sulla Luna, un livido su una guancia. Per terra c'è una valigetta nera, aperta.

«Siediti, Ghezzi».

Lui si siede sull'unica sedia con l'aria di dire: sentiamo.

Quando il sovrintendente Ghezzi ha fatto quella faccia che dice: sentiamo, a Carlo Monterossi è sembrato di vederlo.

Non lì nella poltrona del suo bel salottino, ma sulla sedia della stanza 22, con Carella stremato, schiacciato, la luce bassa e brutta dei posti dove la luce è solo corrente stanca, il ferito che geme sul letto, puzza di fumo, di deodorante da quattro soldi e di tintura di iodio.

E di colpo la musica che viene di là, dal salone, si è fermata.

Come se un regista avesse aspettato l'istante preciso, come se quella scena – un quadro – meritasse il silenzio che si è creato ora, così fermo e solido, rumoroso.

Carlo si alza e sparisce in corridoio, in cucina, prepara una brocca con acqua e ghiaccio, i cubetti gli bruciano le dita.

Cosa si è rotto in Carella? Quale giunto è andato fuori asse? Quale valvola ha smesso di pompare? A quel quadro con la luce brutta – Ghezzi seduto e il ferito sul letto, la puzza di disinfettante – bisogna aggiungere molti fantasmi, ombre, gocce infinite di ingiustizia e di impotenza che hanno riempito il vaso, e la ragazza L era l'ultima goccia, forse, o qualcosa di più. La sporcizia che Carella accumulava, la profondità della fossa che si stava scavando, dovevano sembrargli nulla rispetto al pensiero di aver fallito, di non averla curata, accudita, protetta, nemmeno da se stessa.

Passa dal salone, appoggia la brocca sul tavolo, tra le bottiglie e i piattini del dessert, si avvicina allo stereo, sfiora i tasti del computer che lo comanda e sceglie a caso dalle playlist, senza guardare, non alza il volume, gli piace che di là, dove il Ghezzi lo aspetta, arrivi solo un filo di suono, che serve a non lasciarlo solo, nel silenzio totale, quando cerca le parole, o fa una pausa, o pensa.

Ora torna nel salottino e lo trova lì come l'ha lasciato, versa due bicchieri d'acqua e ne offre uno al Ghezzi, che lo prende con un piccolo cenno di ringraziamento.

Arriva, attutito dalla distanza, un accordo di piano, poi la voce di Nina Simone, impossibile sbagliarsi... *Memphis in June...*

Sedici

Tarcisio Ghezzi resta seduto sulla seggiola di legno a due centimetri dal letto del Romano ferito. Non c'è più spazio di così e anche se ha aperto la finestra l'aria è pesante, densa. Sono solo loro due, Carella è sceso a procurarsi del cibo – tramezzini confezionati che sanno di plastica e due bottiglie d'acqua – poi è andato a cambiarsi, non può girare con la giacca sporca di sangue. Ghezzi gli ha suggerito di prendersela calma, di dormire un paio d'ore, e magari anche di portare la macchina a lavare, e farla pulire molto bene.

In quella situazione, con Carella che non si regge in piedi e il ferito che si lamenta nel dormiveglia, le spiegazioni sono state rimandate a dopo, e Ghezzi sa soltanto i dettagli della sparatoria.

«Sei scemo, Carella? Portare in giro un ferito che poteva creparti in macchina?».

«Sì, hai ragione. Però questo stronzo mi serve per finire un lavoro, se lo portavo all'ospedale passavo i guai lo stesso, e in più lo perdevo».

«La macchina che ha sparato l'hai vista?».

«No, mi è passata a dieci centimetri, io pensavo a correre verso il Romano a terra».

Ghezzi si è rigirato per le mani il proiettile estratto dalla coscia dell'uomo, a occhio è un 7,65, non serve a molto, sarebbe meglio avere il bossolo, ma se quello che ha sparato lo ha fatto dall'interno della macchina, abbassando il finestrino per il suo tiro a segno, è probabile che i bossoli siano rimasti nell'auto.

Il ferito si era svegliato, Carella gli aveva fatto l'altra puntura, alle dieci e venti, e controllato la fasciatura, niente giallo, niente pus, è solo diventato tutto bianco quando ha bagnato la ferita con l'acqua ossigenata, il Romano ha recuperato un po' di colore, ma poi si è riaddormentato.

«Gregori è incazzato, il mio incarico è di dirgli cosa stai combinando, dove sei e in che merdaio ti sei cacciato. Dai, Isernia non è male... all'ufficio passaporti, magari, speriamo che c'è l'aria condizionata».

Carella aveva sbuffato:

«Ti assicuro che Gregori è l'ultimo dei miei problemi, Ghezzi».

«Non posso aiutarti se non mi racconti tutto per bene, Carella. E del resto, se non mi racconti tutto per bene, perché aiutarti? Fai il lupo solitario? Cazzi tuoi».

Carella aveva fatto una faccia impotente, e Ghezzi aveva capito che non era il momento, che il suo collega non era lucido, che stava per crollare.

«Vai, sono le dieci e mezza, vediamoci qui dopo pranzo... hai detto che possiamo spostarlo a mezzanotte? Bene, abbiamo tempo».

«Va bene, Ghezzi, però aspetta a interrogarlo, voglio esserci anch'io. Non fargli fare telefonate».

«Non mi sembra uno che ha voglia di telefonare».

«Non si sa mai. E non è necessario dirgli che fai il poliziotto, sei il mio socio, ok? Almeno finché non ci abbiamo parlato per bene... poi ti spiego tutto, promesso».

«Vai, su, rimettiti in sesto, sembra che abbiano sparato anche a te».

Poi si era messo comodo, si fa per dire, e aveva fatto una telefonata a Sannucci.

«Dica, sov».

«Oggi non vengo, Sannucci, non mi sento tanto bene, dillo alla Senesi, così se Gregori mi cerca...».

«Niente di grave, spero».

«Stai tranquillo, Sannucci, è solo un raffreddore, ma vai a sapere, potrebbe essere ebola, o la peste, la prudenza non è mai troppa».

«Non sarà mica anche lei alle Maldive, eh, sov?», ride quell'altro. Ghezzi non capisce, ma lascia perdere.

Ora Ghezzi guarda nella valigetta nera. Ci sono tre cartellette con la copertina stampata, un logo, una scritta: RPC Financial, Luxembourg, London, Cape Town, agganciato ad ogni cartellina, con una graffetta, c'è un biglietto da visita molto solenne, dice che Cosimo Romano è un consulente di questa RPC, tutta roba in inglese, tutto stampato bene, patinato, lucido, ordinatissimo, tutto in stile banca d'affari, roba che intimorisce e al tempo stesso ispira fiducia, un dépliant del cinismo del mondo.

Dentro quegli involucri patinatissimi, tre prospetti uguali, una piccola brochure di dieci pagine densa di grafici e tabelle che spiegano la ripartizione degli investimenti: paesi emergenti, Malesia e Vietnam, e molta Cina, e questo si vede dai diagrammi e dalle torte a spicchi. Poi ci sono i rendimenti dell'anno scorso, più quarantadue per cento, e quelli dell'anno prima, più trentotto. In ogni cartellina ci sono anche dei moduli compilati con una scrittura precisa, uno stampatello che pare stampato anche se è scritto a biro.

Santino Collura, via Pianell, Milano, ha firmato i moduli e ha investito, con il miraggio di quel rendimento pazzesco, ottantamila euro. C'è la sua firma, anzi sei firme. In un'altra cartellina, stesso prospetto, stessi moduli e altre firme: Gregorio Carisi, via Cardano, la via della sparatoria. Questo qui ha sganciato centotrentamila euro con la speranza di incassarne duecento in pochi mesi. Deficienti.

Nella borsa ci sono due buste marroni, chiuse ma non sigillate, che contengono in totale duecentodiecimila euro, i conti tornano. La terza cartellina è come le altre, il prospetto finanziario e i moduli, intestati a Barbara Serminti, via Orti, a Porta Romana, ma questi non sono firmati, la cifra è centosessantamila. Quindi il Romano non aveva finito il suo giro e se qualcuno non gli avesse sparato appena uscito dal secondo cliente sarebbe andato dal terzo, e ora nella valigetta ci sarebbero trecentosettantamila euro in contanti, un bel bottino.

Il ferito si lamenta, Ghezzi lo tocca sulla fronte, non ha la febbre ma è sudato, anche se non fa caldo per niente. Però dorme, e questo è bene. Ma ora, con l'aria che entra dalla finestra, i tramezzini di plastica sullo stomaco e il rumore lontano del traffico, rischia l'abbiocco anche Ghezzi, su quella sedia scomoda e spigolosa. O forse cerca solo di dimenticarsi che sta in un albergo equivoco, con un truffatore ferito in una sparatoria che non è stata nemmeno denunciata, curato alla bell'e meglio da un medico illegale, mentre aspetta il suo collega fuorilegge. Un bel quadretto, non c'è che dire.

Poi suona il telefono.

«Ghezzi? Buongiorno, sono Magoni...».

Gli serve un attimo per mettere a fuoco. Magoni...

«Magoni, Ghezzi, la scientifica... la tua chiave!».

«Oh, Magoni, perdonami, sono a letto, un po' rincoglionito...».

«Sì, ti ho cercato, prima, e il tuo agente, là, come si chiama...».

«Sannucci».

«Sì, Sannucci, ecco, mi ha detto che eri a casa malato, niente di grave, spero... ma ti disturbo?».

«Ma no, Magoni, è solo una specie di influenza e non mi reggevo in piedi, ho approfittato che non ho un caso urgente in mano...».

«Bravo, riposati. Senti, quella tua chiave...».

Ghezzi si fa attento.

«L'altra sera a cena mio genero mi ha detto che cercava un deposito per mettere dei mobili... sta ristrutturando lo studio, è il marito della mia grande, sai, fa l'architetto...».

Ghezzi sa che deve lasciarlo andare e quindi si limita a un borbottio di incoraggiamento.

«Beh, ha trovato questo posto che affitta... si chiama My Safe... dice che hanno spazi di tutti i tipi e metrature per tenere la roba in deposito, cioè, vuoi un metro cubo di spazio? Ti danno un cassetto. Vuoi cinquanta metri per il comò della nonna morta che non sai dove sistemare? Ti danno una stanza. Un po' caro, ma comodo...».

«E quindi, Magoni?».

«Mi ha fatto vedere la chiave, è identica sputata alla tua, ho la foto nel telefono, ricordi? Beh, stessa testa, stesso fabbricante. Ho pensato che era una coincidenza, ma noi, Ghezzi, alle coincidenze... vero?».

Vuole fare il detective, il Magoni. Ghezzi capisce che vuole soddisfazione, e ha ragione. Anche se lui, invece, alle coincidenze ci crede. Se mettesse in fila i chilometri che ha fatto seguendo false piste che poi erano solo coincidenze potrebbe andare a piedi in Cina.

«Grazie Magoni, non ci speravo più in questa chiave. Senti... My Safe, hai detto? Ora cerco... ma ti ha detto anche dov'è?».

«Chi, mio genero? Lui ha messo le sue cose in un box, a Cologno, o lì vicino, ma credo che sia una catena, Ghezzi, cioè, hanno tanti posti intorno a Milano, e anche altrove in Italia, credo».

«Porca miseria! Grazie davvero, Magoni, mi dai un grande aiuto. Saluta il genero, e anche la figlia... che ha, quanti anni?». Si interessa, è gentile. Forse dovrebbe essere così la vita: interessarsi, essere gentili.

«Eh, la mia Veronica... Ventiquattro... ha voluto sposarsi a tutti i costi, ma le ho fatto giurare che prima del nipotino mi porta la laurea... l'altra, Giorgia, ne ha ventuno, lei fa...».

«Tienitele strette, Magoni, che i veri tesori sono quelli lì».

Si salutano, si promettono un caffè.

Un posto dove tenere le cose... Però non ha senso. Primo, perché in quei posti lì bisogna lasciare il nome, il cognome, una fotocopia del documento, firmare... non è un nascondiglio per un ladro. E poi... se la chiave era nascosta in casa e lui non è tornato a prenderla, vuol dire che là al deposito, ovunque sia, non ci è andato... non torna.

Però tira fuori il telefono e apre un motore di ricerca. Scrive «My Safe Milano» e subito sgocciola fuori un mare di risultati. C'è una piantina della città con tanti pallini rossi, saranno una ventina. Tutti depositi di cose, tutti con la loro home page che spiega tariffe e regole. Che si chiamano My Safe ce ne sono quattro, praticamente ai quattro angoli di Milano. Quello più vicino al Salina è dalle parti di piazzale Loreto, ma Ghezzi lo escluderebbe proprio per quello. Va bene la moglie che fa casa e bottega, ma anche nascondere la roba a duecento metri da dove abiti, insomma...

Non vuole dire niente. Ghezzi sa che dovrà girarli tutti finché non trova quello giusto... Chiude la pagina web perché il Romano ha cominciato a bofonchiare.

Si è messo a sedere, la schiena contro il cuscino. Non dice nulla ma fissa il Ghezzi, sembra lucido.

«E lei chi è?».

«Il socio di quell'altro. Come si sente? Fa molto male?».

«Male, cazzo! Tanto nemmeno quell'altro so chi è».

Ha abbandonato la testa contro la parete, sembra triste, sconsolato.

«Beh, le ha salvato la vita, credo, anche se per come la vedo io era meglio un ospedale che una stanza come questa».

«Sì, sì, è vero... io... devo ringraziarlo, gli ho detto che lo pagavo bene... giusto». È un po' confuso. «La valigetta... è qui, vero? Ce l'abbiamo?».

«Sì, sì, è tutto qua».

Cosimo Romano distende i lineamenti come se una specie di beatitudine cadesse su di lui. Sorride, si vede il petto che sale e scende in un sospiro di soddisfazione, o di scampato pericolo.

«È l'ultima volta, capisce? Finito 'sto lavoro basta, mi ritiro. Ho sessantadue anni, il diabete, la pressione alta... sono stanco di questa vita... e ora mi sparano pure! Mia moglie crede che faccia l'assicuratore, o qualcosa del genere, non potevo andare all'ospedale, e nemmeno tornare a casa, lo capisce? E questo è l'ultimo capolavoro, una sciccheria, un lavoro di fino. Una volta, mi hanno beccato, una sola, dopo è arrivata qualche denuncia, sì, ma poi si accorgevano che non gli conveniva tanto denunciare...».

Mi sta parlando come se fossi un delinquente, pensa Ghezzi. Io, il mio socio, una specie di banda, gente che gli ha salvato la pelle per soldi, e tutto finirà bene. Qualche confidenza ci sta, no?

«Chi le ha sparato, Romano?».

«Ecco, questo non lo so. Però non doveva mica andare così... voglio dire, uno chiude la carriera in banca e gli danno l'orologio d'oro, e a me invece mi prendono a pistolettate? Checcazzo, però!... un paio di nomi ce li avrei... ma sai cosa... posso darti del tu? Come ti chiami?».

Ghezzi è preso alla sprovvista. Come si chiama?

«Gregori», dice.

Ora che hanno fatto le presentazioni, eccolo che passa al tu.

«Sai cosa ti dico? Per me a posto così, pari e patta. Mi manca una firma, è lì che mi aspetta coi soldi sul tavolo, il lavoro è solo dire "firmi qui", ringraziare e mettere i soldi in valigia. Dopo basta, chiuso, torno a casa e annuncio alla moglie che sono in pensione. Venezia? Parigi? Anzi, una bella crociera... in crociera si trova un po' di fica, vero? Ecco, perfetto!».

«E alla moglie dici anche che ti hanno sparato? E che ti hanno beccato male, quindi magari ci riprovano, e forse ci riprovano mentre c'è la signora?... Sei scemo, Romano?».

«Va bene, va bene, ci penseremo, però... capisco spaventarmi, capisco ferirmi... ma incazzato con me da volermi ammazzare...».

Parla del suo tentato omicidio come se riguardasse qualcun altro. Poi fa una faccia buffa, come se valutasse la situazione, i pro, i contro, gli imprevisti...

«Va bene, comunque adesso la priorità è la firma della Serminti, sta a Porta Romana, in due ore facciamo tutto, dai!».

Ghezzi capisce. In questo momento il Romano è come un camionista che ha guidato per millemila chilometri, tutta una vita, e vede la destinazione a cento metri. Euforia. Il leggendario «ce l'ho fatta», ma prima di farcela.

Uno così sincero il Ghezzi non l'ha mai visto, forse bisogna fingersi delinquenti per far parlare i delinquenti, se vedono un distintivo diventano timidi.

«Davvero la gente ti smolla migliaia di euro perché scommette sulle miniere di salcazzocosa in Malesia?».

«La Cina, Gregori, quando vedi che gli viene un dubbio gli devi parlare della Cina. La Cina funziona sempre... lo sai che la finanza guadagna se la gente fa una vita di merda, vero? Lo sanno anche loro. Se tu dici Cina loro vedono schiavi in bicicletta e fatturati, profitti, dividendi. Mettici un altro paio di sfigati... il Vietnam, lo Sri Lanka. Pil che crescono, boom economico, gente che lavora dieci ore per cento lire... Parole magiche, Gregori, dai retta!».

«Senza garanzie? In contanti?».

«Come, senza garanzie! Tutte quelle firme... hai visto che bella la brochure? Ci ho messo un mese, cazzo, ci cascherebbe anche un banchiere! I contanti, dici? E come credi che ce li abbia i soldi, la gente, in dobloni? In banca? Non dire cazzate, Gregori, sono sicuro che tu e il tuo socio avete il rotolo in tasca e magari il conto corrente con dentro appena i soldi per le sigarette».

Ghezzi pensa che sta diventando una lezione di vita, perché interromperlo?

«Come sono combinato?».

«Eh?».
«La gamba, come sto? È grave?».
«È un buco di pistola, entrato non tanto in fondo. Molto sangue e il trauma del colpo, l'importante è che non faccia infezione, per quello dicevo che l'ospedale...».
«Ora però posso andare a casa, no? Posso dire a Milena che è stato un incidente...».
«Non puoi muoverti prima di mezzanotte, ha detto il dottore».
«Uh, quelli esagerano sempre!».
È proprio un cuor contento, questo Romano. Non si direbbe che hanno tentato di ammazzarlo la sera prima.
«Allora ci vai tu dalla Serminti? Meglio tu del tuo socio. Mi ha salvato la vita, certo... però si veste come un delinquente, e ha anche la pistola... tu mi sembri più distinto, Gregori».
Ghezzi sta per ridere per quella situazione assurda in cui l'ha messo Carella. Che casino. Quell'altro, intanto, va avanti.
«Ti aspetta, io la chiamo e le dico che sono a Londra, che passerà un mio incaricato fidatissimo, dovrà solo firmare e consegnare i soldi. Tu dille qualche cazzata di incoraggiamento, non so, la tensione a Hong Kong che aiuta il nostro portafoglio, ma solo così, en passant. Tu sei un impiegato, Gregori, non devi necessariamente sapere le grandi strategie della finanza, il lavoro vero l'ho già fatto io».
«E come li peschi questi polli?».
«Eh, ma è quello il segreto, no? Non li peschi tu, ti pescano loro... cioè, loro devono essere convinti di

questo. Guarda, la Serminti è un caso da manuale. L'ho conosciuta a Cortina, a Natale, un bell'albergo... se vuoi fregarli devi andare dove pasturano loro, ovvio... beh, eravamo a cena, sotto l'albero, e lei non faceva che parlare di soldi, investimenti, immobili, affitti, speculazioni... e io? Chi ero? Che affari avevo? Io faccio il banchiere, avevo detto, così, senza aggiungere altro. Anzi, un po' restio, un po' riservato... Beh, non mi ha mollato più... chiedeva, si informava, voleva sapere. Il 38 per cento? Possibile? Alla fine, un po' seccato, le ho detto che ero in vacanza, che non mi andava di parlare di lavoro, che le avrei mandato una brochure, che l'avrei fatta chiamare da qualcuno del mio ufficio... Ah, no, io voglio lei, dottor Romano, di lei mi fido...».

Ride. Ride anche Ghezzi.

«Aspettiamo il mio socio, eh? Poi ne parliamo».

«Ah», il Romano si fa sospettoso, «... allora non siete soci alla pari, è il tuo capo, vero?».

«No, siamo soci alla pari, proprio per questo aspetto lui per decidere».

L'altro sembra più tranquillo.

«Non ci credo, Romano. Non ci credo che non sai chi ti spara addosso con la pistola. Dai, cazzo, persino io che non sono un santo saprei chi mi vuole morto!... Dovresti muovere la gamba, ogni tanto, far circolare il sangue».

L'uomo si mette a sedere un po' più dritto e prova ad alzare il ginocchio della gamba ferita, ma fa una smorfia di dolore e si ferma subito.

Alle due è tornato il dottore, se si è stupito di trovare Ghezzi e non Carella non lo ha dato a vedere. Si è lavato le mani e ha guardato la ferita del Romano. Ha annuito e mormorato: «Bene, bene...», poi gli ha messo qualche punto, ha pitturato tutto intorno con la tintura di iodio e ha appoggiato una scatola di farmaci sul comodino. «Antibiotici, uno ogni sei ore a partire da adesso, cerchi di non scordarsi, è per l'infiammazione». Ha raccolto le sue cose e se n'è andato.

Si apre la porta ed entra Carella. Sembra un altro, rispetto a cinque ore prima. Sbarbato, lavato, stirato. Anche le occhiaie sono meno scure, magari ha persino mangiato qualcosa o dormito un'oretta.

Si siede sul letto, su un angolo, come quando vai a trovare qualcuno all'ospedale e l'infermiera ti dice che non si può.

«Chi è che ti spara, Romano?».

«L'ho già detto al tuo socio, Vincenzo, non lo so».

Ghezzi lo guarda con un sorrisino. Vincenzo?

«Ti ho salvato la vita, cazzo, e mi tratti così? Senti, io devo chiederti delle cose, magari non c'entrano niente con chi ti ha sparato, ma mi interessa anche quello, capito? Però ora devo parlare col mio socio, affari urgenti, tanto tu fino a mezzanotte stai inchiodato a letto, ordine del medico. Quindi noi usciamo un'oretta e tu stai qui comodo e zitto, capito?».

«Va bene, nessun problema, dammi il telefono, ti spiace?».

«No, il telefono viene via con noi, tu dormi e riposati. Se ci riesci muovi un po' la gamba. Devo legarti?».

«Legarmi? E perché?».

«Sicuro che non fai casino?».

Ora interviene Ghezzi. Ha un'arma che Carella non conosce.

«Se stai buono e ci lasci parlare dei cazzi nostri, dopo discutiamo un po' della Serminti, va bene? Siamo d'accordo?».

«Bene, bene, ottimo. La Serminti va fatta entro stasera, prima possibile... poi è finita, grazie a Dio...».

Diciassette

Alle cinque del pomeriggio c'è una luce che taglia gli angoli, le giornate si accorciano ma il sole è ancora alto. Piazza Aspromonte è uno slargo quadrato, coi giardinetti in mezzo, il tram che passa su un lato, bei palazzi dall'altra parte, e quei piccoli alberghi per l'amore a tassametro. Prendono per via Vallazze.

«Hai mangiato?».

«No».

«Checcazzo, Carella... andiamo».

Il bar è di quelli di passo, c'è il posto comodo per lasciare la macchina in seconda fila, quindi è un viavai di gente che si ferma al volo, compra le sigarette e riparte. Ci sono due anziani a un tavolino, che fissano il traffico come la mucca guarda passare il treno, muti. Dentro, oltre al barista dietro al bancone, alla signora che sta nel gabbiotto della cassa e dei tabacchi, ci sono due donne di mezza età con la faccia stanca. Forse battono lì intorno, ma quella di stamattina non c'è. Ghezzi ordina d'imperio: un caffè per lui, un toast e una birra per Carella, che fa una smorfia ma non lo ferma. Ha una giacca pulita, sembra nuova, costosa. Mette una mano in tasca e poi la porge aperta al collega. Sul palmo c'è un bossolo di pistola.

«Sono ripassato là, in via Cardano, il posto della sparatoria. Il sangue l'hanno lavato via, magari nemmeno hanno pensato che era sangue, comunque nessuno ha chiamato il 113, quindi nessuno si è messo a cercare, e questo stava vicino al marciapiede. Sul muro ci sono gli altri due buchi, chi ha sparato non aveva una grande mira, i proiettili stanno ancora conficcati, bisognerebbe andare a cavarli fuori, ma perché, poi? Saranno deformati, inservibili, e uno buono ce l'abbiamo, e ora anche un bossolo».

Ghezzi prende il pezzo di metallo e se lo gira tra le mani. 7,65, aveva visto giusto.

Arriva il toast e Carella se lo mangia in tre morsi, Ghezzi fa cenno di portarne un altro.

«Allora, Carella, adesso mi racconti, vero? In che razza di puttanaio ti sei messo? E perché soprattutto?».

«È una storia lunga».

«Bene, sentiamola anche se è lunga, tanto quello là, conciato com'è, non scappa. Con ordine, dall'inizio, dai, non farti pregare».

Con grande sorpresa di Ghezzi Carella parte da tanto tempo prima, più di quattro anni, ma comincia parlandogli di L, la ragazza che sta all'ospedale, per la quale bisogna solo aspettare e pregare.

«Pregare» lo dice con una smorfia beffarda.

Alessio Vinciguerra era un balordo come tanti, zona Navigli. Faceva piccoli traffici, il mediatore per lo spaccio, forse, di sicuro il magnaccia, perché aveva quattro ragazze in città, tutte in monolocali, sistemate per bene, tutte dell'Est. Ci faceva dei bei soldi, probabilmente, ma non gli bastava, si atteggiava a piccolo boss, senza averne la stoffa. Una di queste ragazze riceveva i clienti in via Savona, si chiamava Eva e poi chissà, quei cognomi con decine di consonanti e nemmeno una vocale, polacca, di Cracovia. Una sera del 2015, era luglio, il Vinciguerra l'ha suonata come un tamburo, non si sa il motivo, ma non è difficile immaginare perché un pappone pesta la sua puttana... scarso rendimento, magari si teneva qualche biglietto da cinquanta per sé... Ma insomma, un pestaggio in piena regola, Carella si è procurato il fascicolo e ha letto il referto dei dottori: fratture alle braccia, trauma cranico con versamento, un occhio gravemente offeso e soprattutto... lo stato di confusione non migliorava, la ragazza sarebbe rimasta scema per sempre – «danni neurologici», c'era scritto – e cieca da un occhio. Al piano di sopra abitava questa L, una tossica, ai tempi, un paio di denunce per taccheggio nei negozi della zona, ma niente precedenti seri. Eva era una sua amica. Nei tempi morti tra una marchetta e l'altra si vedevano, sempre a casa della polacca, così se qualche cliente citofonava, L tornava al suo piano prima che quello arrivasse.

Ghezzi immagina quelle chiacchiere tra ragazze messe male, una costretta a rapporti sessuali ad ogni ora del giorno e della notte, l'altra fatta, o in paranoia perché doveva farsi, magari il televisore acceso sui programmi del pomeriggio.

Il racconto di Carella è ordinato, lento, si vede che

cerca le parole e che sta mettendo in ordine le cose anche per sé.

La storia l'aveva saputa direttamente da L, prima a un incontro organizzato dall'avvocata di un'associazione, poi, i dettagli, dopo, perché si erano visti anche fuori dalle riunioni. Intanto, L aveva smesso di bucarsi, era stata in una comunità, non sa quale, ma era uscita pulita, si era trovata un lavoro part-time, si trascinava fuori dalle sabbie mobili fiera di sé, ma aveva una ferita addosso. Sì, certo, il trauma dell'amica pestata a sangue, ma non solo. Il colpo vero era stato il processo. L'imputazione del Vinciguerra era tentato omicidio, una cosa per cui non puoi beccarti meno di dodici anni. Ma la vittima non era in grado di testimoniare, e poi non poteva, la famiglia era venuta a prenderla e a portarla via, in Polonia. La ragazza aveva detto di fare la parrucchiera a Milano, mandava a casa cinquecento euro al mese, più di quello che guadagnava il padre operaio. Erano venuti a Milano, lui e la moglie, a prendere quel fagotto di figlia che ormai era rovinata per sempre, se l'erano portata via, del processo non volevano sapere, erano arrivati con un prete, la giustizia di qui non gli interessava, preferivano quella divina. Cretini.

L si era fatta coraggio, sostenuta dall'avvocata, ed era andata a testimoniare. Ma presto aveva capito come gira il mondo nelle aule di giustizia. Lei era una tossica, già denunciata per furto, e l'avvocato del Vinciguerra aveva portato due o tre testi, tutti impegnati a dire che il Vinciguerra era un bravo diavolo, che la polacca non batteva per lui, ma che in un paio d'occasioni l'avevano vista provocarlo, trattarlo male, umiliarlo davanti ad altri. Tutte cazzate, però il Vinciguerra era incensurato, l'imputazione era passata da tentato omicidio a lesioni gravissime, poi a lesioni e basta. Quattro anni e tre mesi a Bollate. Ma prima di andare in galera, durante il processo, il Vinciguerra aveva sistemato i suoi affari: le altre tre ragazze le aveva vendute a qualche figlio di puttana come lui, e aveva affidato a qualcuno un chilo di coca, roba buona ancora da tagliare, pare, per recuperarla dopo, quando sarebbe uscito e rientrato nel giro.

L aveva assistito a quell'ingiustizia stringendo i denti, non aveva ricominciato a bucarsi, aveva tirato dritto con la disintossicazione e la sua vita. Poi, tre giorni prima del rilascio dello stronzo, aveva tentato il suicidio, una pera bella carica, ma non c'era riuscita, e adesso stava in un letto, viva, ma probabilmente andata per sempre, e lui...

Carella si ferma.

Tutte le confessioni si interrompono, a un certo punto, e la faccenda dei cerchi di dolore che si allargano sull'acqua ferma non la dice, anche se Ghezzi l'ha capita lo stesso, intuita, con quel sesto senso sviluppato negli anni di contatto con le vittime.

«Come lo sai tutto questo?».

Carella aveva spiegato: l'amicizia con L e l'avvocata, l'attesa fuori dal carcere per vederlo in faccia, 'sto Vinciguerra, la sua discesa negli inferi dei delinquenti, il naso dell'autista ragazzino, il pestaggio e il colloquio con Vito Pugliese.

«Vito Pugliese? Il boss?».
«Sì».
Non aveva nascosto niente, persino le sberle all'ingegnere che non voleva cacciare sessantamila euro di debito, e pure l'impotenza di cercare uno che sembrava vaporizzato, invisibile. Per un po' si era fatto vedere, poi basta, uscito dai radar. Ma aveva saputo che il Vinciguerra cercava il Romano e si era messo dietro a lui nella speranza che si facesse vivo.
«Forse è lui che ha sparato al Romano...».
«Forse, ma il Romano, che tira quei pacchi da migliaia di euro, nemici ne avrà parecchi».

Ora stanno in silenzio, Carella ha mangiato anche il secondo toast e finito la birra, fa un cenno al barista per avere un caffè.
«Va bene, Carella, ho capito».
Non gli dice che è un coglione, che è un errore che non si fa... entrare in una storia così, intende, prendere le parti della vittima fino alla vendetta e... sono cose che Carella sa benissimo, non serve fargli la predica.
«Però, scusa, cosa vuoi farci col Vinciguerra? Voglio dire, quello è libero, no? Pulito, fino a prova contraria».
«Non lo so di preciso, Ghezzi. Volevo proteggere la ragazza, aveva paura, era... debole, ecco, volevo farle vedere che non stiamo con le mani in mano, che non arriviamo sempre dopo... Pensavo di stargli dietro, di tenergli il fiato sul collo... è un delinquente, prima o poi avrebbe fatto qualche altra cazzata, e io sarei stato lì... non per impedirglielo, anzi, per incastrarlo, a co-

sto di forzare la mano, o di fargliela fare io, la cazzata che lo avrebbe riportato dentro... Però sono sincero, Ghezzi, se non avessi trovato niente non mi sarei arreso, gli avrei dato una manica di botte stando attento a fermarmi prima di ammazzarlo, ma volevo andarci vicino. Lo voglio ancora, non è che ho cambiato idea, anche se pensavo che fosse più facile».

Ghezzi pensa a come aggiustare le cose con Gregori. Da questo punto di vista, la sparatoria di ieri sera è un vantaggio: Carella stava dietro a un balordo, che infatti ha sparato a un tizio... Gregori si incazzerà come una bestia, ma...

«Devo trovarlo, Ghezzi, lo capisci, vero?».

Mah. Lo capisce e non lo capisce.

«Magari il Romano lo sa, dove sta il Vinciguerra...».

«È per quello che non l'ho buttato come un sacco davanti al pronto soccorso».

«Allora andiamo a parlargli».

Quando tornano all'albergo il ragazzo dietro il bancone non c'è più, c'è quello della sera prima, il padrone, che fa il turno di notte, l'ora di punta per chi si stende su quei copriletti luridi. Il Romano è sveglio e quando entrano sorride, non gli lascia nemmeno il tempo di parlare.

«Allora, Gregori, ci vai dalla Serminti, vero?».

Carella guarda Ghezzi e ride. Gregori? Con tutti i nomi che uno può inventarsi... quello del capo? Ahah, che scemo.

Ghezzi sta in piedi vicino alla porta, Carella si siede sulla sedia e si rivolge al Romano:

«Parlami di Alessio Vinciguerra, cosa vuole da te?».

«Chi?».

«Alessio Vinciguerra».

«Mai sentito».

Quindi, stallo. Lo rompe il Romano.

«Per favore, Gregori, vai dalla Serminti, io intanto parlo col tuo socio, gli dico tutto quello che gli serve, se lo so, ma tu fammi 'sto servizio... vi pago bene... dai, fammi chiudere l'affare, che è l'ultimo, poi mi ritiro, non mi va di farmi sparare per la strada».

Carella guarda Ghezzi. Non c'è bisogno di parole, gli sta dicendo: dai, cazzo, cosa ti costa?, io sto qui a parlare con lui. Ghezzi invece pensa che per aiutare il collega sta per diventare il galoppino di un truffatore. Trascina Carella in corridoio, fuori dalla porta della camera 22.

«È un reato, Carella, invece di uscire dalla merda sprofondiamo sempre di più».

«Che rischio ci può essere, Ghezzi? Vai là, prendi un taxi, entri, esci e tanti saluti al cazzo».

«Non ci vado a Porta Romana a fregare centosessantamila euro a una signora».

«Fai come ti pare, ma fai finta di farlo».

«Magari vado lì e le spiego che è una truffa, di non firmare, quando torno gli dico che non l'ho trovata, o che ha cambiato idea».

«Basta che non fai capire al Romano che sei un poliziotto, se no non mi dice niente».

«Va bene».

Gli sembra un compromesso accettabile, una recita, ma abbastanza innocua. Così rientrano nella stanza.

«Va bene, ci vado», dice Ghezzi. Il Romano tira un sospirone, quei due lì è il cielo che glieli manda, uno gli salva la vita e quell'altro gli fa chiudere l'affare. Era meglio non farsi sparare, ma nella sfiga è andata ancora bene...

«Passami la valigetta».

Quando ce l'ha in grembo, poggiata sulla gamba sana, la apre, toglie le cartelline di quelli che hanno già pagato e le due buste coi soldi, appoggia tutto sul letto accanto a sé e chiude la valigia. Poi gli dice un indirizzo e chiede il telefono, Carella glielo porge controvoglia. Lui lo accende e cerca un numero nella rubrica, parla qualche minuto. Un imprevisto, un consiglio di amministrazione straordinario, a Londra... no, nessun ritardo, passerà tra poco un suo incaricato, uomo fidatissimo. «Come se fossi io, signora».

Rende il telefono a Carella e porge la valigetta a Ghezzi, che la prende ed esce, si avvia al posteggio dei taxi che c'è lì vicino.

Carella si mette comodo sulla sedia, accende una sigaretta.

«Io ti ho aiutato, Romano, ora devi aiutarmi tu».

«Tutto quello che posso, Vincenzo».

Diciotto

Quando suona il citofono in via Orti sono le sette e mezza, Ghezzi sa già cosa troverà una volta salite le scale: un'anziana signora con soldi in abbondanza che passa le vacanze invernali a Cortina vantandosi dei suoi affari, e che vuole fare un investimento spericolato ma sicurissimo. Una che lo accoglierà offrendogli qualcosa da bere e si separerà dai suoi centosessantamila con una certa apprensione, salutandoli come un parente alla stazione e sperando di rivederli più grassi tra qualche mese.

Invece no, tutto diverso.

La porta d'ingresso è accostata, lui entra e si trova in una specie di sala d'aspetto, tipo dottore, due panche, il parquet antico, quadri alle pareti. Ci sono due persone che aspettano, un uomo e una donna, lei è incinta, non parlano e aspettano. Ghezzi fa un cenno di saluto e si siede anche lui.

Da una porta esce un tizio che va di fretta, con una cartella sotto un braccio. Con un gesto vago dice alla coppia che tocca a loro, i due si alzano ed entrano nella stanza. Ghezzi aspetta. Sente che parlano, ma non quello che dicono, solo i toni che si alzano un po', poi i due escono, lei trattiene le lacrime, lui sembra nervoso, deluso, arrabbiato.

E ora è il suo turno.

Entra in un grande salotto che sembra più uno studio, ci sono una scrivania antica, due poltroncine davanti, una libreria piena di carte, un grande tappeto. Dietro la scrivania c'è una donna anziana, i capelli azzurri, qualche gioiello, lo sguardo acuto, con le palpebre un po' strizzate, come i miopi che non mettono gli occhiali.

Si presenta, «Mi manda il dottor Romano», e basta quello perché la signora cambi espressione, lo sguardo passa da indagatore a riconoscente.

«Ah, è lei! Bene!», sembra contenta.

Ghezzi sta per parlare, si è preparato le cose da dire in taxi, e le ha limate mentre aspettava. Così comincia: «Signora Serminti...», ma lei lo interrompe subito.

«Mi spiace di non vedere il dottor Romano... così gentile... ma capisco, un uomo impegnato come lui...». Poi, senza aspettare risposta, si lancia in una filippica che non finisce più: oggi gestire i risparmi è così difficile, e con i suoi affitti le cose, insomma... troppe tasse, troppa burocrazia... Tu sei buono e generoso e in cambio hai solo seccature. «Prenda quelli che sono usciti ora, la coppietta... Vengono qui a chiedere... ma nemmeno a chiedere... a pretendere una proroga, perché lei è incinta e non so quale altra difficoltà... e allora? Ce le abbiamo tutti le difficoltà, ma l'affitto si paga, eh! Quello è indietro di due mesi e chiede se posso aspettare ancora due mesi... ma dico io, non hai i soldi e ti metti a fare figli? Io non lo so, la gente...».

Ghezzi riprende la rincorsa per il suo discorsetto, ma non riesce quasi ad aprire bocca, la signora è un fiume in piena.

«Sa cosa le dico? Allora meglio i negri... magari si mettono in otto in un bilocale, però pagano puntuali, perché hanno paura di essere rispediti a casa loro, tra le scimmie. Gli altri... lasciamo perdere... ne ho una ventina, di appartamenti affittati, e guardi, si fa una fatica... La crisi, la crisi... ma quale crisi! Non hanno voglia di lavorare, ecco! Vogliono la casa, però al momento di pagare fanno storie, se si rompe qualcosa pretendono che sia riparato a mie spese... insomma... Incredibile... ieri uno si è lamentato del pagamento in contanti, ma andiamo! Se dichiarassi tutto sarei rovinata! È per questo che mi sono decisa a diversificare... e il dottor Romano ha capito al volo... certo, un banchiere così distinto, ovvio che ha capito!».

Poi mette le mani sul tavolo, una sull'altra, come il professore che interroga lo studente e aspetta le risposte giuste.

«Mi scusi lo sfogo, signor...».

«Dottor Gregori».

«Bene, veniamo a noi».

Ora a Ghezzi di fare quel discorsetto non va più tanto. Era venuto a metterla in guardia, magari studiare qualche trucco per posticipare un po' la denuncia e intanto chiudere la storia del Vinciguerra, ma insomma, voleva dirle che è vittima di una truffa, e che tra qualche giorno sarebbe venuto di persona a raccogliere la deposizione sul Romano... Invece sente montargli la rabbia. Dove siamo, eh? In un film in costume? La vecchia usuraia che riceve i debitori, la processione dei questuanti, i negri che pagano puntuali... anche la stanza gli sembra un set: la scrivania monumentale davanti alla quale, se seduto dall'altra parte, uno si sente piccolo e impotente, il tavolo pieno di pratiche e faldoni, ognuno una voce del bilancio, probabilmente in nero, in contanti... le parole sprezzanti sulle vite degli altri... le difficoltà? Uff, scuse patetiche. Il bambino in arrivo? Uff, che scemenza...

Ora Ghezzi mette su il suo sorriso più tranquillizzante.

«Solo qualche firma e abbiamo finito, signora...».

«E dei mercati cosa mi dice? Eh? Viaggiamo sempre sul quaranta di rendimento, vero?».

«Sì, signora, siamo intorno a quella cifra, e in più c'è qualcosa che ci aiuta... le tensioni a Hong Kong, ma anche gli accordi di Trump... e poi dagli emergenti asiatici ci aspettiamo ottimi risultati, e la Cina...».

«Ah, i cinesi! Loro sì! Lavori? Bene. Non lavori? Via, galera, campo di concentramento... così si fa! E infatti l'economia gira... mica come qui!».

Ora è con una certa voluttà che Ghezzi le mette davanti i moduli e le indica col dito dove firmare. Cerca di controllarsi, ma ha la faccia del gatto che vede il trancio di salmone sul tavolo della cucina.

Lei firma senza nessuna esitazione, anzi di più...

«Centosessanta, abbiamo detto, giusto? A pensarci potevo anche metterci qualcosa in più, arrivare a duecento...».

«Sono sicuro che il dottor Romano le proporrà altri fondi, signora, per il momento le quote sono assegnate...».

«Certo, certo, capisco».

Apre un cassetto e tira fuori una busta, che appoggia sul tavolo, la spinge verso Ghezzi.

«Ecco qui, vuole contarli?».

«Devo signora... non per sfiducia, eh! Ma se la cifra non è esattamente quella concordata dobbiamo rifare tutti i moduli, un lavoraccio...».

Quando ha controllato che i centosessanta siano proprio centosessanta, li mette in un'altra busta, marrone, la chiude con un'etichetta bianca che c'è nella valigetta.

«Le chiedo un'altra firma, signora... qui, sul sigillo...».

Lei firma l'etichetta sulla busta, pare soddisfatta della procedura, che fortuna ha avuto a incontrare quel Romano... Anche lui fa uno scarabocchio, mette tutto nella valigetta, la chiude e allunga una mano. Lei si alza, fa il giro di quel catafalco e gliela stringe, lo accompagna alla porta. In corridoio c'è un signore, nero, ben vestito, forse uno dei negri che viene a pagare con la coda tra le gambe. Puntuale.

Ghezzi scende le scale stringendo la valigetta coi soldi e quelle firme che valgono meno della carta su cui sono scritte. Nessun rimorso, nessun ripensamento. Com'era quel libro là? Il giovane e la vecchia usuraia... *Delitto e castigo*, sì, e lui si chiamava... Raskolnikov, che poi si pente per cinquecento pagine... Ghezzi sa che lui non si pentirà. Vero che non l'ha ammazzata come quello del libro, ma forse fregarle centosessantamila euro le farà ancora più male... Ride piano tra sé, magari è vero che il crimine non paga, ma qualche soddisfazione la dà, come no.

Si avvia verso corso di Porta Romana, dove c'è un parcheggio di taxi, ma fa solo dieci passi e vede la coppia di prima. Stanno vicino a una macchina, lei seduta al posto di guida, la portiera aperta, lui in piedi che parla e si sbraccia, è furibondo. Lei piange. Ghezzi si avvicina.

«Scusate se disturbo...».

Lo guardano con sospetto: cosa vuole questo qui? Chi è?

«Eravate su dalla Serminti, ho visto... magari posso aiutarvi...».

Ora lo guardano con più interesse.

«Quanto pagate di affitto alla signora?».

L'uomo esita. Avrà trentacinque anni, ha i lineamenti tirati e il sospetto non se n'è andato del tutto, ma tanto, a questo punto... Risponde la donna, asciugandosi le lacrime con il dorso della mano.

«Mille, per cinquanta metri quadri».

«Tutto regolare?».

«Macché», ora è lui che parla. «Tre e cinquanta con una ricevuta, il resto in nero».

«E state lì da tanto?».

«Quasi tre anni», lei.

Poi lui: «Mai un ritardo, sempre pagato puntuale, solo ultimamente, da luglio... insomma... ora manca il suo stipendio...», indica la donna, «... perché lavorava in nero e quando ha detto che era incinta...».

Capito. Capito tutto.

La mano di Ghezzi corre verso la tasca interna della giacca, e quando la estrae contiene un piccolo portafoglio in pelle, che non è un portafoglio, è il tesserino, e lui lo mostra bene, in modo che riescano a leggerlo, a vedere la foto.

«Sovrintendente Ghezzi, polizia».

Nessuna faccia allarmata, ma un po' di stupore sì. Le espressioni si fanno attente e curiose.

«Non pagatelo più l'affitto alla Serminti».

Quelli lo guardano senza capire.

«Le ricevute, quelle da tre e cinquanta, le avete tenute?».

«Certo».

«Benissimo. Non pagate più, niente, nemmeno una lira, zero. Se vi cerca al telefono non rispondete, se manda qualcuno cacciatelo via, ditegli che il vostro avvocato vi ha ordinato di non dire niente...».

Sono sempre più confusi. Avvocato? Non ce l'hanno un avvocato. Ci manca solo l'avvocato, altre spese...

«Voi dite così. Con lei incinta e col bambino piccolo la Serminti ci mette più di un anno a buttarvi fuori, minimo. E se si fa insistente chiamate in questura e chiedete di me, sovrintendente Ghezzi, vi trovo io qualcuno della Finanza che va a far visita alla signora». Gli sta regalando un anno di affitto gratis. Ossigeno, aria.

«Ma... sicuro? Non finiamo nei guai?». La donna l'ha

detto con una voce che mischia speranza e timore. Dov'è la fregatura?

«Sicuro, signora. Non si preoccupi. A quella là non conviene fare la dura, se la Finanza mette il naso lì dentro sono rogne che non finiscono più, vedrete che sarà costretta ad abbozzare, se non abbozza mi chiamate».

Lei non ha più lacrime, ora, ma un sorriso strano, come uno che vede una soluzione che prima non vedeva. Lui pare sollevato, ma ancora incerto, Ghezzi capisce che deve dare un altro colpetto.

«Non preoccupatevi per la Serminti, i soldi ce li ha, preferirà perdere qualche mese d'affitto che rischiare di rovinare tutto il suo giro, ma ripeto, qualunque cosa e mi chiamate, e le mettiamo in piedi un casino che non finisce più... Ghezzi... capito?».

I due non sanno cosa dire, lei mormora un «Grazie, commissario», e lui non dice nemmeno quello che dice di solito: «Sovrintendente».

Poi dà una pacca leggera al giovane, su una spalla.

«Portala a cena, che deve mangiare anche il piccolino... quanto manca?».

«Piccolina... un mese», dice lei. Ride.

«Beh, auguri, per qualunque cosa... mi raccomando! Il nome l'avete già scelto?».

«Emanuela», dice lei.

«Allegra», dice lui.

Ridono come due che hanno una vita nuova da piazzare nel mondo.

Ride anche Ghezzi: «Beh, non litigate, adesso».

Poi si avvia e li lascia lì, increduli.

Diciannove

«Ora basta, Romano».

Carella è stanco, stufo marcio di fare il delinquente per finta, ma nemmeno tanto per finta. Ha fatto bene a chiamare Ghezzi, anche se gli è costato. Ma ora sa che potrà dire quella frase che lo aiuta, quel «Parlami, Ghezzi», che lo sprona a fare il punto, a guardare come dall'alto la ramificazione di strade che si possono prendere in un'indagine, le vie principali da battere, i sentierini laterali in cui va a ficcarsi la verità, certe volte. Ma ora è da solo con il Romano ferito, che suda e soffre per muovere un po' la gamba bucata. Solleva il ginocchio destro, poi lo riabbassa, poi lo rialza, sempre con una smorfia.

Quando Ghezzi è uscito per la sua missione lo ha lasciato riposare un po'. Di Alessio Vinciguerra il Romano non ha mai sentito parlare, non sa chi è, e sembra sincero. E quindi? Pista sbagliata? Si è messo in tutto questo casino per niente? Con un ferito d'arma da fuoco nascosto, il capo Gregori che incarica Ghezzi di indagare su di lui... tra un po' il suo tesserino sarà carta straccia, sa che non funziona come nei film americani, «Carella, dammi la pistola e il distintivo», ma la sostanza è quella. E in più perde tempo, nella caccia al Vinciguerra non ha fatto nemmeno un passo avanti. È deluso, spossato, incazzato, soprattutto con se stesso. Fuma e guarda quell'altro che fa i suoi esercizi come gli ha detto il medico. Tra qualche ora lo porteranno a casa, diranno qualche bugia alla moglie e si dimenticheranno del truffatore che si fa sparare senza prendersela troppo.

Come in tutti i momenti di sconforto si affaccia la tentazione di fare un bilancio. Valeva la pena? Picchiare, farsi picchiare, sporcarsi con quella fauna che vive di notte, in bar e posti tutti uguali, respirare la loro stessa aria di arroganza e paura costanti... Per Ghezzi è diverso, lo sa. A volte gli sembra un prete alle prese con i suoi peccatori, contrariato e offeso dalle loro carognate, dalle loro vite schifose, ma in fondo li capisce, lui no. Ha sul telefono due chiamate della bella avvocata, la Fidenzi, ma non ha risposto. Poi ha pensato che forse voleva dargli notizie di L e le ha mandato un messaggio:

«L?».

«Come al solito».

E allora cosa vuole la bella avvocata? Sapere di lui? Se mangia? Se dorme? Uff...

Ecco che torna Ghezzi, sono le nove e dieci, è stato via meno di due ore. Quando si apre la porta, il Romano si rianima, acquista colore, non fa domande ma se lo mangia con gli occhi, Ghezzi mette a terra la valigetta nera.

«Allora?».

«Centosessantamila, contati, firmati, consegnati. Voleva darmene duecento».

Il Romano è al settimo cielo. Chiude gli occhi e ringrazia qualcuno, forse il suo dio dei truffatori. Poi si fa passare la valigetta, vede la busta, il sigillo con due firme e ride:

«Un lavoro di fino, eh, Gregori?».

Carella guarda Ghezzi e fa una risata, una risata vera, piena, una vera rarità. Ma come? Andava a mettere in guardia la truffata e ha finito per truffarla anche lui? Il Romano crede che sia una risata di gioia, per il colpo andato bene.

Apre la busta, prende i soldi – biglietti da cento e da cinquanta – e comincia a contare.

«Li ho contati io», dice Ghezzi. «Cos'è, non ti fidi?».

Il Romano non risponde, conta ancora, e dopo un minuto ha in mano due mazzette belle spesse. Ne offre una a Carella e una a Ghezzi.

«Ecco, diecimila e diecimila», dice allungando quei due fasci di soldi fruscianti verso i suoi amici. «È il minimo... se non bastano...».

Carella gli darebbe una sberla, e in effetti ci pensa un attimo, invece allunga la mano, prende i soldi e li mette in una tasca interna della giacca. Ghezzi esita un po' di più, forse due secondi. Poi li prende anche lui e li mette nella sua borsa marrone che ha lasciato lì per andare dalla Serminti.

Bene. Ora sono delinquenti davvero.

Ghezzi guarda Carella e fa un cenno impercettibile con il mento che significa: «E allora?».

Carella torna all'attacco. Ora che quello è contento

come una pasqua per il suo colpo andato a segno, magari gli torna la memoria.

«Te l'ho detto, Vincenzo, non conosco nessuno che si chiama Vinciguerra, ma non vuol dire, i nomi si cambiano come le mutande».

«Uno grosso, biondiccio, occhiali a goccia, mi hanno detto che ti sta cercando, e io sto cercando lui, quindi o mi dai qualcosa...».

«Ti dico che... aspetta! Grosso ma non grasso, giusto? Uno robusto, anzi, un fascio di muscoli, non molto intelligente, ma non mi ricordo occhiali a goccia...».

«Dai, cazzo, Romano! Non hai voglia di vedere la tua signora?».

Ghezzi dalla sua sedia osserva il collega al lavoro. Carella si è seduto sul bordo del letto, così il Romano è a tiro di sberla, anche se i toni sono ancora civili.

«Allora?».

«Ma che ne so... un matto!».

«Devo prenderti a schiaffoni, Romano? Parli o no?».

«Schiaffoni? Tra noi? Ma se siamo amici, Vincenzo! Mi hai salvato la vita, ti pare che non ti direi...».

«Dai, allora, che cazzo aspetti?».

«Non lo so come si chiama, anzi sì... si è presentato come... Ferrari, credo, e ora che ci penso... sì, non aveva senso darmi un nome vero».

È partito con una storia sconclusionata.

Questo Ferrari, grosso, biondiccio, senza occhiali a goccia, lo aveva avvicinato in un bar. Lui non frequenta posti equivoci, troppo rischioso, e poi quelli lì i soldi a strozzo, se gli servono, li prendono da qualche altra parte. Comunque cercava un cliente che gli doveva quattromila, poca roba, ma se lasci perdere una volta...

Carella si spazientisce, Ghezzi aspetta.

Questo tizio grosso lo aveva messo con le spalle al muro, aggressivo, minaccioso, pronto a diventare violento, voleva fargli capire che non gli chiedeva un favore, ma che gli dava ordini.

«Cosa voleva?».

«Una cretinata. Diceva che avevo una cosa sua, un pacchettino che aveva lasciato a una persona, ma io non l'avevo mai visto e non sapevo di cosa stesse parlando, fino a che...».

Ora è Ghezzi che interviene:

«Senti, Romano, lo vedi un bivio sulla strada, quando ne incontri uno? Ecco, ti spiego a che biforcazione sei arrivato. Ci dici tutto quello che sai, anche i dettagli, le cose che ti sembrano insignificanti, le sfumature, tutto, e noi ti portiamo a casa, ti mettiamo a letto e diciamo alla tua signora che hai avuto un incidente. Chiuso, non ci vediamo più e ti lasciamo alla tua pensione. Oppure fai il difficile, ci giri intorno, e allora noi ti scarichiamo in un commissariato, consegniamo te, la valigetta e il proiettile che ti abbiamo levato dalla gamba e tanti saluti al cazzo... cosa scegli?».

Ha corso tanto, è arrivato vicino al traguardo, e ora questi qui che sembravano aiutarlo... ma davvero non capisce come possano servirgli i deliri di un matto.

«Va bene, va bene, vi dico tutto, ma non credo che vi servirà... insomma, io non ci ho dato molto peso...».

Il Ferrari-Vinciguerra gli aveva parlato a brutto muso. Secondo lui il Romano aveva qualcosa che gli apparteneva, e in effetti forse era così, ma lui non poteva saperlo, per quello cadeva dalle nuvole.

«Quando?».

«Una decina di giorni fa, sarà stato il 19 o il 20 settembre... no, il 20, sono sicuro perché...».

«Vai avanti».

Ora Cosimo Romano, truffatore, si fa prudente, si vede che non parla più di getto e sceglie le parole. Ha paura di mettersi nei guai. Si capiva che il tipo si stava trattenendo, ma erano in pubblico, un sacco di testimoni, non poteva fargli niente lì, in quel bar pieno di gente.

«Falla breve, dai. Cosa voleva da te?».

«Cocaina, un chilo».

Il famoso chilo di coca che doveva essere... come aveva detto il boss Pugliese? Il biglietto del Vinciguerra per rientrare sulla giostra?

«Racconta bene 'sta cosa della coca». Quello che ha parlato è Ghezzi, ma è l'aria minacciosa di Carella che lo convince. E quindi parla.

Da quasi un anno aveva problemi con un cliente, uno che aveva un debito, anche bello grosso, con lui, e che invece di pagare era tornato alla carica per avere altri soldi, e lui glieli aveva dati, ma dopo qualche mese si era accorto che era difficile rientrare. Allora era andato là a parlargli senza tanti riguardi.

«Là dove?».

«Ai Navigli». Non significa niente, «ai Navigli», però per ora si accontentano perché non vogliono interromperlo.

Lui detesta le pressioni, le minacce, quelle cose lì, ma non è che si regalano i soldi alla gente, e i suoi li rivoleva, e anche gli interessi, così si era portato dietro un balordo che per cinquecento euro aveva fatto la faccia cattiva, quella che lui non sa fare.

Il tizio, un vecchio, si era impaurito, anche se non lo avrebbero picchiato, volevano solo spaventarlo un po'. Si vede che c'erano riusciti, perché aveva cominciato a offrire cose, merci, oggetti preziosi. I soldi non li aveva, ma in qualche modo si poteva fare, no? Poi si era illuminato, aveva avuto come un'intuizione improvvisa e si vedeva che avrebbe fatto di tutto per levarsi di torno quei due.

«Ho una cosa per voi... sì, una cosa che può sistemare tutto... vale anche di più degli ottantamila che ti devo, ma io non saprei proprio come trasformarla in contanti...».

Così aveva trafficato nel retro della sua bottega, aveva aperto una specie di cassapanca che stava in un angolo, con sopra altri oggetti che aveva dovuto levare. Aveva aperto quella cassapanca e ne aveva tirato fuori un fagottino avvolto in carta marrone, da pacco, anonimo. Dentro c'erano due panetti bianchi, sottovuoto come i salami del supermercato.

«Mi hanno detto che è un chilo, io non l'ho mai pesata».

«E come ce l'hai?».

«Me l'ha data un tizio, da tenere al sicuro per qualche tempo».

Il Romano aveva preso i due panetti e li aveva messi nella borsa nera. Non gli piaceva quella storia, lui con la droga non vuole avere niente a che fare, la sua regola è gentilezza e parlantina, e invece quelli che maneggiano quella roba lì sono violenti e...

«Quando tutto questo?».

«Quasi due anni fa, era sotto Natale... il 2018».

«Cosa ne hai fatto della roba?».

«L'ho venduta subito, due giorni dopo».

Carella e Ghezzi si guardano, perplessi.

«Hai smazzato un chilo di coca in due giorni? E chi cazzo sei, Romano, Scarface?».

«Ma no! È stato facilissimo. Cosa fai se devi vendere una merce che non conosci, che non tratti abitualmente? Vai da un grossista, no? Magari ci rimetti qualcosa, ma è tutto più rapido e sicuro... io poi non sono uno avido, quello mi doveva ottanta, mi bastava avere cento, gli interessi e qualcosa per il disturbo...».

«Vabbè, quale grossista?».

«Conoscete i Pugliese? Vito, perché quell'altro sta in galera non so dove».

Carella fa fatica a trattenere lo stupore. Quindi quando lui è andato dal boss, con i suoi lividi come invito, a dirgli che cercava il Vinciguerra, quello sapeva già tutto. Incredibile. Il Vinciguerra era andato a proporgli un chilo di coca che ancora non aveva in mano, che non aveva ancora recuperato, e invece lo stesso chilo il Pugliese l'aveva già comprato quasi due anni prima. Sente che c'è qualcosa di ironico, ma non gli viene da ridere. No, proprio per niente.

«Come l'hai convinto? Vito Pugliese non è uno che lo fai fesso facilmente».

«Fesso? Dai, Vincenzo, ha fatto un affare! Secondo i miei calcoli un chilo così, magari addirittura puro e non tagliato, vale almeno il doppio, e se hai una struttura per venderla al dettaglio, mettendoci dentro un po' di merda, borotalco, aspirina, che ne so... vale anche tre o quattro volte tanto. Io ho chiesto centoventi, il Pugliese mi ha dato cento, due giorni dopo, consegnati da un suo scagnozzo, lo stesso che aveva assaggiato la roba».

Quando il Vinciguerra si era presentato a chiedere indietro il suo tesoro, Romano aveva giocato la carta dell'uomo d'affari. Che dice questo? Che vuole? Il chilo di coca era il pagamento di un debito, affari tra lui e quello che gliel'aveva dato, cosa c'entrava ora questo qui? Gliel'aveva detto gentilmente: era una cosa tra lui e il vecchio, lui doveva avere, l'altro doveva dare, tutto qui, niente terzi incomodi. Se poi la roba che aveva ricevuto apparteneva a qualcun altro, lui cosa c'entrava? Se la prendesse con quell'altro, il vecchio.

«E lui?».

«Sembrava sconvolto, non l'ha presa per niente bene. Però era mezzo ubriaco, di sicuro anche bello carico, aveva pippato. Insomma, lì per lì mi sono un po' spaventato, ma passavano i giorni e non succedeva niente, ho pensato che era uno fatto come una biglia che non aveva badato bene ai suoi affari e voleva fare il duro con me».

«Finché ti ha sparato», dice Ghezzi.

Il Romano allarga le braccia.

Ora lo guardano come si guarda un marziano. Ma è scemo, questo qui? C'è da stupirsi che sia ancora vivo.

«Da quanto tempo sei nel ramo?», chiede Carella.

«Oh, saranno trent'anni... ma sono così stufo... adesso per fortuna smetto e me la godo, me la sono meritata, sai?».

«Fai il delinquente da trent'anni, Romano, e non lo sai che la gente ammazza per molto meno di un chilo di coca?».

«Ma chi ci pensava! Per me era un affare come un altro. Non ho i tuoi soldi, prendi questa, vendila. Che c'è di male?».

Ghezzi e Carella si guardano, increduli.

«Va bene», dice Ghezzi. «Facciamo che ti crediamo, la storia è così scema che se te la sei inventata ti meriti l'Oscar per la sceneggiatura, e non mi sembri il tipo».

«Tutto vero, perché dovrei mentirvi? Solo che avevo archiviato la faccenda come una scemenza, una seccatura. Mettetevi nei miei panni. Uno ti avvicina e dice che una cosa che hai avuto in pagamento di un debito due anni prima era sua... andiamo, chiunque avrebbe...».

«E chi era questo vecchio con un chilo di coca nella cassapanca?».

«Un artigiano che ha la bottega sui Navigli. Crodi, si chiama, il nome non lo so».

Bum.

Ora Carella e Ghezzi si guardano, uno sguardo lungo che dice: oh, cazzo, e tante altre cose, ma per ora, soprattutto: oh, cazzo.

«Lo conosciamo, il Crodi, fa il restauratore, maneggia roba preziosa, i clienti dicono che è bravo, ma caro, non sembra uno che chiede soldi in contanti a uno come te».

«Non avete idea di chi chiede soldi in prestito. Di solito non sono spiantati, se no non glieli darebbe nessuno. Non so perché gli servivano, ma credo che avesse preso un paio di scottature con i suoi affari, roba d'arte. Aveva speso una fortuna per comprare cose che secondo lui erano capolavori e poi non era riuscito a venderle, insomma, investimenti sbagliati, era fuori di tanto, io gli avevo dato cinquantamila prima e trentamila dopo».

«Lo sai che è stato ucciso, Romano? Lo sai che il tuo Crodi è morto ammazzato di botte nella sua bottega? Sei bravo coi conti, lo sai fare due più due?».

Prima non capisce, fa la faccia stupita. Poi, in effetti, fa due più due. Fa quattro, non si scappa. Il Ferrari, o Vinciguerra, o come cazzo si chiama davvero, era andato a cercare la sua roba che aveva lasciato in posteggio, ben nascosta, con la promessa che sarebbe andato a ritirarla dopo qualche tempo, dopo quattro anni di galera, per la precisione, ma forse questo al Crodi non lo aveva detto. Il bravo artigiano l'aveva nascosta, e, chissà, se n'era pure dimenticato, ma sapeva cosa conteneva il pacchetto, e questo vuol dire che l'aveva aperto... Poi erano passati i mesi, un anno, due, e di certo aveva sperato che quello si fosse dimenticato, o addirittura che fosse sparito per sempre, morto o chissà cosa, quindi aveva pensato che con quel pacchetto poteva saldare un debito, rimettersi in pari.

«Ammazzato di botte?».

«Sì, non li leggi i giornali? Cazzo, il caso Crodi sta in prima pagina da un pezzo».

«No, non li leggo i giornali... al massimo le pagine economiche».

Sì, quelle che gli servono per condire bene le sue balle da banchiere.

Ora silenzio.

«Quindi mi ha sparato lui?».

«Tu cosa dici, Romano? Le coincidenze esistono, in natura, ma questa qui è così grossa che...».

Adesso è agitato, forse finalmente capisce che la sua gamba ferita non è un semplice incidente, un errore di persona, la vendetta di un truffato...

«Vi ho detto tutto, portatemi a casa».

«Sicuro, tutto?».

«Sicuro».

«E dove sta questo stronzo non lo sai? Non ti ha detto qualcosa tipo: portami il mio chilo a questo indirizzo? O vediamoci da qualche parte?».

«Macché! Se n'è andato subito. Era incazzato, non ha quasi parlato».

Alle undici e dieci raccolgono le loro cose, gli infilano i pantaloni strappati e sporchi di sangue, la camicia, la giacca macchiata. La cravatta la mettono nella valigetta nera. Quando la apre, Carella gli dice:

«Dammi duemila euro, l'albergo bisogna pagarlo».

«Che cazzo è, Vincenzo, il Grand Hotel?».

«Non fare il coglione, il Grand Hotel chiamava la polizia, questi qua no, daranno una ripulita alla stanza e non ci siamo mai visti, sono cose che si pagano».

L'uomo mette duemila euro sul comodino.

Carella esce e va a prendere la macchina, la posteggia con le doppie frecce proprio davanti all'entrata dell'Hotel delle Stelle e risale. Ora scendono tutti insieme, Ghezzi con le due borse, la sua e quella piena di soldi del Romano, Carella reggendo il ferito. L'uomo dietro il bancone della reception annuisce quando Carella gli dà una mazzetta di contanti. Con qualche fatica, lo mettono in macchina, sui sedili di dietro, e partono.

Fanno la stazione, viale Sarca, poi a sinistra e lo stradone che attraversa Bresso.

«Stai attento, c'è un autovelox bastardo, è il Comune di Bresso che rapina chi passa di qui». Il limite è settanta, Carella sta appena sotto, non teme le multe, ma qualche posto di blocco, un controllo, un'Alfa dei Caramba che ferma qualcuno per far vedere ai bravi cittadini che controllano il territorio. Hanno un ferito e una valigia piena di soldi, sarebbe assurdo che...

Mezz'ora dopo sono davanti alla villa di via Ginestra, suonano il citofono e cominciano la recita.

Una donna sui cinquanta esce in giardino, la faccia di creta, le lacrime agli occhi: «Cosimo!».

Lo mettono a letto, al piano di sopra, una bella camera ordinatissima, che sa di pulito, scendono senza di lui, ma con lei alle calcagna. Le spiegano in poche parole: un brutto incidente, in macchina, ma ora è passata. Bisogna pulire la ferita – un ferro che gli è entrato nella gamba – l'ha visto un dottore, bisogna solo cambiare la fasciatura e aspettare, procurarsi un paio di stampelle. Le fanno capire che serve una bella convalescenza, cambiare aria, fare un viaggetto, magari una crociera.

Sentono il Romano che grida dalla stanza di sopra: «Milena! Milena!».

Ne approfittano per togliersi di lì, via, via, in fretta. La signora è indecisa se trattenerli per avere più spiegazioni o correre dal marito ferito. Ghezzi la toglie dall'imbarazzo.

«Vada, signora, ha bisogno di lei... e partite per un po', capito? Glielo dirà anche lui».

Finalmente escono, salgono in macchina e Carella parte a razzo.

Quando sono quasi a Milano, Ghezzi si decide a parlare.

«Porca puttana, Carella. Sul caso Crodi ci spacchiamo la testa da un mese, e ora...».

«Bene, ci servirà con Gregori».

«Non lo so. Non aspettarti che il Romano faccia il

testimone in tribunale, quello è contento così, andrà da qualche parte con la sua signora...».

«Abbiamo un bossolo e un proiettile».

«Sì, ma prima bisogna trovare il Vinciguerra, collegarlo alla 7,65, trovare qualche riscontro. Mica possiamo andare da Gregori a dire: sa, capo, per noi è stato quello lì, ma non le diciamo come né perché...».

«Hai ragione, Ghezzi, quindi continuiamo la caccia, giusto? Io non lo mollo, il Vinciguerra, e non per il Crodi».

«Però potremmo dirlo a Ruggeri... gli diamo più che una pista, gli diamo addirittura il nome dell'assassino, dopo ci penserà lui col sostituto a unire i puntini».

«Voglio prenderlo io, Ghezzi, voglio... parlargli, ecco... prima di portarlo in galera a calci nel culo».

«Che palle, Carella, coi tuoi capricci!».

Carella fa una smorfia. Capricci...

«Senti cosa facciamo, Ghezzi... tu sei malato, giusto? Bene, stai malato ancora un paio di giorni, prendiamoci quarantott'ore, poi andiamo da Gregori a raccontargli tutto, magari due giorni bastano. Un conto è andare là con questa storia da matti, un altro è consegnargli il Vinciguerra impacchettato e dirgli: guarda, capo, ti abbiamo preso lo stronzo che vi fa perdere il sonno, siamo bravi, vero? Ci perdoni?».

Ghezzi tace, Carella invece no, va avanti.

«Senza contare che sarebbe meglio non mettere in mezzo il Romano. Ci ha dato dei soldi, se parla senza dire tutto, il sostituto lo sgama subito, se invece dice tutto siamo fottuti».

«Non dovevamo prenderli».

«E perché? Un delinquente li avrebbe presi di sicuro».

«Noi non siamo delinquenti, Carella».

«Sicuro, Ghezzi?», ha fatto la sua smorfia, «... comunque per me è un rimborso spese, fare il bandito è costoso».

E per me?, pensa Ghezzi. Ma non è il momento, ormai li ha lì, nella borsa, non può mica tornare a renderglieli, guarda, Romano, abbiamo scherzato, io sono un poliziotto...

«Facciamo così, Carella... Ora siamo spompati e dobbiamo pensarci su un attimo... vediamoci domani mattina, facciamo il punto e decidiamo... mettiamo in fila tutto da capo, magari c'è un dettaglio che non hai visto, e cerchiamo il Vinciguerra. Ma solo due giorni, eh, non di più. Io non me lo gioco il posto per i tuoi tiramenti di culo».

Lo lascia sotto casa, mezzanotte appena passata. Ghezzi sale, la Rosa sta guardando la tivù.

«Hai mangiato, Tarcisio?».

«No, ma non preoccuparti, Rosa, non ho fame, sono solo stanco morto».

«Ti faccio un panino».

«Ma no, lascia stare, vado in bagno e filo a dormire. Tieniti libera sabato, eh, che andiamo a comprare la lavatrice nuova, e anche a cena fuori».

L'ha detto perché si sente in colpa, perché è tornato così tardi senza avvertire, perché... ma lei non è più sconfortata come questa mattina.

Si spoglia, resta in mutande e canottiera, si siede sulla tazza del cesso, il telefono in mano, l'aveva spento e lo riaccende.

Ci sono tre chiamate di Gregori e una di Sannucci. E che cazzo, uno non può nemmeno stare a casa col raffreddore in santa pace. Poi guarda meglio la mappa ancora aperta nel browser del telefono, quella coi puntini dei posti che si chiamano My Safe.

Allora torna in salotto, sempre in canottiera e mutande, e apre il computer portatile.

«Non stavi andando a dormire?».

«Sì, Rosa, vado. Mi segno due indirizzi per domani». Appoggia il taccuino sul tavolo, accanto al computer che si sta accendendo. Aspetta, e intanto...

«Novità, Rosa? A parte la lavatrice, intendo».

«No... sì, anzi... non ti piacerà... la fattura del dentista. La signorina mi ha detto che hanno fatto il possibile, limato tutto, ma insomma...».

«Spara, Rosa, tanto sono già morto».

«Ottocentoventi».

«Ah, però! Pensa come stavano bene nell'età della pietra che non avevano i dentisti».

«Sì, però morivano di vecchiaia a ventidue anni».

«No, no, allora meglio ottocentoventi euro!».

La Rosa ride. È strano. Quando gli parli di spese, bilanci, conti, di solito il Ghezzi si oscura un po', si fa silenzioso, come se fosse colpa sua che non bastano i soldi. Lei ovviamente non ce l'ha con lui, ma con quelli che gli danno due lire per un lavoro infernale. Però si crea sempre una sospensione... e invece adesso ecco che fa lo spiritoso.

«Ti vedo allegro, Tarcisio».

«Macché, ho avuto una giornatina che star qui in mutande mi sembra il paradiso, ecco... ma non si accende più, quest'affare?».

Il computer. Lento come un treno di pendolari.

«Eh, mettiti comodo, Tarcisio, solo per accendersi ci vuole un quarto d'ora, è andato. Obsolescenza programmata, non hai visto *Report*?».

Infine, il computer si accende, passa un altro secolo e si avvia il motore di ricerca, poi arriva il primo uomo su Saturno e compare la piantina che cercava.

E così, il sovrintendente Tarcisio Ghezzi, in mutande e canottiera, preso dall'amabile conversare con la sua sposa, fa un salto sulla sedia. Cioè non lo fa veramente, non solleva il culo, ma per un attimo tutto si ferma, la Rosa parla ma lui non la sente.

Intorno a Milano, più o meno ai quattro punti cardinali, ci sono quei depositi My Safe. Ma se allarghi la mappa, cosa che non aveva fatto sul cellulare, di puntini ce ne sono altri. E uno sta a Busto Arsizio.

È un puntino rosso come tanti, non è forse la vita piena di puntini rossi? Ma quello lo chiama, gli strizza l'occhio, gli fa aumm aumm con le labbra. Incredibile cosa sa fare un puntino rosso che vuole attirare l'attenzione. E ci riesce.

Busto Arsizio. Malpensa. Due più due.

Depositata la roba, qualunque cosa fosse, al Salina la macchina non serviva più. E se sei a Busto Arsizio, dove la rendi una macchina a noleggio? A Malpensa.

«Tarcisio, ti sei incantato?».

Sì, si è incantato. Ma cosa ci andava a fare senza chiave? Cioè, se il Salina non ha fatto nemmeno in tempo a passare da casa a prendere la chiave, vuol dire che stava scappando in fretta. E scappare dove? A Busto Arsizio per mettere una cosa in un posto dove serve la chiave? Non ha senso.

Comunque tutti gli altri puntini rossi non contano più, sciolti, scomparsi, pussa via. Ghezzi vede solo il suo, quello di Busto Arsizio, che sembra lampeggiare e dire: hai scelto me! Bravo!

«Ma 'sto panino che mi avevi promesso, Rosa?».

Lei deve decidere se arrabbiarsi o mettersi a ridere. Poi ride, scuote la testa e si avvia verso la cucina.

«Ho sposato uno scemo, e me l'avevano detto, eh! Quello lì no, è scemo! Ma io... si vede che ero scema anch'io».

Ora ride lui.

Busto Arsizio. Malpensa. Che sorpresa, eh!

Venti

Appena sveglio, Ghezzi manda un messaggio a Gregori. Ci pensa un po', a cosa scrivere, perché magari tutto questo casino finisce in un'indagine disciplinare e lui non vuole mettere nei guai il capo se acquisiscono i telefoni. Poi si decide:

«Mi sto curando il raffreddore, capo, del resto me l'ha attaccato lei...». Spera che Gregori capisca. Prima di premere il tasto invio aggiunge: «Durerà un paio di giorni, non si preoccupi, mi faccio vivo io». E questo lo capirà di sicuro, significa di non rompere troppo le palle chiamando in continuazione.

Con Carella si vedono alle nove, in un bar vicino alla stazione. Si è dato una ripulita, forse ha addirittura dormito. Fanno tutto il rituale che si fa al bar al mattino, escono nel sole dei primi d'ottobre, che già sta sulla difensiva.

«Parlami, Ghezzi».

«Sì, ti parlo. Però devo andare in un posto. Tu hai la macchina? Possiamo parlare lì».

E quindi ora attraversano la città, con la prua del macchinone nero di Carella che punta verso nord-ovest.

«Quando la rendi 'sta macchina? Tutta la questura parla di Carella che ha vinto al lotto».

«Quando trovo il Vinciguerra... ma sai che è comoda?».

«Sì, e costerà come un appartamento... anche le dimensioni...».

«Parlami, Ghezzi».

Va bene, gli parla, ma cosa può dirgli? Del caso Crodi ora sanno il colpevole, e anche il movente. Puro culo, un inciampo, non è nemmeno un'inchiesta loro, non sanno i dettagli, solo quello che hanno scritto i giornali e le chiacchiere in questura, troppo poco. Il referto medico magari potrebbe aiutare a farsi un'idea più precisa, che il Vinciguerra ha la mano pesante lo sanno, ha già mezzo ammazzato una povera ragazza, insomma è il suo stile, ma non è una prova che lo inchioda. Cos'hanno per incastrarlo? Certo, andare con due macchine a prendere il Romano, arrestarlo per truffa e tutto il resto, poi farlo parlare del caso Crodi, della coca, eccetera, eccetera.

«Bisognerebbe fare così», dice Ghezzi. «Il Romano, per parare il colpo e alleggerire la sua posizione, potrebbe giocarsela da teste dell'accusa, da amico del piemme, nella sfiga, qualcosa ci guadagna. Il Vinciguerra si becca l'omicidio del Crodi, che cercherà di far passare per preterintenzionale, ovvio. Volevo parlargli, volevo discutere, ma quello ha battuto la testa... la solita storia. Però ha un precedente pesante, e c'è anche la sparatoria al Romano, e quello è tentato omicidio, non scherziamo, quindici, vent'anni, se li fa tutti, e magari di più».

Si volta verso Carella che ha gli occhi fissi sulla strada.

«Eh, cosa dici, vent'anni ti bastano per la tua vendetta? Volevi incastrarlo, pensa che culo, più incastrato di così!».

«Non fila, Ghezzi, mi spiace. Se il Romano dice tutto e fa la denuncia... vediamo... si becca estorsione, truffa, riciclaggio, quello te lo danno sempre con tutto, come l'aceto balsamico al ristorante, e poi mettiamoci spaccio, il chilo di coca, senza contare che dovrebbe mettere in mezzo Pugliese, il che vuol dire che magari nemmeno ci arriva vivo al processo. E poi... Vent'anni di galera al Vinciguerra in cambio di due carriere, Ghezzi? La giustizia trionfa? Mi ci vedi a fare il capo della security in un albergo?».

Ghezzi sta zitto. Pensa: ecco cosa succede ad andar fuori dal seminato, a pisciare fuori dal vaso. Già le incognite e le varianti sono numerose, per risolvere un caso, se poi ci devi mettere anche la complicazione di salvarti il culo perché ti sei compromesso...

«In effetti, la Rosa farebbe un po' di storie per venire a Isernia con me», dice.

«Sei mai stato al museo di storia naturale, Ghezzi? Quello lì che c'è in corso Venezia, ai giardini?».

«Una volta, mi pare».

«C'è tutta una serie di stanze con tanti insetti, farfalle, ragni, scarafaggi grossi come gatti, hai presente? Tutti infilzati nella loro vetrinetta con uno spillo...».
Ghezzi si chiede dove vuole andare a parare.

«Lo spillo voglio metterlo io, Ghezzi. Bisogna trovare il Vinciguerra».

«A parte i bar e chiedere in giro, dove l'hai cercato, finora?».

«La madre stava ai Navigli anche lei, un bilocale in affitto, è morta mentre lui era dentro, gli hanno dato il permesso per il funerale. Ora ci sta un pensionato che non sa niente. Fidanzate o cose simili, nessuna notizia, a casa sua in corso Genova niente, non ci va da un bel po'».

«Tu hai letto le carte, la sentenza... niente luoghi strani che ti ricordi?».

«Niente».

«E le altre ragazze? Una l'ha mezzo ammazzata di botte, ma ne aveva altre?».

«Di sicuro, ma se n'è liberato prima, niente nomi, niente indirizzi».

«Dai, Carella, lo sai che il processo è un vaso piccolo, non ci sta tutta la merda di un'indagine... Chi l'ha arrestato, tra l'altro, il Vinciguerra?».

«Il sovrintendente Stucchi, del commissariato di Porta Genova, è in pensione».

«Magari si annoia, non vede l'ora di parlare di vecchi casi con un collega, ci hai pensato?».

Ora sono arrivati. La macchina si ferma nel parcheggio di un parallelepipedo colorato, giallo e nero, con un'enorme scritta: «My Safe». Ghezzi scende e poi si sporge al finestrino aperto.

«Aspettami qui, spero sia una cosa breve».

L'ingresso è un po' buio, c'è un banco che divide lo spazio: di là l'ufficio di qua i clienti, tipo negozio. Un giovane con la divisa aziendale, un giubbetto giallo e nero, lo saluta e si presenta, sembra un tipo sveglio. Ghezzi si qualifica, mostra il tesserino, poi la chiave del Salina.

«È vostra questa chiave?».

Quello la prende in mano e la guarda meglio.

«Sì, è delle nostre, ma non è detto che sia di qui, potrebbe essere di qualunque altro deposito... fino a sei mesi fa, perché ultimamente invece della chiave diamo un codice».

«Quindi chi ha affittato questo deposito lo ha fatto più di sei mesi fa?».

«Sì, direi di sì, forse anche sette o otto».

«Se io le dico un nome, lei mi sa dire se corrisponde a questa chiave? Posso dirle anche quando è venuto qui l'ultima volta».

Il ragazzo esita, non sa se...

«Guardi, sovrintendente...», almeno uno che non sbaglia il grado. «Ci è già capitato che venisse qui la polizia, o i carabinieri, a cercare qualcosa. Ma serve un ordine del giudice, come si dice... un mandato di perquisizione. Su questo siamo rigorosi, ovvio, quando uno affitta uno spazio è come se fosse casa sua, per perquisirla serve...».

«Le conosco le regole, anche se un po' ci speravo... ma va bene, facciamo che ritorno con la firma del sostituto procuratore, d'accordo, giusto, ma qualche informazione può darmela... se conosce le regole sa anche che ostacolare le indagini...».

Questo risolve un po' i dubbi del tipo. Si mette a

schiacciare sulla tastiera. Ghezzi gli dice il nome: Pietro Salina.

«Sì, eccolo. Ha aperto il deposito... due anni fa, ma non viene spesso. Un buon cliente, perché di solito lasciano qui la roba un mese o due, ma qualcuno che lo usa come una cassetta di sicurezza c'è... il suo Salina è un cliente B2».

«Che sarebbe?».

«Ha un box di quattro metri, poco per i mobili, buono per documenti e piccoli oggetti, costa 8 euro a settimana, ma si spende meno se lo si prende per un tempo lungo».

«Ora le faccio la domanda difficile». Il ragazzo lo guarda, curioso. «So che il Salina è venuto qui il 15 settembre, prima di mezzogiorno, ma che non aveva con sé questa chiave... poteva aprirlo lo stesso il suo armadio? Com'è la procedura?».

«Avrebbe dovuto mostrare i documenti, quello sempre, e poi firmare un po' di carte, gli avremmo dato il nostro doppione e ordinato una nuova chiave gemella, ma costa un bel po', se perdi la chiave, centosettanta euro, sono chiavi di sicurezza, rifarle è un casino».

«Risulterebbe, giusto? Può controllare?».

Risulta, infatti. Pietro Salina era arrivato alle dieci passate da poco, martedì 15 settembre, aveva mostrato i documenti, pagato centosettanta euro, firmato un po' di moduli, ed era andato alla sua cassaforte in affitto, a prendere o a lasciare qualcosa, non si sa, non si può sapere, serve un mandato. Ecco il suo posto segreto, quello dove tiene le sue carte, forse i soldi che ha da parte. Ghezzi non crede che ci nasconda cose rubate o illegali, perché altrimenti non sarebbe andato a chiedere un nascondiglio all'ex compagno di galera. Però se era di fretta... Se scappava...

Quando torna alla macchina Carella è al telefono, sembra che parli da solo, come un matto, ma è il vivavoce. Ghezzi sta per salire, ma il telefono suona anche a lui, allora si ferma a pochi metri dall'auto. Sannucci.

«Sov, è così malato che non mi richiama?».

«Malatissimo. Dimmi, Sannucci, spero che sia importante».

«Non lo so, ma la cercava lo scienziato dei telefoni, quello giovane che sostituisce De Masi, non ricordo il nome...».

«Tranquillo, Sannucci, abbiamo tutto il giorno, puoi prendertela calma».

«Ecco, sov. Il telefono è stato acceso solo una volta e per pochi minuti, la cella dove si trovava è... aspetti che cerco l'appunto...Tra Ternate e Varano Borghi...».

«Sannucci, cazzo, mi hai preso per un tassista? Dove stanno, 'sti posti?».

«Aspetti che apro una mappa, sov... Ah, ecco... provincia di Varese. C'è un lago... lago di Comabbio, poi una palude, giuro, sov, c'è scritto Palude Brabbia, e più su c'è il lago di Varese... due laghi e una palude, non male, eh!».

La zia. Porca puttana, la zia.

Ghezzi liquida veloce l'agente Sannucci e si maledice da solo. La vecchia zia del Salina, quella che la Franca aveva detto «sta sul lago», ma lui aveva pensato al lago di Como, chissà perché, e invece qui di laghi ce n'è addirittura due. Ora apre nervoso la portiera e prende la sua borsa, trova il taccuino, il numero che gli aveva dato la Franca nella sua lista, eccolo lì, l'ha chiamato più volte, ma non ha mai risposto nessuno. Così fa il numero di Sannucci...

«Oh, sov, quanto tempo che non ci sentiamo!».

«Madonna, Sannucci, che spirito! Senti, io vado verso là, quei posti assurdi che mi hai detto, tu trovami l'indirizzo di questo numero, va bene? Subito, prima che puoi».

Gli detta il numero della vecchia zia, il prefisso è 0332.

Quando sale in macchina Carella lo guarda. Allora?

Non sa niente del Salina, si informa solo, con un'occhiata, se Ghezzi ha fatto quel che doveva fare e se possono tornare a Milano. Ha parlato con l'ex sovrintendente Stucchi ora in pensione, e sì, si ricorda del caso del Vinciguerra, perché aveva preso meno anni di quelli che meritava, e se riesce a trovare il taccuino di quei tempi là... li tiene tutti, una specie di maniaco archivista, meno male. Si vedranno verso cena, ma sono appena le undici del mattino.

«Bene, così andiamo in un posto, qui vicino».

Qui vicino per modo di dire, il navigatore calcola trentacinque chilometri, si rimettono in autostrada ed escono al casello di Sesto Calende. Intanto Ghezzi ha fatto a Carella un riassuntino del suo caso privato, la Franca, il Salina, il messaggio che le ha mandato su qualcosa che ha visto ed era meglio di no, il deposito, e ora le celle telefoniche che lo portano lì in mezzo ai laghi del Nord.

Milano, Busto Arsizio per lasciare o prendere qualcosa dal suo nascondiglio, poi Malpensa per mollare la macchina, e infine quel posto tra lago e palude, quasi una linea retta. E arriva anche il messaggio di Sannucci: «Barelli Onorina, Varano Borghi, via De Gasperi 31, davanti alle scuole medie. Guarisca presto, sov!».

Cretino.

Carella parla con la macchina e il navigatore aggiorna la destinazione.

La casa di zia Onorina è una villetta né bella né brutta, che dà sulla strada da un lato e sulla campagna dall'altro, anche se lì, a parte un albergo di lusso e un po' di costruzioni nuove, sembra tutta campagna. La casa è abitata, c'è una finestra aperta, e non sanno come fare. Mentre ci pensano vedono uno che cammina con due borse della spesa. Alto, mingherlino, i capelli quasi tutti bianchi. Ghezzi è trent'anni che non vede il Salina, il suo primo arresto, ma lo riconosce subito, e la foto che gli ha dato la Franca è abbastanza fedele. Quindi aspettano che entri in casa, scendono e suonano il citofono. Cioè lo suona solo Ghezzi, perché Carella è sparito. Nessuno risponde, ma si scosta una tendina, poi più niente. Ghezzi suona ancora e aspetta. Finalmente qualcuno risponde, è Carella.

«Vieni, Ghezzi, stava scappando dal retro», e gli apre con il pulsante.

Quando Ghezzi entra, senza chiedere permesso, il Salina è seduto su una sedia di legno, in una grande cucina di campagna, con la stufa, addirittura, e Carella è in piedi appoggiato al lavello. Fuma.

«Voi chi siete?».

«Come, Salina, non mi riconosci? Sono Ghezzi, quello che ti ha beccato la prima volta».

«Polizia, quindi?», sembra quasi sollevato. Ma poi ci pensa e non si sente sollevato per niente. Sta zitto.

«Cazzo Salina, potevi anche mandarle un messaggio, alla Franca, è preoccupata, mi ha chiesto lei di cercarti... perché sei scappato? Dov'è la zia?».

Pietro Salina si prende la testa tra le mani, la domanda sulla zia non l'ha nemmeno sentita. Dice solo:

«Non sono stato io».

Ventuno

Pietro Salina, invecchiato di dieci anni in dieci minuti, ha avuto un malore. Tutta l'ansia accumulata si è dispersa in un secondo, come l'aria che esce da un canotto bucato. Si è afflosciato, ecco.

Ghezzi l'ha messo su una poltrona, intontito, Carella è andato a dare un'occhiata nei dintorni, a vedere la palude, ha detto. Ghezzi invece ha fatto una telefonata.

«Franca? Te l'ho trovato, il tuo Pietro».

«Oddio, e come sta? Dov'è?».

Ghezzi le dice il posto, lei cerca una penna, se lo segna, poi lo ripete.

«Dov'è?».

«Vicino a Varese, credo, sarà nemmeno un'ora da Milano, se non c'è traffico».

«Resta lì, Ghezzi, arrivo».

«No, Franca... aspet...». Non c'è già più.

Ecco, ci mancava solo la riunione famigliare.

E ora non sa cosa fare, il Salina si riprenderà, ma ci vuole un po', adesso non avrebbe senso parlargli. Guarda nelle buste della spesa che portava quando l'hanno beccato. Maccheroni, passata di pomodoro, patate, mezzo pollo. Non proprio la dieta dei campioni, più il rancio di un fuggitivo.

Si guarda in giro, è la casa di una donna anziana, tutto lindo e invecchiato insieme alla padrona. Il tavolo con il centrino, immaginette e quadri di santi qui e là, le pentole di rame appese: lì una volta si faceva la polenta, altro che mezzo pollo del supermarket.

Però è l'una meno un quarto e Ghezzi si dice che aspettare per aspettare...

Carella rientra mentre Ghezzi scola la pasta.

Ha dato al Salina un bicchiere di vino rosso, bello pieno, gli ha detto di alzarsi e sedersi a tavola con loro. Pasta al sugo, niente aglio, Ghezzi ha trovato solo la cipolla, ma meglio di niente. Dosi da lottatore di sumo, comunque. Alla seconda forchettata, o sarà stato il vino, il Salina si riprende un po'. Il caffè lo fa lui, e quando sul tavolo ci sono tre tazzine piene, Ghezzi decide che è il momento.

«Allora, Salina, ti dico cosa sta succedendo. Io non sono qua in veste ufficiale, non c'è un'indagine su di te, è solo la Franca che ti cerca e mi ha chiesto una cortesia, ti è chiaro, questo?».

«Non doveva farmi cercare... già avevo paura che andassero da lei...».

«Andassero chi?».

Il Salina tace, è spaventato, questo si vede bene. Ma non sa quanto può mettersi nei guai se parla. È un pensiero così ovvio e trasparente che se l'avesse tatuato sulla fronte sarebbe uguale.

«Salina, il problema non è se finisci nei guai, il problema è a che livello di guai arrivi. Cos'hai visto che non dovevi vedere?».

«Non sei stato tu a fare cosa?», questo è Carella.

«La zia dov'è?», questo è ancora Ghezzi.

Il Salina, zitto.

Ghezzi sospira. Quando fanno così li prenderebbe a sberle.

«Senti, genio del crimine. L'11 settembre hai noleggiato la macchina, sei andato da un tuo vecchio amico e gli hai chiesto se poteva tenere lì della roba. Sapevi che avresti avuto delle cose da nascondere, ma non le avevi ancora, giusto? Ti ha detto di no, perché vuole restare pulito se no la figlia gli toglie il nipotino... è uno che ci sta con la testa, mica come te. Poi è successo qualcosa, ti sei spaventato e sei scappato, ma prima dovevi nascondere le cose... si vede che non avevi trovato un buon posto e allora sei andato al tuo nascondiglio legale, lì al deposito di Busto Arsizio. Non avevi la chiave, hai pagato un sacco di soldi per avere la copia, vuol dire che era una cosa urgente, e sei venuto qui. Dov'è la zia?».

«È morta da due anni, coi fratelli non andiamo d'accordo e nessuno si è messo a fare le pratiche per la casa. Io ho preso le chiavi e ci vengo ogni tanto».

«Perché non l'hai portata qui la roba?».

«Perché ci sto io... mai stare nello stesso posto della...». Si blocca.

«Della roba rubata? Della refurtiva? Vuoi dire questo?».

«No, no, io non ho detto niente».
«La mia storia ti suona bene?».
«Sì, più o meno».
«E ora fai il bravo e ci riempi tutti i buchi che ci sono, vero? Ci racconti tutto per bene... se no, Salina, noi ti prendiamo, andiamo da un giudice, li conosciamo tutti, e gli chiediamo un mandato per aprire il tuo armadietto, abbiamo addirittura la chiave, quella che tenevi nascosta sotto l'ultimo cassetto della scrivania, a casa... e poi vediamo da dove viene la roba che c'è dentro. Che ne dici?».
«Non sono stato io a fare che cosa?». È quella la domanda vera, e Carella la fa per la seconda volta.
«Non voglio tornare in galera».
«E allora racconta, in questa stanza ci siamo noi tre, vedi qualcun altro che può aiutarti? Dai, Salina, non farcela sospirare, lo sai anche tu che ci dirai tutto».
Gli hanno versato un cordiale, un amaro che magari starà lì da secoli, loro non ci pensano nemmeno, ad assaggiarlo, ma lui lo butta giù in un sorso. Comincia a parlare.

L'8 di settembre era stato contattato da un tizio, al bar Tramonto. Aveva fatto dei giri di parole, ma poi era arrivato al punto: voleva entrare in un posto, un negozio, gli aveva detto, aveva solo bisogno che qualcuno gli aprisse la porta e magari, se c'era, gli staccasse l'antifurto. Gli avevano detto che lui era bravo a fare questi servizi.
«Nome?».

«Niente nome».
«Che tipo?».
«Grosso, biondo slavato, pareva dell'Est, ma poi quando ha aperto bocca no, italiano».
«Vai avanti».
Insomma, voleva che gli aprisse una porta, poi ci pensava lui. Quando? Lo avrebbe avvertito, ma presto, questione di giorni. Il Salina aveva detto che prima doveva guardare il posto, e infatti era andato la sera stessa, come un pedone che passa di lì e dà un'occhiata. Una bottega ai Navigli, lontano dal casino dei locali, però, e non era un negozio, era più un laboratorio. Davanti una sola vetrina e la saracinesca, dietro una porticina con una serratura facile facile, una cosa che aprirebbe anche un bambino. C'erano dei fili, sì, ma un impianto vecchissimo. Sembrava così semplice, il tutto, che il Salina aveva deciso di portarsi avanti col lavoro e di guardare non solo fuori, ma anche dentro. La curiosità dei ladri. Aveva staccato uno dei fili dell'allarme, poi era entrato usando un ferretto lungo tre centimetri, ci aveva messo un minuto.
«Questo già la sera dell'8?».
«Sì».
Non aveva portato via niente. Era uscito, aveva richiuso, aveva rimesso a posto il filo dell'allarme con un giro di nastro isolante e aveva deciso che avrebbe fatto il favore al tizio che voleva entrare là dentro – gli aveva promesso duemila euro – e che magari poteva approfittarne. Per questo aveva pensato alla macchina.
«Il tipo l'hai rivisto?».

«Sì, la sera del 9. Lui aveva parlato di un affare con qualcuno e si metteva bene, e siccome era appena uscito di galera ha voluto fare una specie di brindisi, in un posto di troie, infatti per fortuna ne ha imbarcata una e tutti a casa».

Lo ha detto come se non sapesse il mestiere che fa la sua donna, che lo mantiene e lo aspetta quand'è in galera. È un mascalzone, oltre che scemo.

Carella invece è una sfinge di marmo, luccica, da quanto è teso.

«Dimmi della festa».

«Ma che festa, eravamo il tizio grosso, io e un uomo, credo quello con cui aveva parlato d'affari, uno che sembra più giovane di quello che è. Questo qui aveva la fidanzata, non una del giro, secondo me. Poi il tizio si è preso una bionda, lì, e ognuno per i fatti suoi... Io ero ansioso di sapere quando voleva entrare nella bottega, ma lui non sembrava dare grande peso alla cosa... ma sì, ti chiamo io, ti faccio sapere... comunque gli avevo detto che ero stato sul posto e si poteva fare. Non gli ho detto che ero già entrato».

Il Salina è sulla poltrona, Carella si è seduto sul tavolo, e Ghezzi su una sedia, a cavalcioni, con lo schienale davanti al petto. Si guardano. Ghezzi non capisce del tutto, ma sente che è cambiata l'aria, che Carella non è più ospite, lì dentro, o autista accompagnatore. Sente dalla sua tensione che è successo qualcosa.

Perché Carella invece sa. Il Vinciguerra che seduce con mille euro Diana Gold, il ragazzino con la fidanzata bocconiana e il vecchio misterioso. Che ora è lì davanti a lui che piagnucola.

«Vai avanti». Tagliente, secco.

«Ho affittato la macchina perché quello poteva farsi vivo da un momento all'altro e volevo essere pronto. Ha chiamato, la sera del 14, lunedì. Mi ha detto di andare a prenderlo presto, alle cinque del mattino, perché voleva essere già nella bottega quando arrivava il padrone, che ci andava sempre verso le sette. La serranda la alzava alle nove, quando arrivava il garzone, ma prima stava lì dentro da solo, a lavorare. Così gli ho aperto la...».

«Aspetta», Carella è vigile come un cecchino. «Hai detto che sei andato a prenderlo. Dove?».

«In corso San Gottardo, all'incrocio con la circonvallazione, dove diventa via Meda».

«Vai avanti».

«Gli ho aperto la porta, saranno state le sei meno qualcosa, era già troppo chiaro, per i miei gusti, ma per l'allarme bastava togliere il nastro isolante, e la porta era davvero una stupidaggine».

Ora il Salina si agita, suda. Sa che è arrivato il momento in cui se la gioca tutta.

«Gli ho aperto, ma non me ne sono andato subito. Ho dato di nuovo un'occhiata in giro, ho preso due cose e sono andato a metterle in macchina...».

«Che cose?».

«Un orologio da tavolo... secondo me primo Ottocento, e poi un'icona russa, piccola, ma con quei contorni d'oro...».

Ghezzi è stupefatto, quasi stordito. Carella invece

sente l'odore del Vinciguerra. Credeva di accompagnare Ghezzi per una commissione e invece...

«Vai avanti».

Quand'era tornato indietro per arraffare qualcos'altro, furtivo, aveva sentito delle voci alzarsi, si vede che era arrivato il padrone. Non solo si alzavano le voci, ma si sentivano dei colpi, erano chiaramente botte.

«Li hai visti?».

«No, sentiti».

«E?».

«Il tizio grosso voleva qualcosa che il vecchio doveva avere, e il vecchio diceva che non l'aveva più, almeno questo è quello che ho pensato sentendoli, e ho visto anche il vecchio a terra e l'altro che lo picchiava, ma un secondo, mentre passavo, non sono stato tanto a pensarci, ho arraffato altre due cose, sono corso in macchina e sono partito».

«Quali cose?».

«Una scacchiera... l'ho presa solo perché era esposta bene, come in un museo, ho pensato che fosse preziosa. E poi una statuina in legno, credo anni Trenta, non sono stato a guardare bene».

Ghezzi potrebbe concludere lui la storia. All'alba del 15 settembre il Salina ha la macchina piena di roba rubata a uno che è morto ammazzato di botte, se lo beccano è finita per sempre, galera forever. Però anche quello che ha ammazzato di botte il vecchio lo cercherà, un testimone così che va in giro libero... Di chi doveva avere più paura?

Insomma panico.

«Ho portato la roba al magazzino, ho reso la macchina a Malpensa e sono venuto qui con la corriera, nessuno sa che ho questo posto, nemmeno la Franca».

Che adesso lo sa, pensa Ghezzi.

È probabile che l'arrivo della Franca, in un posto come Verano Borghi, resterà nella leggenda, perché una sciantosa così che arriva in taxi da Milano, col tassista che si ferma a chiedere indicazioni agli indigeni, è già strana. Poi, quando scende, ha sempre quello spolverino che copre bene tutto, solo che è aperto, svolazza e non copre niente. Ha una borsa in mano, oltre alla borsetta a tracolla, si vede che si è portata i vestiti normali ed è venuta così com'era. Spettacolo. Bocca di Rosa che arriva alla stazione di Sant'Ilario. Salomè un po' avanti con gli anni.

Nell'incontro con il Salina, che avviene sotto gli occhi seccati di Ghezzi e Carella, c'è un po' di tutto. Rimprovero e sollievo, lei. Colpa e stizza per la sua presenza, lui. È una cosa che può diventare rancore, questa.

Allora i poliziotti si alzano, escono dalla porta posteriore, da dove il Salina aveva cercato di scappare, fanno due passi in giardino.

Carella si accende una sigaretta.

«Ti dico come va a finire questa storia, Ghezzi, vuoi?».

«Sentiamo».

«Il Salina lo portiamo in questura e dice tutto. Ammesso anche che becchiamo il Vinciguerra, quello può dire: chi, io? Vi sbagliate, c'è un errore di persona. Magari tira fuori un alibi per la mattina del 15 dalle sei alle otto. Il Romano non testimonierà, quelli che c'erano alla festicciola neanche, e se io fossi il giudice direi: beh, questo Salina, che ha dei bei precedenti, è entrato, ha tolto l'allarme, ha ammazzato il Crodi, ha persino la refurtiva nascosta... La faccio breve: il Salina si becca l'omicidio, e anche se non è stato lui se lo meriterebbe per quanto è coglione, e il Vinciguerra la fa franca di nuovo».

«Cazzo, Carella, hai già fatto il processo e l'appello?».

«Vedrai».

«Resta un mistero, però... perché uno come il Crodi, che sembra pulito, stimato da tutti, tiene nascosto un chilo di coca per conto di un delinquente? Come si erano conosciuti? Che rapporti aveva col Vinciguerra?».

«Non è che si può spiegare tutto, Ghezzi. A quanto ho capito il Crodi aveva sempre bisogno di soldi, magari in cambio del favore il Vinciguerra gli ha tappato qualche buco coi creditori».

Sono le quattro del pomeriggio, c'è una brezza leggera, la palude pare davvero una palude, sentono gli uccelli, è bello. Tornano dentro, sperando che siano finite le scene alla *Via col vento*. Il Salina è ancora sulla poltrona, la Franca gli si è messa quasi in braccio, parlano fitto, ma si interrompono quando sentono i passi.

«Non è stato lui!», dice la Franca.

«Questo lo deve dire il giudice, Franca, anch'io non credo che sia stato lui... ma allora è un testimone importante, e i reati sono un bel po', scasso, furto, se gli va bene e non gli danno complicità in omicidio, che tra l'altro è molto probabile...».

«A meno che...». Si è inserito Carella e tutti lo guardano come uno che lancia un salvagente. E lo lancia proprio al Salina. «A meno che noi non diciamo che ci hai chiamato tu. Ti sei spaventato e pensavi che l'assassino venisse a cercarti, ma poi ci hai riflettuto meglio e hai contattato il sovrintendente Ghezzi, il primo che ti aveva arrestato, trent'anni fa... la signora può testimoniare...».

«Certo!», trilla la Franca. Ghezzi pensa che è lei quella più intelligente lì dentro, quella che vede le cose al volo, mentre il Salina ci arriva a fatica, come se ragionasse in salita.

«In quel caso», continua Carella, «si può anche stare zitti sulle cose che hai messo al deposito... chi sa che ce l'hai?».

«Nessuno».

«Ci sono delle carte, per affittare un posto così, un contratto, vero? Se te le trovano a casa il tuo rifugio è fottuto».

«Non sono mica scemo, le carte sono al deposito, a parte la chiave non c'è nessuna traccia, se non la cercano, sempre pagato in contanti...».

«Mi hai detto che ti sei fatto fare un'altra chiave».

«Sì».

«Dammela».

Stanno tutti zitti, ognuno pensa alla piega che può

prendere la cosa, ora che è passato qualche minuto ci arriva anche il Salina.

«Giusto, sì, io vi aiuto a prenderlo, mi ha messo in mezzo!».

Ghezzi alza gli occhi al cielo. Ma cosa cazzo stanno facendo? Stanno parlamentando? Discutendo varie ipotesi? I pro e i contro? A chiamarlo col suo nome è occultamento di prove, favoreggiamento, roba penale.

Carella tenta l'affondo.

«È una cosa che possiamo sostenere solo se lo troviamo, l'assassino, finché non ce l'abbiamo l'assassino sei tu. Come puoi aiutarci?».

«Vi ho detto che non lo so! L'ho solo raccattato là in fondo a San Gottardo».

Ora c'è un altro consulto tra sbirri.

«Lasciamoli qui», dice Carella. «Cerchiamo il Vinciguerra».

«Se scappa?».

«Non scappa, dove va? Con Miss Anni Azzurri? Gli prendiamo i documenti... e in fondo stiamo lavorando per lui, no? Deve fidarsi».

«Perché affondare ancora di più, Carella? Lo portiamo da Ruggeri, ripete tutta la storia, e il Vinciguerra lo prendono in due ore».

«Sì, e va a finire come ti ho detto prima, questo coglione qui all'ergastolo e quell'altro niente. Avevamo detto quarantotto ore, no? Dai, Ghezzi, non siamo nemmeno a metà del lavoro».

Ghezzi sa che accetterà quella proposta inaccettabile, ma si chiede anche dove stanno scivolando. Cos'è, una questione di vendetta? No, troppo semplice, e Carella, nonostante i suoi modi da cowboy, non è il tipo. È qualcosa che ha a che vedere con quella ragazza? La faccenda del dolore? I cerchi nell'acqua ferma... Quanti cerchi ha fatto il Vinciguerra? La polacca, la madre, il padre, altri parenti, se ne hanno. E poi la ragazza L che non ha retto alla pressione e ora sta attaccata alle macchine. E Carella che in qualche suo assurdo modo da Lancillotto del cazzo le voleva bene, è un cerchio anche lui. Dolore, impotenza... Si sente in colpa per la fine che ha fatto la ragazza, crede di non averla protetta, anche se non è vero, ma... Non vuole prendere il Vinciguerra per vendetta, e per fare l'ammazzasette che si fa giustizia da solo. No.

È per guarire. Forse per andare all'ospedale e guardare dietro il vetro e dire: «Abbiamo sbagliato tutto, L, anche tu, cazzo. Ma adesso la paga, adesso la paga tutta».

Forse sto romanzando, pensa Ghezzi, ma lasciare lì il Salina con la sua Franca, nascosto, stare zitti sulla refurtiva... è una cosa enorme, altro che l'ufficio passaporti di Isernia.

Carella è al telefono, lui parla con la Franca.

«Se vi lasciamo qui fino a domani, Franca, tu mi assicuri che non scappate, che lui non scappa, che non fate cazzate?».

«E dove scappiamo, Ghezzi?».

«Franca, io sto facendo a pezzi tutti i regolamenti per darvi una mano, lo capisci? Mi gioco la carriera, e se devo dirti la verità non so nemmeno perché. Ma il Salina rischia l'ergastolo e possiamo cercare di evitarlo solo se voi state qui buoni. Fate una passeggiata, andate a vedere il lago, anche in pizzeria, ma state qui e dormite qui e domani vi diciamo cosa si fa, d'accordo?».

«Grazie, Ghezzi», ha gli occhi umidi.

«Di te mi fido, Franca, è lui che è un coglione, e speriamo che la storia che ci ha venduto sia vera... ma come hai potuto stare trent'anni con un cretino simile?».

La storiella dell'amore cieco il Ghezzi non l'ha mai digerita.

Lei non parla. Non è una domanda a cui si può rispondere. È il suo uomo, punto.

Carella col Salina è meno diplomatico.

«Senti, se noi domani non ti troviamo qui, ti facciamo cercare e ti scovano in dieci minuti. Se scappi, la manfrina che ci hai chiamato tu e che ci aiuti a prendere un cattivo non regge più, hai capito? Di' che hai capito. Se stai qui hai qualche speranza, se no vai all'ergastolo, è chiaro il concetto?».

«Sì, va bene».

Quando sono in macchina, Ghezzi avanza apertamente tutti i suoi dubbi, ma si rende conto che Carella sta giocando su un altro piano. Combatte per se stesso, per andare avanti, per uscire vivo da quella storia, allora si placa e lo lascia stare, che senso ha tormentarlo? Quando sono all'altezza di Busto Arsizio, a sorpresa, esce dall'autostrada e guida fino al parcheggio del deposito My Safe, scende dalla macchina.

«Ci provo io, Ghezzi, magari adesso c'è un impiegato più disponibile, aspettami qui».

Torna dopo venti minuti, contrariato.

«Niente, vogliono il mandato, sono abituati a queste cose, un tesserino non fa più paura a nessuno».

Si lasciano dove viale Certosa diventa corso Sempione, c'è il traffico delle sette della sera, la luce del sole si sta ritirando. Carella va a cena col collega pensionato a Porta Genova, Ghezzi prende un tram, ma non fila subito a casa, si ferma in un grande negozio di elettronica, telefoni, frullatori, televisori grandi come campi da calcio su cui scorrono nitidissime immagini di campi da calcio. Al reparto lavatrici c'è una signora gentile e sbrigativa, assediata dai questuanti. Poi arriva il suo turno, chiede, si informa.

«Lei quale prenderebbe?».

«Io? Mah, forse questa qui», è una cosa bianca lucidissima con l'oblò grande e nero, altri sportelli e sportellini, un display da aeroplano, il cartello dice settecentottanta euro.

La tizia aveva elencato cose incomprensibili, motori, centrifughe, programmazione, risparmio energetico, basse temperature, e il Ghezzi alzando le mani come davanti a un mitragliamento aveva detto: «Basta, basta! La prendo».

Poi si era fatto un giro al reparto computer e lì aveva scoperto un mondo nuovo, incredibile. Qualunque cosa sfiorasse, tac, nemmeno un milionesimo di secondo e tutto accadeva. I programmi si avviavano, la rete correva, le pagine si aprivano come a sfogliare un libro, non dopo dieci minuti di bestemmie e di schermo congelato. Ai computer c'è un ragazzo gentile, abituato a parlare con trogloditi che non sanno nemmeno cos'è una memoria ram, o un disco virtuale, ma dove vivono, nel medioevo? Che pazienza che ci vuole! Alla fine lo convince a prendere il meglio, un Mac portatile appena uscito, che costa il doppio degli altri.

Al banco delle spedizioni Ghezzi insiste: devono consegnare tutto domani, installare la lavatrice e portare via quella vecchia, ma domani, a tutti i costi.

«Mi faccia guardare la lista delle consegne», dice un uomo, e Ghezzi si chiede se non deve provare il metodo Carella. Vediamo un po' se conviene davvero essere delinquenti. Mette una mano in tasca e prende un biglietto da cinquanta. Lo allunga sul bancone.

«Se questo può aiutare...».

Oddio, ma dov'è finito il biglietto? C'è il mago Silvan in giro? È scomparso in un nanosecondo. Ghezzi lo vede in trasparenza nel taschino della camicia dell'uomo, che infatti dice:

«Ah, guardi, è fortunato... domani dalle undici all'una... va bene? Come paga, carta?».

«Contanti».

Poi esce nel tramonto di pendolari e idrocarburi. La gente va a casa, cos'altro può fare, a quest'ora? E allora ci va anche lui, sul tram, senza reggersi alle sbarre, fa il suo esercizio di surf con le curve e le frenate, è l'unico sport che pratica.

Ventidue

Il collega Stucchi non la finisce più di parlare. Carella, d'istinto, visto che quello poteva solo alle otto e mezza, aveva detto vediamoci a cena. Errore, bastava anche un caffè o un aperitivo, e invece ora deve sorbirsi il collega anziano che sceglie antipasto, primo, secondo, il vino... Poi parla della pensione, che credeva peggio, e invece il lavoro non gli manca. Dice la sua sul caso Crodi, senza saperne niente, facendo ipotesi abbastanza assurde già uscite sui giornali. Carella raccoglie tutte le briciole di pazienza che gli sono rimaste, che però stanno per finire.

«Senti, Stucchi, è un caso di più di quattro anni fa, ci sono dettagli che al processo non sono venuti fuori, magari puoi aiutarmi».

«Sì, me l'hai detto, ho preso tutto il 2015, ma per prudenza anche l'anno prima». E tira fuori quattro taccuini neri, uguali, scritti fitti fitti con una grafia che può capire solo lui. Un'etichetta bianca sulle coste dice l'anno: 2014/1, 2014/2 e uguale per l'anno dopo. In pratica tutto il lavoro di una vita starà nella sua collezione di libretti neri scritti come la stele di Rosetta.

«Cosa ti serve, esattamente?».

«Il Vinciguerra. Lo sto cercando, ma non posso dirti di più, al momento. La madre stava in affitto, è morta e chiuso, a casa sua non ci va, fidanzate in carica non ci risultano, amici che lo ospitano non possiamo saperlo».

«E allora?».

«Allora, Stucchi, quando tu hai incastrato il Vinciguerra...».

«C'era poco da incastrare, la ragazza era messa davvero male e c'era la sua amica del piano di sopra che ci ha detto chi era stato, come, quando... non era mica un caso difficile».

«Avete dovuto cercarlo, però... avete indagato un po' su di lui».

«Vediamo...». Apre i suoi taccuini come fossero un breviario. Il poliziotto di città sembra un prete di campagna. Poi finalmente trova le pagine giuste.

Carella aspetta, non vuole sembrare scortese, ma quello la prende con troppa calma.

«Dai, Stucchi, che devo andare in un posto».

«Ecco qua. Sì, per trovarlo ci abbiamo messo due giorni, era a casa di uno spacciatore, ricordo che la casa era piena di roba e lo abbiamo imbarcato per detenzione e spaccio... aveva quattro ragazze che battevano per lui, il Vinciguerra, tutte dell'Est. Una era quella che ha quasi ammazzato di botte».

«E le altre tre?». Dai, cazzo!

«Ho qui i nomi, forse... sì, eccoli qui, le abbiamo interrogate, ma non sapevano niente, ovvio, nessuna si mette contro il proprio pappone, specie se ha appena fatto male a una di loro».

«Al processo non sono venute fuori, però, 'ste ragazze».

«Beh, loro naturalmente hanno detto che non battevano, che lui non era il loro pappone... all'accusa non servivano, e la difesa non poteva certo portare tre puttane straniere a dire che il Vinciguerra era una brava persona... sai come fanno in questi casi, no? Le vendono a un altro pappone, come quando si vende un'azienda, si calcola il fatturato e le spese e si fissa una cifra... Eccole qui: Nadja, con la i lunga, Natasha e Irina, nomi veri, anche se non sembra, i cognomi li ho scritti, ma non saranno corretti, in quella lingua impossibile, ovvio... ma quattro anni sono tanti, chissà dove sono, ora...».

«Ma gli appartamenti dove battevano sono sempre lì, giusto?».

«Non ne sai molto di questo settore, vero, Carella?».

«Dai, spiegami, Stucchi, ma ti prego, non ci mettere una vita, tu sei in pensione e non fai un cazzo tutto il giorno, io devo lavorare per campare, eh!».

«Le ragazze, non tutte ma quasi, girano, due mesi a Milano, due mesi a Torino, o Napoli, due mesi a Roma, tutta l'Italia, specie le straniere, le cinesi e quelle dell'Est. Gli appartamenti sono tutti mono o bilocali, parlo sempre della media, poi le escort di lusso, a livello più alto, sono un altro discorso...». Carella vorrebbe prenderlo a pugni.

Arriva l'amaro.

«Questi buchi, meglio se al piano terra o in cortile, meglio se in stabili senza portineria, sono tutti intestati a prestanome, per cui è possibile che il Vinciguerra oltre alle ragazze possedesse anche i posti, ma non si può sapere, e non risultava da nessuna parte...».

«Gli indirizzi, Stucchi, mi servono solo gli indirizzi. Le tre ragazze sarete andate a trovarle, no? Dove? E come avete saputo che erano ragazze sue?».

«Ah, quello è stato facile. Gli annunci. Cioè, leggere gli annunci delle puttane è un esercizio interessante, e ci dice tante cose. Per esempio se la ragazza è straniera, da quanto tempo è qui, e in che reparto della macelleria puoi collocarla. Una che scrive "Te aspeto tuta baniata" è una buttata nella mischia da poco, carne appena sbarcata dall'aereo, e nessuno la aiuta, nemmeno a mettere giù due righe in italiano... Ti dico queste cose perché le ho trovate io, le altre ragazze. Quando quella povera Eva è stata massacrata di botte – ha tentato di ucciderla, il bastardo, non era solo una lezione – ho guardato il suo annuncio ed era... strano, ecco. Una cosa che forse voleva essere poetica, per distaccarsi dagli annunci standard. C'era una parola che non ricordo, ma che non si vede spesso. Aspetta... "passera"...», sfoglia il taccuino, cerca un punto, «... ecco: "La mia passera fragrante". Credimi, Carella, se sei una ventiduenne che nella vita ha visto solo la periferia di Cracovia e un po' di uccelli in un buco di via Savona, non usi la parola "fragrante"».

Carella si sta arrendendo, per spossatezza. Chiede il secondo caffè dopo la cena, sarà il decimo della giornata, e poi vuole fumare, e freme.

«Va bene», dice. «Ottima intuizione, bravo Stucchi, ma...».

«Allora ho cercato "fragrante" nei siti di annunci e c'erano solo loro quattro, lo stesso annuncio, le stesse parole, cambiavano solo le foto e i numeri di telefono... le ragazze erano della stessa scuderia, diciamo, tutte del Vinciguerra, il poeta della passera fragrante. Era importante parlare con le ragazze anche per metterle in guardia: occhio che il tuo protettore se mena può fare male».

«Mi dai questi indirizzi, Stucchi? Dai, se facciamo entro domattina ti propongo per una medaglia».

«Eccoli, eccoli...». Non molla i suoi preziosi taccuini datati e numerati, ma si mette a dettare. «Uno, via Riccione 11, Milano, che sta a nord-ovest, dopo il ponte della Ghisolfa... ma non scrivi?».

«No, non scrivo, mi ricordo... gli altri?».

«Uno in via Gallarate 7, che sta dalle parti di viale Certosa, e uno in via Palmieri, al 2, è una traversa di via Meda».

Lo vedete ora il demone? Entra nella trattoria, non saluta nessuno, si siede lì con loro e si impossessa di Carella. Via Meda.

Quel cretino del Salina ha raccolto il Vinciguerra in via Meda, alle cinque del mattino. Perché lì? Perché quello non voleva farsi andare a prendere sotto casa, ovvio, ma all'appuntamento all'alba ci andava di certo a piedi, un posto vicino... Non vuole dire niente, non si fa illusioni, ma è qualcosa.

Chiede il conto e saluta lo Stucchi, che si è fatto una bella mangiata gratis e ha raccontato i suoi successi al collega, è tutto contento.

«Poi dimmi se l'hai trovato e se le cose che ti ho detto...».

«Certo, certo». Come no.

Ora sono le dieci e mezza, presto per andare a dormire. Così gira un po' in macchina e finisce in via Meda, e poi in via Palmieri. Al numero 2 c'è un palazzo anonimo, grigio, con un cancello e tanti citofoni, un formicaio, un posto ideale per nascondersi. Non si ferma a guardare, ovvio che non c'è scritto Vinciguerra, sul citofono. Guida ancora, piano, è una cosa che lo aiuta a pensare. Posteggia in via Savona, prende dal cruscotto le solite chiavi e sale nel buco di L.

È buio, e lui accende una piccola luce accanto al letto. Si sdraia, guarda il soffitto, pensa alla sua carriera che se ne va giù per il cesso, a L che probabilmente ci è già andata, a Ghezzi che mette a repentaglio la sua, di carriera, per cosa? Per amicizia? No, anche se è un amico, sì, ma non basta. Lo fa perché Ghezzi ha capito. In qualche modo tutto suo sa perché Carella vuole il Vinciguerra più di ogni altra cosa.

Perché Carella vuole prendere Carella.

Che cazzata, che pensiero assurdo, lo scaccia via, ma quello ritorna. Si addormenta così, vestito e con le scarpe.

Ventitré

Quando Ghezzi arriva in via Palmieri non fa fatica a individuare Carella, la macchina da milionario brilla come un diamante. Sale al posto del passeggero.

«Allora?».

Carella gli dice delle chiacchiere dell'ex sovrintendente Stucchi, delle tre case, e che lui ha scelto quella lì, la più vicina a via Meda, forse la più facile dove nascondersi.

«Il Vinciguerra è qui».

Ghezzi è d'accordo: non ha senso dire a uno vieni a prendermi in quel punto se quel punto è lontano da casa. Però «qui» è molto vago, perché sulla pulsantiera dei citofoni ci saranno sessanta nomi, quattro scale, sei piani per scala, tre appartamenti per piano, il conto è presto fatto.

«È un problema», dice Ghezzi. «Non è che Stucchi si ricorda almeno il piano?».

«Macché, l'ho chiamato prima. Nei suoi taccuini magici non c'è. Ma c'è un altro problema, Ghezzi, io devo andare via due ore».

Cos'è, gli chiede il permesso? Sono diventato il capufficio?, pensa Ghezzi. Ma poi si dice anche che Carella è strano, che ha buttato sangue per trovare il Vinciguerra, rischia la carriera, per lui è la battaglia della vita, e ora deve andare via?

«Vai, io giro qui attorno, magari parlo con qualcuno, spiegami il posto».

«Il cancello, un cortile con quattro scale, doppio citofono, cioè uno deve aprirti il cancello e dopo anche il portone della scala. Non ho fatto domande, aspettavo te che sei più bravo».

«C'è un bar?».

«Due, uno all'angolo e uno più avanti, ma non posti buoni, il cancello non si vede».

«Vai dove devi andare, mi trovi qui».

«Due ore».

Eccolo là, il sovrintendente di polizia Ghezzi, il suo tavolino vicino alla vetrina, il suo cappuccino con tanta schiuma, le sue domande a cui non sa rispondere. Hanno elementi sufficienti per chiamare Gregori, il sostituto procuratore, Ruggeri, e imbarcare il Vinciguerra con tutti i timbri e le firme giuste. Se c'è qualche cronista meglio, penserebbe il sostituto, tiriamo qualche bistecca alle iene. Insomma, il Salina ce l'hanno, e probabilmente verrà fuori anche il suo deposito segreto, perché Ghezzi non ci crede che una prova così... mah, per la verità in trent'anni di carriera ha visto anche di peggio.

E allora? Perché sta lì a fare il doppio gioco? Il raffreddore, Gregori che lo crede in missione per lui, Carella che lo ha arruolato come complice senza nemmeno chiedere. Ma Ghezzi scuote la testa, si compatisce perché non ci riesce. Quando Carella gli dice quel «Parlami, Ghezzi» è perché lui sa astrarsi, sa dividere la realtà vera dalla realtà che fa scopa con le sue ipotesi, è capace di darsi torto, se serve all'indagine. In tutta questa faccenda, invece, non ci riesce, e sa anche perché.

È perché lui, lui Ghezzi Tarcisio, all'ultima curva prima dei sessant'anni, col motore imballato, stanco, sfinito, si è messo in mezzo. È vero che cercava il Salina, è vero che ora cerca il Vinciguerra, ma quello che sta cercando veramente sono quei trent'anni tra il primo arresto, il giovane sbirro che era, e questa nuova caccia, il vecchio poliziotto stremato dalle cose che ha visto. Sono bastate le fossette della Franca per ripensare al Ghezzi di allora, e quei trent'anni che ora gli sembrano dieci minuti, un'ora, un tempo così corto da dire: beh, la vita? Tutto qui? Carella, almeno, ha quel suo sacro fuoco di rendere giustizia alle vittime, servire e proteggere, quelle cazzate lì, con tutto che a proteggere quella L non c'è riuscito, e questo lo manda ai matti.

Ma lui? Lui è solo stanco.

Però, si dice, non è forse nostro compito aiutare le vittime, gli innocenti che si trovano in mezzo? Ecco, Carella ora è proprio quello, un ferito da aiutare.

Fruga nella sua borsa marrone, ne estrae una manciata di tesserini, cartellini, distintivi, e li passa come fossero figurine dei calciatori. Gas, no. Energia elettrica, no. Medico, no. Eccolo: messo comunale, con il suo nome, la sua foto, due firme scarabocchiate che rappresentano il glorioso Comune di Milano, faro della modernità e modello per il paese.

Già sul cancello comincia a fare la parte. Guarda corrucciato i citofoni, entra in cortile. Da quanto ha capito, il cancello è quasi sempre aperto, perché con tutta la gente che sta lì dentro c'è sempre qualcuno che entra ed esce. A una signora che va di corsa chiede se c'è una portineria, è del Comune, deve...

«Magari!», dice la signora. Poi, senza fermarsi, indica il cortile: «La portineria no, ma di portinaie ne trova quante ne vuole».

Spiritosa, poi corre via.

In effetti in cortile c'è una specie di convegno di streghe, tre o quattro, tutte sopra i settanta, fanno crocchio vicino alle biciclette. Una ha un cane al guinzaglio, un bastardino brutto come la fame che si farebbe volentieri una sgambata veloce tra i due alberelli stenti e i bidoni della spazzatura, se non fosse ancorato alla padrona, legato al suo guardrail umano, e allora sta seduto lì, annoiato come un chierichetto. Ghezzi gli fa un sorriso, al cane, e la padrona se ne accorge. Ecco, è sua per sempre. Così si presenta: Ghezzi, messo comunale. E ora ha un attimo di vuoto. Il Vinciguerra non avrà dato il suo vero nome, ovvio. Che nome aveva detto al Romano? Oddio, non gli viene in mente, ha un vuoto, come quando ti manca un gradino sotto il piede. Poi, ecco:

«Sto cercando il signor Ferrari, è per il controllo della domanda di residenza, sui citofoni non c'è... se non lo trovo devo tornare».

Quest'ultima frase l'ha detta come se fosse venuto a piedi dalla Siberia.

Basta poco, comunque, è come tirare due chili di manzo macinato nella vasca dei piranha. Le quattro si guardano. Ferrari? Mai sentito. E poi lì c'è un viavai, gente che entra, gente che esce, italiani, stranieri, lo dica al Comune! Senza contare quelle che battono. Lo scandalo del palazzo è il travestito del quinto piano, scala C, che non disturba la morale, chissenefrega, ma il sonno, perché i suoi amici vanno e vengono a tutte le ore. Non i clienti, che sarebbe il meno, di solito è gente distinta, ma i colleghi, certe stangone brasiliane con le gambe lunghe che se tanto gli dà tanto, pensa che artiglieria, che hanno là sotto. Ma 'sto Ferrari, niente. Poi, siccome la conversazione si sta smorzando, una di loro butta lì:

«Ma non sarà quello nuovo con la moto?».

Parte la giaculatoria sulla moto di questo inquilino nuovo. No, non può posteggiarla lì, ma è una rottura lo stesso, perché ha preso un box nel palazzo accanto, al 4, e arriva di notte o all'alba rombando come un carrarmato e le finestre che danno di là...

«Uno grosso? Biondo?».

Altro cibo per i piranha: biondo? Sì, biondo. Ma sei sicura? Certo che grosso è grosso... Ah, si chiama Ferrari, quello lì? Bell'acquisto per il condominio! Non lo sanno se è lui, ma se è per la residenza dev'essere nuovo per forza, no? Beh, comunque se è lui sta alla scala D, secondo piano, dove prima stava la russa.

«Che russa?». È pur sempre un funzionario del Comune, no?

«Una che batteva lì, ma è tanto che è andata via, poi ne è arrivata un'altra, e adesso questo qui, che almeno non batte, rompe solo le balle con la moto».

«Era meglio se batteva, per me, che ho le finestre proprio lì sopra», questa è la padrona del cane.

«Scala D, secondo piano... va bene, ci provo, grazie». Poi, siccome non ha nessuna intenzione di salire senza Carella, o di farsi vedere se per caso il Vinciguerra entra o esce, indica vagamente il cancello.

«Prima vado a compilare un po' di scartoffie... Grazie, buona giornata». Saluta anche il cane, che gli fa quegli occhi ti-voglio-bene-portami-via-con-te che fanno i cani.

Se Carella mantiene la promessa delle due ore non manca molto. Si avvia per via Palmieri. Il portone vicino ha due entrate, la porta con i citofoni e un cancello, aperto, che dà su una rampa che scende verso una fila di box, cinque. Ancora cento metri ed è di nuovo al bar, anche se non consuma, sfoglia la *Gazzetta* e guarda la gente che entra ed esce, dev'esserci un mercato rionale vicino, perché c'è una processione di madonne della spesa, chiacchiere, sporte di plastica gonfie. Poi arriva Carella, ordina il caffè e sta in piedi accanto a lui.

«Il Vinciguerra, se è lui, io ho cercato un Ferrari... sta al secondo piano, scala D. Ti risulta che abbia una moto?».

«Moto? No, mai sentito».

«Beh, questo ce l'ha, e la tiene in un box nel palazzo a fianco, torna alle ore più assurde, ma soprattutto a notte fonda o all'alba».

«Cazzo, Ghezzi, non ti si può lasciare solo un attimo! Sai anche chi ha ucciso Kennedy?».

«Le quarantott'ore scadono, Carella. Io domani alle otto vado da Gregori e vorrei portargli qualcosa, più gli portiamo e più ci leviamo di dosso un po' di merda, ci hai pensato? So che tu vorresti dargli il Salina e il Vinciguerra, ma anche portargli solo il Salina e dirgli dove sta quell'altro sarebbe un bel colpo».

Carella ci pensa, Ghezzi, invece, sobbalza. Gli è venuto in mente che... cazzo! Prende il telefono e cerca un numero.

«Franca!».

«Ciao, Ghezzi, dimmi».

«Dove siete?».

«Come dove siete, ci hai detto di stare qui, stiamo qui... tra l'altro... è bellissimo, Ghezzi, forse ce la teniamo, questa casa».

«Franca, non farti troppi viaggi, per i prossimi anni il Salina ne avrà un'altra di casa, eh! Piccola, affollata e con le sbarre alle finestre».

Però, che scemo, perché farla piangere?

«Vabbè, cos'avete fatto?».

«Un giro in paese, una pizza, televisione, dormire... Adesso vado a vedere 'sta famosa palude che sembra l'attrazione del posto».

«Dai, andate, appena possiamo veniamo a prendervi. Il tuo Pietro ha capito bene cosa gli conviene dire al giudice?».

«Stai tranquillo, Ghezzi, glielo faccio io l'interrogatorio, lo alleno...».
«Brava». Lei esita.
«L'avete trovato?».
«Ciao, Franca, tieni acceso il telefono, eh!».
Sente un piccolo sollievo.
E ora?

Ora tocca a Carella vincere l'Oscar, perché il 4 di via Palmieri la portiera ce l'ha e si affaccia alla porta della guardiola appena lui bussa piano al vetro. È una signora sui quaranta, in jeans e maglioncino, quasi elegante. Ha lo sguardo dei guardiani, naturalmente sospettoso, ma anche ironico. Gli occhi dicono: «Chi è questo?».
Lui mostra il tesserino con l'aria più annoiata del mondo.
«Polizia, signora».
«Oddio, cosa c'è, mi dica, ispettore».
«Sovrintendente... niente, signora, una rottura semplice semplice... nei box qui sotto... c'è uno che ci tiene una moto?».
«Sì, quello nuovo... Ferrari, mi sembra che si chiama, perché?».
Carella fa la faccia della vittima di grave ingiustizia. Spiega che ci sono stati dei reclami, che chissenefrega, se fosse per lui uno nel suo box ci può mettere anche una ruspa, ma una delle streghe del civico 2 che si lamenta è la vedova di un collega, e ha chiamato il capo, e il capo l'ha mandato lì a fare il vigile urbano. È un racconto struggente: il poliziotto che dovrebbe ar-

restare gli assassini e schivare le pallottole che invece è costretto a fare il boy scout contro i rumori molesti. Lei capisce, ride.

«Uh, quelle là! Quella col cane, ci scommetto!».

«Senta, signora, per come l'ho capita io è uno che lavora di notte, magari ora dorme, non vado a rompergli le scatole. Mi fa una cortesia? Quando lo vede gli dica che è passato uno della polizia, di far piano con la moto di notte, di spegnerla fuori dal cancello, così io ho fatto il mio e tutti sono contenti, va bene? Me lo fa 'sto piacere?».

«Ma certo!».

«Che poi, che moto sarà che ne parlano tutti come se atterrasse un aereo?».

«Ah, io non me ne intendo, è mio figlio che ci fa una malattia... Sandro! Sandro!». Dalla guardiola si affaccia un ragazzo alto come un cipresso, di quelli alti. Avrà quindici anni. «Che moto ha quello nuovo?».

«È una Bmw GS 1200, bellissima, tipo Parigi-Dakar, ma più figa...».

«E il box qual è?», chiede Carella, con l'aria più scazzata che gli riesce.

«L'ultimo in fondo... secondo me non dà fastidio a nessuno, però va bene, commissario, glielo dico».

«È commissario?», chiede il ragazzo.

«Sovrintendente».

«E ce l'ha la pistola?».

«Sì, ma non qui, oggi non devo sparare a nessuno».

«La moto è dentro, comunque, non è ancora uscito, perché non sale da lui?».

Carella la guarda sconsolato.

«Io è un pezzo che ho finito il turno, signora, è dalle quattro che sono in giro, e adesso stacco e vado a dormire».

«Va bene, ci penso io...».

Ghezzi lo aspetta sul marciapiede: «Vieni, mangiamo qualcosa». È quasi l'una.

Così vanno al bar, non quello di prima, quell'altro, e mentre camminano Carella fa una telefonata, non ci spera molto, e invece...

«Pronto». Una voce assonnata.

«Buongiorno, principessa, sono quello che è rimasto vivo per te, ti ricordi?».

«Uh, il cowboy misterioso! L'hai trovato il tipo che cercavi?».

«Senti... aveva una moto?».

«Moto?».

Ok, l'ha svegliata, ma cosa c'è di difficile da capire nella parola «moto»?

«No, a casa... al mio studio voglio dire, ci siamo andati a piedi... poi per andarsene ha chiamato un taxi... uno con la moto non lo fa, giusto?».

«Giusto. Ok, grazie, scusa se ti ho svegliato».

«Figurati, un giorno di questi puoi venire a svegliarmi meglio, cowboy».

Il panino di Ghezzi fa schifo, Carella beve solo un caffè, sembra calmo, rilassato, e questo è strano, perché ora dovrebbe essere teso e attento come un cane da punta quando vede il fagiano.

«Parlami, Ghezzi».

Sì, gli parla. Anzi, è tutta la mattina che si dice che deve parlargli, e non sa da che parte cominciare.

«Senti, Carella, ci ho pensato... Forse è ancora possibile mandare in galera il Vinciguerra perché è un assassino, il Salina perché è un cretino, e uscirne abbastanza puliti, so che sei nella tua fase nichilista e dell'ultima parte non te ne frega niente, ma a me un po' sì».

«Io non ti chiedo niente, Ghezzi, sono io che affondo, tu non c'entri».

«Col cazzo, Carella, se vuoi sapere le leggi e i regolamenti che ho infranto fin qui parliamo fino a stasera. Meno di te, forse, ma...».

«Dai, sentiamo la tua idea».

«La mia idea è questa. Il Vinciguerra ha il suo covo, si sente al sicuro al punto da essere già popolare nel quartiere perché sveglia la gente di notte con la moto, di certo non scappa oggi. Io vado in questura e mi siedo alla mia scrivania. Dopo mezz'ora che sono lì arriva il Salina, magari con la Franca in lacrime, e chiede di me, perché sono il primo che l'ha arrestato, trent'anni fa, e certe cose non si scordano. Mi racconta una storia strana che ha a che fare con l'omicidio Crodi, così io lo ascolto, poi chiamo Gregori e Ruggeri e lui la racconta anche a loro, che chiamano il sostituto, eccetera, eccetera. Per prima cosa verranno a prendere il Vinciguerra e poi... che la storia faccia il suo corso. Speriamo che il Salina sappia recitare e che nessuno scopra il suo nascondiglio, ma insomma, è un testimone oculare del delitto, quando i fari puntano sul Vinciguerra è quasi fatta».

«La fai semplice».

«No, ti dico come vanno le cose se tutto fila liscio, gli imprevisti possono sempre capitare, ma se le cose vanno come devono andare...».

«Ti dico io cosa può andare storto... tante cose, Ghezzi. La prima, la più stupida: Gregori ti dice di indagare su di me e tu gli porti un ladro e un assassino, non ci vuole Einstein per fare due più due».

«Questo lascialo fare a me. Per Gregori ci inventiamo una storia... non so... che hai preso le ferie per salvare qualche principessa dal drago, per dare una lezione a qualcuno... è il tuo stile, no? Basta condirla bene... e per Gregori che risolve un caso su cui stanno sbattendo la testa al muro da un mese non sarai il primo pensiero, giusto?».

«Ammettiamo che funzioni, ci sono altri due problemi... Uno lo conosciamo, è il Salina. Non mi sembra un genio, e tutto poggia sulla sua versione... uno che non conosceva gli ha promesso duemila euro per aprirgli una porta, lui l'ha fatto e se n'è andato. Poi ha letto i giornali e ha capito di essere nella merda nera. È scappato. La sua donna, che ci sta con la testa, lo ha raggiunto e lo ha fatto pentire, lo ha convinto a parlare, perché qualche anno per scasso è diverso da un ergastolo per omicidio. Bene, però ci mettiamo nelle mani di un balordo, se qualcosa va storto quello spiffera tutto sui due sbirri che l'hanno aiutato a costruire la storiella...».

«È vero, ma il Salina non gioca solo con le vite nostre, gioca soprattutto con la sua... Non è che possiamo fare molto... dimmi l'altro problema».

«La 7,65, quella con cui ha sparato al Romano. Quando la trovano, una pistola che ha sparato da poco... si chiederanno a chi ha sparato il Vinciguerra. Prima o poi quei proiettili nel muro li scoprono, e se viene fuori il Romano noi siamo fottuti».

Ghezzi riflette. Sì, è vero, non ci aveva pensato.

«È per quello che dobbiamo salire e parlare con lui, se troviamo la pistola bisogna farla sparire».

«Occultamento di prove, Carella. Favoreggiamento. Intralcio alle indagini...».

Carella sbuffa.

«E poi... non si terrà la pistola con cui ha sparato a un tizio sotto il cuscino, no? Va bene che è scemo, ma...».

Ma non è questo che Ghezzi vuole dire a Carella. Parlami? Va bene, gli parla.

«Perché, Carella? Perché tutto questo? Il dolore, lo capisco, l'impotenza, va bene, faccio il poliziotto da più tempo di te, lo so come funziona... Ma cazzo, non devi perdere di vista il risultato. Se facciamo come dico io, se il Salina fa la sua parte, il Vinciguerra si becca vent'anni come minimo. Se invece viene fuori che abbiamo truccato le carte noi finiamo nella merda e il suo avvocato fa il diavolo a quattro... c'è il rischio che la faccia franca, non lo vuoi, questo, vero? Oppure vuoi proprio questo così puoi pensarci da solo?».

Carella non dice niente, ma Ghezzi è deluso da se

stesso. Di solito è così bravo a mettere in fila le cose e invece questa volta non ci riesce.

«Cos'è che ti sta ammazzando, Carella? La ragazza che sta là all'ospedale? O lo fai per te? Lo sai che il Vinciguerra è uno stronzo come un altro, andiamo, quanti ne abbiamo visti? Hai una vita davanti, non come me che sono quasi arrivato, tu puoi prenderne ancora decine, di pezzi di merda, perché vuoi rovinarti? Ti rendi conto che è autolesionismo? Sei lucido abbastanza da capirlo?».

È un discorso da amico, a Carella non piacerà. Infatti sbuffa ancora.

Vorrebbe parlargli dei cerchi nell'acqua ferma, e dirgli che questa volta è davvero una questione personale, una faccenda privata. Vorrebbe dirgli che è stanco, svuotato, che mentre loro stanno lì a discutere al bar, L, la ragazza L, la tossica, si fa spingere l'aria nei polmoni da una macchina. Invece dice solo:

«Non è giusto».

Ora è Ghezzi che sbuffa.

«Cristo, Carella... giusto, sbagliato... sembra che hai messo la divisa ieri mattina».

Ma l'altro scantona.

«Se non la tiene a casa, dove l'ha messa la pistola?».

Ghezzi sospira. Niente da fare, quando lo porti su un terreno minato Carella scappa, preferisce trovarsi davanti a un assassino che davanti a se stesso. Va bene, si arrende, lo segue.

«Io l'avrei fatta sparire, una pistola con cui ho fatto un agguato, quello è scemo, non si sa mai, ma non credo così scemo da tenerla in casa».

«Scemo è scemo, sì, ma quanto? Forse è solo un pochino meno scemo e la tiene nel box...».

Ghezzi non ci crede, ma vede lo spazio per un compromesso.

«Ce la fai a guardare nel box?».

«Non lo so, ma posso provare».

«È rischioso».

Carella alza le spalle, così fanno un piano. Ghezzi va in questura e avverte la Franca di portargli il Salina, come se venisse di sua sponte, contrito e pentito. Ora che lo sentono una, due, mille volte, dal Vinciguerra ci arriveranno domani, magari Ghezzi darà un aiutino. Così lui ha tempo di cercare la pistola nel box, se ci riesce. Ma su, in casa dello stronzo, non deve salire.

«Capito?».

«È un lavoro a metà, Ghezzi».

«Sì, è un lavoro a metà, e noi non dovevamo fare nemmeno questa metà».

Carella ci pensa, fa i suoi conti, probabilmente ci sta mettendo dentro tutto, lui, L, la bella avvocata, la rinuncia ad appoggiare la canna della pistola sulla fronte del Vinciguerra, farlo inginocchiare e guardarlo negli occhi mentre si caga addosso e vede la sua vita gocciolare nel cesso, una cosa a cui teneva.

Non è convinto, ma combatte. Ghezzi pensa che forse ci sta mettendo, nel suo calderone ribollente, anche l'amicizia con il suo socio, il collega anziano. Un po' lo spera, ma è solo un attimo di debolezza.

«Va bene, facciamo così».

«Non prendermi per il culo, Carella, non dire va-bene-va-bene come a una vecchia moglie, se mi dici che ci stai io vado, ma stai ai patti, non fare cazzate... e non farti beccare mentre guardi nel box, va bene? Mi fido? Ricordati che hai in mano anche la mia, di carriera...».

«Vai, Ghezzi, d'accordo così. Parola».

Per andare in questura gli basta salire sulla M2, la linea verde, ma deve camminare un po'. Meglio, pensa Ghezzi, così sistemo i dettagli. Deve fidarsi del Salina, e anche di Carella, ma che altro può fare? Cammina piano, misura i passi, sembra un messo comunale stanco di andare in giro, e gli suona il telefono.

«Ma Tarcisio!».

«Oddio, Rosa, cosa c'è?».

Non lo chiama mai mentre sta lavorando, forse perché si immagina che stia interrogando qualcuno, o inseguendolo con la pistola in mano, non sa che la maggior parte del tempo fa l'impiegato...

«Tarcisio, è bellissima! Ma quanto hai speso, sei matto? Questa è di lusso!».

La lavatrice, se n'era dimenticato.

«Va bene, Rosa? Le misure sono giuste?».

«È perfetta, Tarcisio! E il computer?».

«È un regalo, Rosa, così non invecchi più aspettando che si apra una pagina».

«È troppo, Tarcisio!».

Troppo? Che cazzo vuol dire troppo? Una vita passata ad aspettarlo sul divano, a vederlo tornare stanco, a guardarlo mentre beve il caffè alla mattina che già pensa alle rogne della giornata, alla sua immersione quotidiana nel mondo dei miserabili... Una vita a risparmiare i centesimi... Troppo?

«Vedi se sei capace di usarlo, Rosa, poi mi dici se ti piace anche quello».

«Grazie, Ghezzi». Lo chiama col cognome solo quando il momento è solenne.

«Rosa, io avrò una giornata difficile, non so a che ora torno, non aspettarmi alzata...».

«Stai tranquillo, io ho da fare qui», ride. «Farò qualche lavatrice».

Ride anche lui.

Poi, visto che ha in mano il telefono, fa un'altra chiamata, la Franca. Le spiega tutto, cosa fare e come farlo.

Quando arriva in questura sono le due e dieci, c'è Sannucci che finge di stupirsi. «Come si è rimesso bene, sov, bentornato! L'aspirina ha fatto miracoli, vedo!».

«Stai zitto, Sannucci».

«Sì, sov, anch'io sono contento di vederla!».

Ventiquattro

Alle quindici e venti l'agente dell'ingresso viene a dirgli che ci sono due persone che chiedono di lui, Ghezzi si finge seccato.

«Io ho da fare, qui, mandali da qualcun altro, vedi se Sanna è libero».

«Dice la donna che parlano solo con lei, se no se ne vanno. Dice che è importante».

«Che palle, falli salire».

Quando si siedono davanti a lui, Sannucci va e viene per delle pratiche sue, poi si ferma. Ghezzi fa le presentazioni: lui è il suo primo arresto, trent'anni fa, Pietro Salina, furto e scasso. Lei è la sua donna, Franca, vecchie conoscenze. Sannucci pensa che Ghezzi sia una specie di mago. Cercava di nascosto da Gregori questo qui e, oplà, questo qui si presenta spontaneamente.

Franca comincia a raccontare, ma Ghezzi la stoppa subito.

«Scusi, signora, faccia parlare lui». Giusto. Severo. Seccato.

E il Salina racconta. Ad ogni frase Ghezzi si fa sempre più attento, Sannucci ha gli occhi fuori dalle orbite.

«È tutto?».

«È tutto, commissario».

«Sovrintendente».

Ottimo, ma è solo l'ouverture, l'opera deve ancora incominciare.

«Sannucci, vai a chiamare Ruggeri, subito», dice Ghezzi. Poi prende il telefono e fa l'interno di Gregori.

«Ma guarda chi si sente, Ghezzi. Cosa vuoi? Le quarantott'ore del tuo raffreddore scadono tra poco, sarà meglio che...».

«Capo, mi fa una cortesia? Venga giù nel mio ufficio».

«Vieni su tu, Ghezzi, cos'è, sono il tuo cameriere?».

«Venga, capo, mi dia retta, ho chiamato anche Ruggeri, novità sul caso Crodi».

Non succede mai che Gregori scenda nelle stanze della plebaglia, ma stavolta farà un'eccezione.

Il Salina ha ripetuto la sua storia davanti al capo e a Ruggeri – la Franca l'hanno fatta uscire – stanno tutti zitti, come tramortiti. Gliela fanno ripetere un'altra volta. Poi un'altra ancora, e lui la racconta sempre uguale, senza contraddizioni. Stava al bar, gli hanno offerto un lavoro, aprire una bottega sui Navigli, per uno scherzo, infatti non era di notte, ma di mattina, prima che arrivasse il padrone. Duemila euro, mica male. Si era incontrato col tizio, erano andati là, lui aveva tagliato un filo e aperto una porta, incassato i duemila e tanti saluti. Il giorno dopo aveva letto dell'omicidio e si era spaventato. Prima, di essere accusato lui, e anche che l'assassino lo cercasse per farlo tacere. Quando aveva chiamato la sua donna, agitato e confuso, lei lo aveva raggiunto là vicino alla palude, nella casa della zia, avevano parlato e lei lo aveva convinto: forse se li aiutava a prendere un assassino...

Poi era iniziato il fuoco di fila, il tirassegno.

«Lo sai il nome?».

«Vinciguerra, mi ha detto. Alessio Vinciguerra».

È una variante che gli ha suggerito Ghezzi.

«Perché sei andato là, vicino a Varese?».

«Era casa di mia zia, non sapevo dove scappare».

«Perché hai scassinato una porta per aiutare uno sconosciuto?».

«Non sembrava uno che voleva rubare. Mi ha detto che era uno scherzo, che il vecchio era suo amico, lui era uscito di galera e voleva fargli una sorpresa».

«E per duemila euro».

«Sì, soprattutto per duemila euro».

Intanto Sannucci è arrivato coi fascicoli del Salina, le condanne, la sua biografia da delinquente come l'hanno scritta i tribunali.

È Gregori che comanda il gioco, anche se le domande possono farle tutti.

«Non prendermi per il culo, Salina. Tu sei un ladro. Vuoi farmi credere che accompagni uno lì, apri una porta di un posto pieno di tesori e te ne vai a mani vuote... dai, cazzo, aggiustala, te lo dico in amicizia prima che arrivi il sostituto».

Ghezzi sa bene perché Gregori è il capo. È uno sbirro in gamba. Ma il Salina tiene il punto, giura e rigiura, mette la mano sul cuore, fa anche il discorsetto sulla sua etica di ladro, anzi ex ladro, perché lui non ruba più e non può tacere su un omicidio. Falso come un politico, ma convincente, perché si gioca veramente la vita, e ce la mette tutta.

Ghezzi pensa: «Non esagerare, Salina».

Alle cinque e mezza è arrivato il sostituto procuratore Stefano Felisi, che sta dietro al caso dall'inizio insieme a Ruggeri e da un mese riceve tonnellate di merda dalla stampa. Ha l'eleganza trascurata di quelli che sono eleganti davvero, è noto per alcune inchieste importanti, roba politica, che l'ha portato sui giornali, è considerato un duro, non uno che si fa fregare facilmente. Il Salina racconta tutto anche a lui, stessa versione.

Sannucci ha ascoltato muto per tutto il tempo, e ogni tanto ha scrutato Ghezzi. Però non dice niente, anzi, a un cenno di Gregori corre via e torna con i fascicoli del Vinciguerra. Il sostituto legge in pochissimi minuti.

«Lesioni e minacce... l'imputazione iniziale era tentato omicidio», dice, «... è uscito da Bollate il 7 settembre, il 15 ha ucciso il Crodi, veloce 'sto campione... sembra uno che ammazza di botte la gente».

Ora c'è un altro fuoco di fila. Dove ti ha contattato? Come sapeva che tu fai quei lavori?.

«Mah, forse qualcuno in galera che gliel'ha detto».

E poi percorsi, orari, cos'ha detto quello, cos'ha detto lui, dove ha messo i duemila euro. Il Salina risponde a tutto, nel portafoglio ha milleseicento euro, gli altri li ha spesi mentre si nascondeva.

Il sostituto ha firmato il mandato d'arresto, perquisizione, acquisizione di materiale probatorio o utile alle indagini. Ruggeri, operativo, chiama uno della scientifica, gli dice di incrociare le impronte del Salina e del Vinciguerra, stanno nei fascicoli, con quelle che hanno raccolto sulla scena del delitto Crodi.

Il Salina, che sente la telefonata, dice: «Io non sono entrato, quindi impronte mie là non ne trovate, e comunque avevo i guanti, quindi non le trovate nemmeno sulla serratura».

«Ti ricordi se li aveva anche lui, i guanti?».

«Non so, se li aveva li ha messi là dentro, quando stava in macchina con me no».

Gregori: «Dammi il tuo telefono».

Salina: «Non ce l'ho più il telefono. L'ho buttato, avevo paura di essere rintracciato con quello».

«Dove l'hai buttato?».

«Nella palude».

Tanti saluti al cazzo.

Ruggeri ha portato la Franca in un'altra stanza e ha fatto anche a lei il terzo grado. È tornato dopo mezz'ora dicendo che le versioni coincidono, cioè lei sa quello che le ha detto il Salina, e sono le stesse cose che ha detto a loro, con un po' più di melodramma. L'ha lasciata di là, a piangere, in stato di fermo.

Vanno avanti col Salina, ormai sono ore, sono tutti stanchi ma l'adrenalina li tiene in piedi, il Salina, invece, pare distrutto, ma sa come funziona, non molleranno finché non troveranno un buco nella sua storia. E i buchi ci sono, a Ghezzi che la conosce tutta per bene sembrano voragini.

Il sostituto si rivolge al Salina, dritto, guardandolo negli occhi.

«Lei ci vuole convincere che ha fatto una leggerezza stupida per duemila euro, ma non vuole coprire un assassino... un buon cittadino, non buonissimo, ma conta sul suo... sussulto civile, diciamo. Vedremo. Però io l'avverto. Qui non si fanno patti, e i fatti sono più pesanti delle parole, e noi i fatti li verifichiamo tutti, fino all'ultima virgola».

«Bene, i fatti sono quelli che vi ho detto».

Ghezzi esce dalla stanza e manda un messaggio a Carella.

«Dimmi che è tutto ok, perché qui manca poco». Poi va in bagno. Mentre sta pisciando sente il plin del telefono.

«Tutto bene, è uscito a piedi e rientrato, se esce ancora sarà stasera tardi. Quello che cercavamo, niente».

Vuol dire che non ha trovato la pistola. Il Vinciguerra è meno cretino di quanto speravano.

Ora sono le undici di sera, il Salina ha ripetuto la sua storia cento volte, anche quella definitiva, che Sannucci ha battuto al computer sotto dettatura e lui ha firmato in tre copie. Il sostituto invece ha firmato un mandato di cattura per Alessio Vinciguerra, nato a, il, eccetera eccetera, sospettato di omicidio volontario in concorso, scasso e furto, le stesse imputazioni del Salina. Ha firmato anche i moduli per le perquisizioni.

Gregori dà disposizione per cercare il Vinciguerra, casa, dove non sarà, ovvio, locali, frequentazioni, Ruggeri ha la bava alla bocca, non vede l'ora di partire per la caccia. Ma il Salina li gela tutti: «Ma io lo so dove sta!».

È una cosa che gli ha suggerito Ghezzi. Se si mettono a far domande in giro sul Vinciguerra sapranno subito che c'era un altro che lo cercava, scopriranno che è Carella, Gregori diventerà una belva.

«Ma sì, quando dovevo andare a prenderlo mi ha dato un indirizzo... non so se sta lì veramente, ma dopo ci ha ripensato e mi ha detto di raccoglierlo in via Meda».

«Dai, Salina, ma sei scemo?».

«Via Palmieri 2».

«Come sei andato a prenderlo?».

«Ve l'ho detto, non l'ho caricato lì... comunque in macchina».

«Che macchina?».

«Una 500 di quelle grosse che avevo preso a noleggio, perché la Franca era mesi che mi rompeva le balle che voleva andare all'Ikea e alla fine volevo accontentarla».

«E cosa avete comprato all'Ikea?».

«Niente, perché non trovavamo un giorno buono, e poi è successa la storia e non ci siamo andati».

«E adesso dov'è, la macchina?».

«L'ho restituita. A Malpensa, era sulla strada per andare là nella casa della zia e ho pensato che...».

Sannucci guarda ancora Ghezzi nel modo di prima. Ruggeri esce e va nella stanza dove c'è la Franca. Torna dieci minuti dopo.

«La signora dice che dovevano andare all'Ikea, ma che lui tirava in lungo e alla fine non ci sono andati».

Il sostituto ordina di accompagnarla a casa, che non si allontani, devono risentirla, il Salina lo portano via, lo risentiranno ancora, e ancora, e ancora mille volte.

Ghezzi ha assistito come uno spettatore che conosce già la commedia, ora vede la macchina che si mette in moto e pensa che Ruggeri è proprio bravo. Davanti a Gregori e al sostituto distribuisce i compiti. Subito perquisizioni dal Salina, il domicilio, la casa della zia e tutti i posti che trovano, i mandati ce li hanno, alcuni firmati in bianco dove devono solo mettere l'indirizzo. Poi i riscontri. Le impronte, prima di tutto, l'autonoleggio, il bar, le telecamere della zona intorno alla bottega del Crodi. Ora che il Salina gli ha detto che macchina guidava e il percorso che ha fatto possono cercare se c'è qualcosa.

Poi parlano di come prendere il Vinciguerra. Ghezzi prepara la sua borsa marrone e fa per uscire dalla stanza.

«Dove vai, Ghezzi?».

«Capo, l'indagine è di Ruggeri».

«Che cazzo dici, Ghezzi, ci porti la soluzione dopo un mese che caghiamo vetro e vai a casa?».

«Ma che "ci porti", capo! L'unico merito è di aver messo dentro il Salina trent'anni fa! Mi ha trovato lui, casomai!».

Gregori lo conosce bene e non si stupisce, il sostituto Felisi invece lo guarda con una certa ammirazione. Risolvere un caso così, prendersi il merito, vuol dire schizzare in avanti almeno di un grado, andare sui giornali, diventare uno sbirro famoso. E invece questo Ghezzi...

«Se posso dare una mano sempre a disposizione, capo. Ma l'inchiesta è di Ruggeri, non frego il caso a un collega, soprattutto se per un colpo di culo il caso si mette bene».

«Vada, sovrintendente Ghezzi, resti a disposizione, ovviamente, che avremo bisogno di un milione di verifiche», dice il sostituto.

Il Vinciguerra decidono di andare a prenderlo all'alba, cioè tra sei ore, più o meno. Gregori prenota quattro volanti e otto uomini, più quelli che stanno lì.

Il sostituto fa il discorsetto che tutti si aspettano:

«Siamo in cinque, in questa stanza. Se da qui esce una notizia, anche solo uno spiffero, anche solo un minimo dettaglio di quello che si è detto, non mi interessa sapere chi è stato, denuncio tutti e quattro voi, vi rovino, capito?».

Gregori fa la faccia offesa: non si parla così ai suoi uomini, cioè, lui può, ma...

All'una meno dieci Ghezzi raggiunge il portone di casa, si è fatto accompagnare da Sannucci, che scappa via per dormire almeno un paio d'ore. E lì c'è il missile nero di Carella. Ghezzi sale al posto del passeggero.

«La rendi o no, questa macchina? Cazzo, sembri lo sceicco del Brunei».

«Domani, un po' mi dispiace».

«Dovevi fare il delinquente, Carella, secondo me sei portato».

Gli racconta tutto, la deposizione del Salina, i riscontri che stanno facendo e anche i buchi che lui vede come botole sotto i suoi piedi, Carella ascolta, attento. Anche lui cerca le curve strette, quelle dove il Salina può incartarsi, e ce ne sono un paio che...

Poi fa il suo rapporto. Aprire il box è stato facile, è bastato un passepartout, entrarci un po' meno perché la portiera del numero 4 l'aveva già visto in faccia, ma c'è riuscito. Apparentemente non c'era nessun nascondiglio, la moto, due casse di vino e nient'altro.

«Nient'altro?».

Nient'altro. E buonanotte.

Venticinque

Per prendere il Vinciguerra hanno messo in piedi un'operazione che pare lo sbarco in Normandia. Macchine e uomini. In divisa, in borghese. Cani. Ma poi Ruggeri si è fatto più astuto. Ha posizionato tutti a coprire possibili vie di fuga, ha mostrato la foto del Vinciguerra a due o tre persone già sveglie alle sei del mattino e ha scoperto che lì si fa chiamare Ferrari, piano secondo, scala D. È salito con un agente, altri due alla base delle scale.

Nessuna resistenza.

Il Vinciguerra ha aperto in mutande, assonnato, Ruggeri gli ha mostrato il mandato di cattura e gli ha messo le manette, poi l'hanno portato in questura, mentre lui è rimasto a dare un'occhiata veloce. Sa che ci dovranno tornare decine di volte per i riscontri, ma intanto... Una bustina di coca, poca roba, saranno dieci grammi, uso personale, un paio di coltelli brutti da vedere, ma stanno nel cassetto della cucina. Niente armi, due telefoni. C'è un cassetto con dei soldi. Due o tre anni del mio stipendio, pensa Ruggeri. Non li tocca, ma il rumore del cassetto chiuso di scatto, con rabbia, suona come un vaffanculo. Il Vinciguerra non ha detto una parola.

Continua a tacere anche in questura, anzi no, qualcosa dice:

«So come funziona, non dirò niente se non ho qui accanto il mio avvocato. È tutto».

Ghezzi è stato invitato al primo interrogatorio.

Alle dieci il signor avvocato si è degnato di arrivare, è lo stesso che ha fatto avere al Vinciguerra un grosso sconto sui dodici anni che meritava, trasformando un tentato omicidio in lesioni. Ghezzi ricorda il nome perché Carella gliene ha parlato a lungo, un'arringa vergognosa, non contro uno che aveva rovinato per sempre una ragazza, ma contro la giovane tossicomane che lo accusava. Una puttana mezza morta e una tossica mezza viva, un pezzo di merda sul banco degli imputati e un avvocato che gli salvava il culo, che ora è lì, giacca, cravatta, una borsa di pelle gonfia come un vitello grasso. Carella lo odierebbe apertamente, se fosse lì. Ghezzi no, prova solo disprezzo.

L'imputazione è furto con scasso e omicidio volontario. Il Vinciguerra e l'avvocato fanno a gara a chi è più stupito.

Chi? Il Crodi? Mai sentito, se non sui giornali. Quando? La mattina del 15 settembre? Forniremo tutti i movimenti del mio assistito. Furto? E dov'è la refurtiva? Un superteste che parla? Impossibile, ma siamo pronti al confronto. Poi la solita filippica. L'accusa è gravissima, le prove non si vedono, c'è la parola di un ladro che ha ammazzato la sua vittima e che ora cerca uno a cui affibbiare la colpa.

Il Vinciguerra rimane in stato di fermo, Gregori e Ruggeri improvvisano una riunione operativa alla macchinetta del caffè per dirigere il traffico dei riscontri, poi decidono di vedersi dopo pranzo, quando forse sapranno qualcosa di più, il sostituto tornerà anche lui e Gregori sale nel suo ufficio.

«Vieni su da me, Ghezzi».

E poi, quando sono seduti comodi, separati da quella scrivania che sembra una catena dell'Himalaya di carte e faldoni:

«Che ne pensi, Ghezzi?».

«Non lo so, capo. Il Vinciguerra sembra molto sicuro di sé, vedrà che verrà fuori anche un alibi. Bisogna sperare nelle impronte, nei telefoni, magari».

«Dimmi di quel Salina».

«Dimmi cosa, capo? È stato il mio primo arresto, a occhio e croce mi sembra un coglione, ma è anni che non lo incrociamo, o fila dritto, non credo, o non lo abbiamo mai beccato. Comunque non lo stavamo cercando, venire qui a raccontare quelle cose... beh... mica lo costringeva nessuno».

«Pare che lo ha costretto la sua donna, a schiaffoni... lo sai che lavoro fa la signora, Ghezzi?».

«Sì, e allora?».

Gregori guarda l'orologio.

«Dimmi di Carella, Ghezzi, hai dieci minuti, cerca di essere convincente mentre salvi il culo al tuo amico, perché non ho tempo per queste cazzate, adesso, ma poi lo trovo e vi faccio il contropelo».

«Si è allarmato per poca roba, capo, mi creda».

Mette su la storia di una signorina a cui Carella tiene un bel po'... ma non in quel senso, capo, cioè, non è una fidanzata o altro... un'amica forse, o un'informatrice... Insomma, era venuto fuori che l'avevano menata per bene, spaventata a morte. La ragazza è un'indipendente, alto livello, e questo non piace a un brutto tipo che se la tira da piccolo boss. L'hanno picchiata, poi fatta inginocchiare, le hanno messo una pistola in bocca e le hanno detto che tutti i lunedì sarebbe venuto uno di loro a ritirare diecimila, annuire se ha capito... uno... due... lei aveva annuito.

«Così me l'ha raccontata Carella, capo, era incazzato come un cobra».

Gregori tace.

Allora Carella, che già è stanco e consumato dai suoi fantasmi, ha preso le ferie per cercare questo piccolo boss che mette la pistola in bocca alle ragazze, e naturalmente l'ha trovato.

«E ora dov'è questo coglione?».

«Non so, capo, ma credo che se ha un ortopedico bravo sarà in un letto da qualche parte. Non da solo, Carella ha sistemato anche due o tre scagnozzi, sembrava soddisfatto delle sue vacanze».

«Sembri contento di avere una specie di Rambo come socio, Ghezzi, ti sei rincoglionito anche tu?».

«Senta, capo...».

Vorrebbe dirgli tutte le cose che ha in testa, quelle che da giorni non riesce a dire nemmeno a se stesso. Ma non lo vede che vita di merda facciamo? Non vede come ci mangia, come ci corrode? E Carella è corroso più degli altri, perché ne fa una faccenda personale, sempre. Una puttana non ci viene qui a denunciare, perché noi raccogliamo la denuncia, grazie, buongiorno, firmi qui, tanti saluti, stia tranquilla, e poi quella torna a casa a farsi ammazzare. Carella ha mandato all'ospedale un paio di farabutti durante le sue meritate vacanze? Embè? C'è una denuncia? Qualcuno si è lamentato? Il mondo ne soffre molto? Gli ha chiesto della macchina. È una chilometro zero di quelle che mandano alle fiere e alle esposizioni, gliel'ha prestata un suo amico che fa il concessionario, gli serviva per sembrare un delinquente. La bisca dei calabresi, uguale, cercava il tipo e doveva farsi notare. Una cosa privata. Una sua polemica.

Gregori ha sulla faccia il sorriso del gatto che vede un moscone.

«Me la chiami polemica mandare la gente all'ospedale? Ghezzi, non credo nemmeno a una parola di questa storia, è tutto troppo semplice e sbrigativo... Carella? Ma niente, capo, ha solo mazzolato dei cattivi, ora torna qui e ricomincia a lavorare con i mandati come tutti noi... ti sembra sensato, Ghezzi?».

«Sensato o no, questo è quello che ho scoperto e che mi ha detto Carella... Domani torna dalle ferie e... non so, capo, gli faccia pure il culo, mi sembra giusto, ma mi sembra anche un peccato veniale, nessuno piange se un balordo che si crede Al Capone prende un po' di botte, sa com'è... la vita dà, la vita toglie».

«Col cazzo, Ghezzi, non funziona così. Non ci sono peccati veniali e peccati mortali, ci sono reati scritti nel codice penale, cose che non si fanno, e se sei uno sbirro si fanno ancora meno».

Ghezzi si alza.

«Dove vai, non ho finito».

«Aveva detto dieci minuti, capo».

«Qui dentro i minuti durano quanto cazzo dico io, Ghezzi!».

Poi suona il telefono e Gregori risponde. Hanno un po' di elementi in più di ieri, e lui si fa attentissimo. Fa un gesto con la mano per dire a Ghezzi che può andarsene, ma che non è finita lì.

Ventisei

Carella dorme male, anzi, non dorme, c'è qualcosa che non gli torna e non riesce a capire cosa. Alle otto decide che è inutile provarci, si alza, fa il caffè, si asciuga all'aria, dopo la doccia, seduto in cucina con la finestra aperta, anche se non fa più caldo, l'autunno sta vincendo, il cielo minaccia pioggia, è grigio, ha deciso di allinearsi un po' ai luoghi comuni su Milano.

Un'ora dopo sale due alla volta i gradini dell'ospedale, spinge porte, fila dritto senza guardare i divieti. L è sempre lì, le macchine fanno le stesse lucine, il petto si alza e si abbassa impercettibilmente, ora il letto è più vicino alla finestra del corridoio da dove lui sta guardando. Niente. Niente. Niente. Tutto immutabile, tutto uguale. Passa un'infermiera, non quella bassina dell'altra volta, questa è alta come Michael Jordan, nera, imponente. Sta per dirgli qualcosa, probabilmente che non può stare lì, non è orario per i parenti... ma poi lo guarda in faccia e decide di non dire. Anzi sì. Indica il vetro con dietro quei morti viventi e gli chiede:

«Quale?».

«La ragazza, la Marazzini».

Lei scuote la testa, gli mette una mano su una spalla e prosegue il suo cammino verso chissà dove, senza dire niente. Carella appoggia la fronte sul vetro e sta così immobile, cinque, dieci minuti, a pensare che le sue promesse non servono a niente, che il Vinciguerra la farà franca ancora una volta, che...

E poi... bum.

Ecco cosa non gli tornava. Ecco lo spigolo che lo pungeva senza che lui lo vedesse. Il racconto del Vinciguerra disperato, senza una lira, alla deriva, non lo ha mai convinto, tutto va nella direzione opposta... la coca costa, quel gran pezzo di moto anche. Il Vinciguerra ha perso il suo tesoro e ha rinunciato al suo rientro in società con il cavallo bianco, ma è ancora in affari, da qualche parte i soldi gli arrivano. Da dove? Prima di ammazzare di botte quella povera Eva il suo ramo erano le ragazze, tra le altre schifezze, e quindi sarà tornato al suo lavoro. E lui, accecato dalla ricerca del nascondiglio del Vinciguerra, ha abbandonato il quadro generale, non ha unito gli altri puntini. Gli indirizzi che gli ha dato Stucchi... Bene, uno era vicino alla sua zona, i Navigli, Porta Genova, gli altri due dall'altra parte della città... perché non ci ha pensato? Aveva ceduto le ragazze a qualche altro farabutto, ma forse non gli appartamenti. E ora aveva nuove ragazze, in quei covi. Logico, lineare. Denaro liquido, veloce.

Scende di corsa le scale, sale in macchina, parla con il navigatore.

Prima via Riccione, all'11. È una casa piccola, bassa, appena tre o quattro appartamenti. Alle dieci e mezza suona un citofono e risponde una voce assonnata. Quando sale trova una ragazzina orientale. La casa puzza di sudore, è una stanza con un letto e un cesso, praticamente un mattatoio. La ragazza capisce che non è un cliente. Non solo per l'ora assurda, ma anche perché lui la guarda fisso.

«Capisci l'italiano?».

«Poco poco».

«Lavori per il Vinciguerra?».

Lei ha paura, balbetta e trattiene le lacrime.

«Uno grosso, biondo... viene lui a prendere i soldi?».

Lei annuisce.

«L'hanno arrestato, ora vengono qui. Io sono suo amico, capisci?».

Annuisce ancora.

«Vai via, libera, non farti più vedere, non tornare qui, ce l'hai un posto dove andare?».

«Sì, ma...».

«Niente ma, vai via... soldi ne hai?».

Lei gli fa capire che ha i soldi che deve dare al suo magnaccia, se no sono botte, le è già capitato, alza la maglietta e gli fa vedere un segno blu sotto il seno destro. Carella stringe la mascella.

«Tieni tutto e vai via».

«Quando?».

«Subito, adesso».

La ragazza sembra poco più di una bambina, ma con le orientali è difficile indovinare l'età... Comunque capisce che il tono dell'uomo non ammette discussioni. In dieci minuti si veste e prepara una borsa, ci mette tutto quello che ha, e sono due cose in croce. Sulla porta gli porge un pacchettino, soldi, la parte che deve al suo pappone. Carella la guarda.

«Non hai capito? Tienili e sparisci... dammi le chiavi».

Quando la ragazza è uscita fa un giro dell'appartamento. Il letto è sfatto, il bagno puzza, il piccolo armadio è vuoto, nascondigli non ce ne sono. Chiude con le chiavi, le mette in tasca e torna in macchina.

Via Gallarate è una via grande, per un lungo tratto ha case solo su un lato, brutte, perlopiù. Al numero 7 c'è una palazzina di tre piani, in quelli alti le finestre sono aperte. Invece la finestra che dà sulla strada al piano terra è chiusa, la tapparella abbassata. Entra nel piccolo portone approfittando di una donna che sta uscendo, lo guarda male, come se dicesse: anche a quest'ora?

Lui bussa alla prima porta a destra, quella della tapparella abbassata. Niente. Bussa ancora, niente, ma sente dei rumori, anche qui ha svegliato qualcuno.

Dopo due minuti si apre la porta, è una ragazza nera, intorno ai venticinque, nuda. Lui entra.

«Vestiti».

Lei va in una stanza e torna con una vestaglietta che non copre niente, ma ora le ragazze sono due, nera anche l'altra, un po' meno nera, anche lei vestita per modo di dire. Lo guardano con il fatalismo di chi fa una vita di merda e si aspetta che vada peggio, che non è un cliente l'hanno capito subito. Le fa sedere al tavolo della cucina, l'appartamento è più grande di quell'altro, c'è la cucina dove stanno loro, poi un corridoio e almeno altre due stanze.

«Lavorate per il Vinciguerra?».

Silenzio.

«L'hanno arrestato, dovete andare via di qua».

Queste qui lo parlano, l'italiano.

«Quanto gli dovete al Vinciguerra?».

Risponde quella più vecchia, quella che gli ha aperto.

«Viene oggi a ritirare... cinquemila, tutta la settimana». Probabilmente ha già fatto la cresta e i soldi sono di più, forse pensa che lui sia venuto a incassare. Dice quello che ha detto alla cinese.

«Teneteli e andate via, subito».

Non capiscono, né l'una né l'altra. Si vede che hanno paura del Vinciguerra. E se poi quello arriva? Se non le trova e le cerca? Quella più giovane sposta lo sguardo da Carella alla sua amica, si vede subito chi è il capo delle due. Alla fine la ragazza nera che gli ha aperto dice qualcosa a quell'altra, che si alza come una molla. Dieci minuti dopo sono lì con due borse in mano, incerte.

«Non fatevi più vedere qui, questa casa non l'avete mai vista, d'accordo? Ce l'avete un posto dove andare?».

«Se teniamo i soldi lo troviamo».

«Bene, via, allora... le chiavi».

Lui resta lì, si guarda intorno. Questo è un bilocale, non una cella, ci sono più posti dove cercare. Così infila i guanti e comincia con metodo. Una camera, niente. L'altra camera, niente nemmeno lì. Il bagno è un buco, c'è poco da rovistare. In cucina si siede e si guarda in giro. Il frigo, un tavolo con due sedie, una cucina economica, un mobile chiuso che contiene la caldaia, le scope e un aspirapolvere e...

C'è una piccola nicchia a più di due metri, vicino al soffitto, quasi invisibile, dove il tubo della caldaia sale verso l'alto. Si allunga, ci infila una mano, ecco... ma non ci arriva. Prende una sedia e ci sale sopra, in piedi, ora ci arriva bene. È una nicchia nascosta, ma non abbastanza nascosta da sfuggire a una perquisizione. Tira fuori una scatola da scarpe e la mette sul tavolo. Dentro ci sono due buste di polvere bianca e una pistola, una Browning, calibro 7,65, una scatola di proiettili. Ne prende uno e lo guarda da vicino, somiglia molto a quello che hanno estratto dalla gamba del Romano. Prende la pistola e la mette in tasca. La scatola di proiettili anche, ha la giacca deformata dal peso.

Quando esce sta per mettersi a piovere, o almeno ci sta pensando, è quello che si chiama un tempo incerto. In macchina, smonta la pistola, ci mette dieci secondi, è una cosa che potrebbe fare al buio, e ora ha in mano due pezzi di ferro, più il caricatore. Lo svuota. Poi parte con il finestrino aperto e ogni tanto fa cadere fuori dalla macchina un proiettile. Pollicino.

Poi fa sparire la pistola, a rate. In un tombino il caricatore, in un cestino dell'immondizia un altro pezzo. Si ferma a bere il caffè e il resto finisce in un altro tombino.

Eccolo ora a un tavolino nel bar di un centro commerciale, all'aperto, sotto una tenda, anche se cadono le prime gocce di pioggia. Manda un messaggio: «Chiamami».

Un minuto dopo suona il telefono.

«Dimmi che sono un cretino, Ghezzi».

«Sei un cretino... c'è altro?».

«Sì».

Gli dice della pistola, dei due appartamenti dove il Vinciguerra teneva tre schiave, e lui le ha liberate, sembravano contente di potersi tenere i soldi e che nessuno le picchiasse, di sicuro lì non ci tornano più. La coca l'ha lasciata nella scatola, poca roba, sarà meno di un etto, ma intanto... Comunque ai due covi Ruggeri bisogna farlo arrivare, è un altro pezzetto di corda per impiccare il Vinciguerra.

«Ci penso io».

Ventisette

Ghezzi sta andando verso il suo ufficio, vede Ruggeri alla macchinetta del caffè e si ferma. Quello infila una monetina per lui.

«Zucchero, Ghezzi?».

«No, niente, lo prendo amaro».

«Che uomo!».

Poi parlano, comincia Ruggeri:

«Grazie, Ghezzi, non so cosa c'è dietro e non voglio saperlo, ma apprezzo che non ti sei preso tutta l'indagine per te, qualcun altro lo avrebbe fatto».

«Non dire cazzate, Ruggeri, sei tu che ti fai il culo da un mese, per me comandate tu e Gregori, io non c'entro niente. Però qualche idea per mettere un po' di pepe al culo al Vinciguerra ce l'avrei...».

«Lo sentiamo ancora tra poco, naturalmente sei invitato».

«Deve chiedermelo Gregori», dice Ghezzi.

Alle undici e dieci suona il telefono, il fisso alla sua scrivania, quello che non suona mai. È il capo Gregori.

«Dai, Ghezzi, vieni alla festa. Su da me».

Quando entra, con il via libera della Senesi, ci sono

Gregori, Ruggeri, il sostituto e il Vinciguerra col suo avvocato. Il gip ha confermato il fermo, ma lì ancora non hanno risolto niente, il Vinciguerra continua sulla sua linea: mai stato nella bottega del Crodi. La notte del 14 settembre ha bevuto in un paio di locali, poi è andato da una puttana, fino a mezzogiorno del 15, fornisce nome e indirizzo. Ruggeri esce e rientra subito, ha mandato a prendere la ragazza, la sentiranno lì, così le mettono un po' di pressione.

Ma la situazione non si sblocca, il Vinciguerra nega tutto, l'avvocato sembra tranquillo e rilassato.

«Se c'è un superteste, sentiamolo», dice. «Si scoprirà che è tutto un equivoco e il mio cliente...».

«Chi sentire, come e quando lo decidiamo noi», dice il sostituto, così ricominciano da capo. Cos'ha fatto il Vinciguerra da quando è uscito di galera a quando lo hanno preso. Niente. Poi di nuovo, e di nuovo niente. Gregori comincia a essere scoraggiato, il sostituto anche, c'è un momento di silenzio in cui ognuno pensa a cosa fare. Ghezzi scambia un'occhiata con Gregori, che gli dice, sempre con gli occhi: fai pure, a questo punto...

Allora Ghezzi si mette comodo e comincia a parlare come fa lui, piano e con calma. Sembra una specie di monologo.

«Mi sono fatto un po' di domande, signor Vinciguerra... è il mio mestiere, dopotutto, cioè, io dovrei trovare le risposte, ma partiamo dalle domande, va bene?». L'avvocato lo guarda con aria strafottente. Un vecchio poliziotto di basso grado, dirà le solite cazzate, sentiamo.

«Non c'è bisogno che rispondi, metto solo in fila le cose...». Tutti aspettano. «Vediamo... sono andato a Bollate, là nella tua galera da cui sei uscito da poco. Niente di ufficiale, ma sai cos'ho scoperto? Che gli ultimi giorni eri bello carico, eccitato... Lo so com'è, quando uno sta per uscire. Però qualcosa ti sei fatto sfuggire, coi tuoi compagni di sventura... che fuori avevi qualcosa che ti aspettava, il tempo di recuperarla e tornavi nel giro...».

Il Vinciguerra pare stupito ma si controlla. Però tutti vedono l'occhiata che lancia al suo avvocato. Ghezzi va avanti.

«Sono sincero con te... non so cos'era che ti aspettava fuori e ti rendeva così euforico. Soldi? Droga da vendere? Ce lo dirai tu, forse, o forse no, ci arriveremo in ogni caso».

L'avvocato sente che è il momento di intervenire, e si rivolge al sostituto:

«Cos'è, l'angolo della fiction? Dobbiamo sentire tutto 'sto romanzo?».

Gregori è stupito quanto gli altri, ma si fida di Ghezzi.

«Che male c'è? Il suo cliente ha tutto il tempo che vuole, ascoltare non costa niente...», così Ghezzi va avanti.

«In effetti ci sono delle cose che non tornano. Perché appena uscito di galera uno si fa aprire la porta di una bottega da un ladro e ammazza di botte il proprietario?».

«Che cazzo sta dicendo?», chiede ancora l'avvocato, ma Ghezzi non lo sente nemmeno.

«Sai cosa ti dico, Vinciguerra? Che tu dal vecchio Crodi volevi qualcosa. O gliel'avevi affidata prima di andare in galera o gliel'aveva portata qualcun altro, non ha importanza, ora. Però tu sei andato lì a prendere la tua roba. Sei entrato prima che arrivasse per spaventarlo, ma lui la tua roba non ce l'aveva e tu non ci hai visto più. Ti do due alternative. La prima, ma non ci credo, ti è montato il sangue alla testa perché hai capito che il tuo futuro era meno roseo di come te lo eri immaginato, e per rabbia l'hai massacrato di botte. L'altra ipotesi è che volevi sapere dove aveva messo le tue cose... cos'era, Vinciguerra? Soldi? Coca?».

Tutti si accorgono che il Vinciguerra è un po' sbiancato, ma non vuol dire niente. Anche se la storia di Ghezzi è pura fantasia, uno si spaventa lo stesso, no? Il sostituto sposta gli occhi dal Ghezzi al Vinciguerra, più volte, come uno che guarda un match di tennis.

«Quindi io dico, ma non c'è bisogno che rispondi, mi basta che ci pensi un po' su... io dico che il Crodi conservava qualcosa per te, ma quando sei andato a prenderla, qualunque cosa fosse, non l'aveva più».

«Che cazzata!». Il Vinciguerra ha perso un po' del suo aplomb.

«Bene, cazzata. Ma passiamo ad altro. Prendiamo per buona la mia ipotesi, per ora. Dunque sei fuori di galera, finalmente. Vai a cercare la tua roba, che può rimetterti nel giro, ma quello non ce l'ha più, e tu lo ammazzi...».

«Ma insomma!», questo è l'avvocato. Ghezzi gli sorride.

«Il risultato qual è? Non bello. C'è in giro uno, quello che ti ha aperto la porta, che può cantarsela da un momento all'altro, ma tu non lo cerchi. Perché? Perché hai altre emergenze, giusto? E l'emergenza è quella di tutti: i soldi, come campare, come trovare i soldi per la coca, o per farsi vedere in giro da vincente e non per lo sfigato che sei... E qual è il tuo ramo, Vinciguerra? Prostituzione, marchette... quello che facevi prima di pestare a sangue una povera ragazza...».

Ora li interrompe un agente. La Senesi, piccolina e indomabile, si affaccia con il suo modo silenzioso e lo introduce dopo che Ruggeri ha fatto sì con la testa. Porta i risultati della perquisizione dal Vinciguerra, niente da segnalare. Pochi grammi di coca, niente armi, un box con una moto nuova e costosa... già controllato, è intestata a lui, ha pagato anticipo e qualche rata in contanti, il resto un tot al mese. Ora c'è la scientifica al lavoro, se avranno altri dettagli...

L'agente esce, Ghezzi riprende il filo.

«Ecco, una bella moto nuova di pacca pagata in contanti... vedi Vinciguerra che a lavorare come formichine...».

L'uomo e il suo avvocato sono sempre immobili e attenti, ma si sente che qualcosa è cambiato...

«Scusa, ho divagato. Allora mettiamola così... una volta che hai visto sfumare la tua assicurazione sul futuro... quello che il Crodi doveva conservarti e non aveva più, sei tornato al tuo vecchio lavoro, qualche ragazza in qualche appartamento... soldi freschi, quasi puliti... già ti sentivi meglio, vero? Scommetto che leggevi le cronache sul caso Crodi, non trovavamo niente e ti stavi già un po' rilassando... Magari mi sbaglio, com'è che ha detto il tuo avvocato? È fiction...».

«Illazioni, più che altro», dice l'avvocato. «Che il Vinciguerra avesse un giro di prostitute non è mai uscito, al processo... ero io il suo legale, lo so bene».

«Ma su, avvocato, con chi crede di parlare? Era una cosa che al processo non serviva, né a voi né all'accusa. Bastava una ragazza massacrata... ma forse se cerchiamo bene qualche indirizzo lo troviamo... Che ne so, magari quando sei uscito sei tornato a prendere possesso di qualche scannatoio...».

Ora l'occhiata del Vinciguerra all'avvocato è più che allarmata, infatti quello si alza.

«Per noi finisce qui. Era un interrogatorio, e invece stiamo sentendo un romanzo di fantascienza. Per dire queste cose ci vogliono prove, riscontri, invece date l'impressione di andare a tentoni, di provarle tutte... è perché avete preso una cantonata grossa, vi siete accontentati delle parole di un ladro che vuole coprire il suo omicidio e ora non sapete più come uscirne».

Il sostituto annuisce.

«Giusto, fermiamoci qui, ricominciamo domani».

Il Vinciguerra lo portano via, è agitato. L'avvocato esce con lui, deve parlare con il suo cliente.

Ora nella stanza tutti guardano Ghezzi, ma lui non dà grande soddisfazione, non spiega. Poi Ruggeri fa il punto della situazione. Dal Salina, a casa, non hanno trovato niente. A casa della zia, lassù al lago sotto Varese, niente nemmeno là. L'autonoleggio conferma, la macchina presa alla stazione e resa a Malpensa, pagata con carta di credito regolare, intestata al Salina. Ha mandato qualcuno per cercare altri dettagli, ma non ci spera troppo. Niente refurtiva, comunque, a meno che non l'abbia nascosta bene... Dal Crodi niente impronte, né del Salina né del Vinciguerra, e a casa di quest'ultimo niente prove o cose strane, niente vestiti sporchi di sangue...

Si lasciano dandosi compiti, fissando tempi, la prossima riunione è alle diciotto, tutti porteranno quello che hanno trovato e si vedrà.

Gregori avvicina Ghezzi prima che scenda nella sua stanza.

«Tu mi stupisci sempre, Ghezzi».

«È un complimento, capo?».

«Non lo so, devo pensarci».

«Se faccio qualche domanda in giro non si arrabbia, vero? Con Ruggeri tutto bene, sa che non voglio togliergli il caso...»

«Al punto in cui siamo, Ghezzi...».

«Grazie, capo».

Ventotto

La riunione delle diciotto ha messo altri puntini sulle i, ma niente di definitivo. La prima notizia è l'alibi del Vinciguerra, che si chiama Estelle Cardona, trentadue anni, professione casalinga, residente a Pavia, in realtà lavora in un locale dietro corso Como, arrotonda con qualche cliente occasionale, forse smazza qualche grammo, e l'hanno svegliata alle due del pomeriggio in un bilocale del quartiere Isola.

Il quadretto di presentazione gliel'ha fatto Sannucci, e Ghezzi annuisce.

È da quando è cominciata questa storia che non vede altro che squallore e desolazione. La Franca e il Salina già gli sembravano al limite, che razza di vita. Ma giorno dopo giorno aveva visto anche peggio, come un mulinello nella corrente, che ti tira a fondo. Il Vinciguerra che torna a picchiare le sue ragazze come se niente fosse, e loro, le schiave liberate da Carella, anche quelle, che vite sono? I balordi che ha incontrato, mezzi informatori, mezzi delinquenti, o tutti interi, che orizzonti hanno? Si svegliano e cercano di non farsi beccare, e il giorno dopo ancora, e quello dopo anche... hanno in tasca soldi che durano il tempo di farne altri, vivono in un paese tutto loro fatto di prepotenze e gerarchie, attenti a cosa si dice, a con chi si parla. Tutti uomini, le donne sono pedine che si possono vendere e scambiare. E questa... Estelle? Che razza di nome... questa sarà come tutti gli altri, una vita sospesa in quella sostanza collosa che è il mondo di quella gente lì, non puoi uscirne, forse, o non vuoi, o tutte e due le cose.

L'hanno sentita Gregori e Ruggeri, la solita solfa.

«Ci interessa sapere dov'era e con chi la notte tra il 14 e il 15 settembre».

Lei era un po' stordita, dal sonno e da altro che aveva fatto prima di dormire, la faccia spenta, anche se presa, impacchettata e portata lì da due agenti, aveva avuto il tempo di svegliarsi.

«Ero con un mio amico, ha dormito da me».

Porca miseria, si sono detti Gregori e Ruggeri, che memoria, la signorina, è passato più di un mese e lei non ha nemmeno chiesto: «Quando?», non ha nemmeno finto di fare mente locale.

«Come si chiama questo amico?».

«Vinciguerra, Alessio Vinciguerra, perché?».

«Perché è accusato di omicidio, lo teniamo qui noi, e chi gli fornisce un alibi falso si becca come minimo favoreggiamento».

Questo aveva fatto un po' vacillare la signorina Estelle, che però aveva tenuto botta, o è vero che ha passato la notte con quel coglione, oppure è stata istruita bene. Però i dettagli, piano piano, si facevano un po' meno nitidi. L'aveva incontrato al locale dove lavora, aveva soldi, cercava compagnia e lei si era detta, perché no?

«Droga?».

«Un po' di coca, come tutti».

«Come tutti quelli che frequenta lei, forse». Gregori è piuttosto rigido, su certe cose.

Insomma avevano fatto bisboccia, e se cominci a bere e a pippare quando tutti gli altri vanno a letto è chiaro che ti alzerai a mezzogiorno. Così avevano fatto lei e il Vinciguerra.

«Era proprio il 14 notte? Fino al 15 a mezzogiorno, giusto?».

«Non ho guardato l'orologio, ma sì, dopo le undici di sicuro».

«Conferma?».

«Confermo».

«Lo sa che procurare un alibi a un assassino, se poi viene fuori che l'alibi è falso sono cazzi? Conferma?».

Aveva firmato la deposizione, con mano non fermissima, a sentire Ruggeri, ma alla fine la ragazza Estelle confermava l'alibi. Quanto avrebbe retto non si sa, una che fa una vita così, non è esattamente come se venisse a testimoniare un vescovo. Gregori e Ruggeri non l'hanno messa sotto pressione, sanno che appena avranno anche solo un labile indizio sul Vinciguerra, quella firma diventerà un'arma di ricatto... cosa facciamo, signorina, strappiamo il vecchio verbale e ne scriviamo un altro, oppure?... Insomma, lei non lo sa, ma la tengono in pugno.

Altra legna per il falò, le perquisizioni dal Vinciguerra.

Nella casa di via Palmieri, niente di più di quello che si vedeva alla prima occhiata. Le impronte sono quasi tutte sue, le altre vecchie, non che la pulizia là dentro... comunque ci stava da solo, i vicini confermano. Nel box, oltre alla moto, niente, due casse di vino, forse stavano lì da prima, perché vino in casa non ce n'era, nemmeno la bottiglia che uno porta su dalla cantina. Tutto fa pensare che per il Vinciguerra fosse un covo di passaggio. Unica cosa da segnalare: una scatola con dentro delle chiavi, molte, in mazzetti da due o tre. Un mazzo è risultato essere quello di casa del Vinciguerra, l'indirizzo che c'è scritto sui documenti, in corso Genova. Perquisito anche lì, niente di strano o degno di nota. Le altre chiavi, chissà, ci sono i duplicati dell'appartamento e quella del box, le chiavi della moto, e altre che bisognerà capire cosa aprono.

Tutto questo Ghezzi lo sa da Sannucci mentre beve il primo caffè. Il primo in ufficio, perché quello del ritorno in vita mattutino l'ha bevuto a casa, con la Rosa.

«Ti ha svegliato?».

«Chi?».

«La lavatrice! È silenziosissima, l'ho fatta andare questa notte e non si sentiva nemmeno».

Ora che Sannucci si è finalmente placato, Ghezzi dà un'occhiata ai giornali.

I progressi sul caso Crodi hanno titoli meno grossi di quando progressi non ce n'erano. Due fermati, dicono gli articoli. Che si rimpallano la responsabilità dell'omicidio. Uno è un ladro, già noto alla questura, quell'altro uno appena uscito di galera. Chi sarà stato? Il ladro si è costituito per accusare l'altro. La squadra del sostituto procuratore Felisi, coadiuvato dal vicequestore Gregori... eccetera, eccetera. Condiscono l'insalata con le poche foglie che hanno, ce la mettono tutta, ma per una volta si vede che le notizie uscite non sono tante. E si capisce anche chi le ha fatte uscire, perché c'è un'intervista all'avvocato del Vinciguerra che dichiara che non può parlare, e intanto parla. Un equivoco che presto verrà chiarito. Il suo cliente ha un alibi. Ha scontato la sua pena e intende rigare dritto. Giusto che gli inquirenti facciano i riscontri, ma chiederà la scarcerazione, anche se il gip ha appena convalidato l'arresto. C'è anche la foto dello stronzo, l'avvocato, e un'ultima freccia scagliata verso il sole: «Mai visto un accanimento simile senza uno straccio di prova. C'è solo la testimonianza del ladro che accusa il mio cliente». Perfetto.

Un nuovo interrogatorio del Vinciguerra è finito con il solito zero a zero.

«Abbiamo sentito il tuo alibi, davvero ti fidi di una così? Il primo che le dà due grammi di coca e cinquanta euro da arrotolare può farle dire che Charles Manson era con lei, la notte della strage».

L'avvocato si è inalberato.

Poi sono passati alla moto. Quello che gliel'ha venduta ha preso seimila di anticipo, altri duemila per due rate mensili e il resto con calma da gennaio, mille al mese, sempre contanti.

«Sì, mi sembrava strano che uno venisse lì con la mazzetta in mano, ma... gli affari, la crisi, una moto da ventiduemila euro... sì, ho sbagliato, ma...».

Il solito commerciante cialtrone che le domande se le fa dopo, non prima, gli arriverà una visita della Finanza, cazzi suoi.

«Parlaci delle chiavi».

«Che chiavi?».

«Quelle che tenevi in casa».

«Sono duplicati e le chiavi di casa mia».

«No, sono di più».

«Vecchi appartamenti, roba di tanto tempo fa che non ho buttato».

Qui l'avvocato ha fatto un po' di fumo. Le prove dove sono? Almeno un indizio? Volete tirar fuori qualcosa?

«Avete solo la parola di uno che è noto come ladro, e che ha tutto l'interesse a mettere in mezzo un innocente. In tribunale il mio cliente non ci arriva nemmeno».

Ghezzi è stato zitto. Poi, quando ha visto che le occhiate di Gregori, di Ruggeri e del sostituto si facevano un po' incerte, ha portato il suo mattoncino. Ora quando parla lui c'è un silenzio grave, di tutti.

«Mi sono procurato i referti dei medici. Quello del Crodi e quello della ragazza che hai mezzo ammazzato quattro anni fa. Certe volte non si capisce niente di quello che scrivono i dottori, ma qui c'è poco da capire. La ragazza... Eva Swhedznikowitz... aveva entrambe le braccia fratturate, lividi e botte ovunque, ma quello che le ha fatto male davvero è un colpo alla base del collo, un colpo di taglio, tipo karate. Il Crodi no, le fratture solo a due dita della mano sinistra, mignolo e anulare, per questo penso che non l'hai ammazzato per rabbia, ma che gli hai chiesto qualcosa... Ma la morte è dovuta a un colpo alla base del collo, di taglio, come un colpo di karate».

Gregori e il sostituto annuiscono. Il Vinciguerra non muove un muscolo, l'avvocato fa un'altra intemerata: e allora? Illazioni. Peli nell'uovo, analogie tirate per i capelli. Non penseranno di condannare uno per omicidio sulla base di prove simili, vero? Lo dice per loro, per la figura di merda che faranno col piemme quando andranno a presentargli il caso. Oggi stesso depositerà la richiesta di scarcerazione per assenza totale di elementi... Va avanti per dieci minuti, poi la riunione si scioglie. Sono tutti un po' depressi, ma restano lì per qualche chiacchiera, il Vinciguerra lo portano via, l'avvocato se ne va tutto contento: non hanno niente.

«Com'è che lei è ancora sovrintendente, Ghezzi?», chiede il sostituto.

Risponde Gregori: «Perché è un rompicoglioni».

Ghezzi e Ruggeri ridono.

«Va bene, continuiamo coi riscontri e lei...», si rivolge a Ghezzi, «se ha qualche altro colpo a sorpresa ce lo dica prima...».

Risentono il Salina, che dice le solite cose senza cambiare di una virgola la sua versione, ma Ghezzi scende nel suo ufficio.

La situazione non si sblocca, aveva ragione Carella, il Vinciguerra rischia di uscirne pulito, anzi, con tante scuse, e il Salina ci rimane incastrato. È un cretino, ma non è un assassino, che paghi per quell'altro è un'ingiustizia grossa. Mette nel conto anche la Franca che gli telefona in lacrime, e Carella che doveva tornare dalle vacanze ma non torna. Così lo chiama.

«Dove cazzo sei? Non dovevi tornare oggi?».

«Sistemo dei dettagli».

«Posso sapere quali?».

«No. Se Gregori mi cerca di' che arrivo domani».

Quando interrompe la comunicazione con Ghezzi, Carella scende dalla macchina. Non piove, ora, ma è tutto bagnato, la strada è sterrata e le pozzanghere sono buchi di fango. L'aia della cascina non è più un'aia, piuttosto un parcheggio, e anche la cascina sembra così da fuori, ma dentro ci sono tante porte verdi al piano terra e al primo piano, tutto intorno alla corte. Una scritta tra il portone e il cortile, dove c'è un arco, dice: «Cooperativa ex detenuti. Una casa per noi».

Un minuto dopo sta parlando con Franco Ghiglioni, che è uscito dalla porta asciugandosi le mani con uno strofinaccio, stava lavando i piatti.

Carella si presenta, mostra il tesserino, l'altro alza gli occhi al cielo.

«Hai letto del tuo amico Salina?».

«No, cosa?».

«Lo accusano di omicidio per il caso Crodi».

«Mi spiace, ma non seguo, da quando rigo dritto ci sto attento, mi dà fastidio anche la cronaca nera... il Salina non è un genio, questo si sa, ma non è uno che ammazza la gente... di botte, poi, ma l'ha visto? Peserà sessanta chili».

«Sì, lo so che non è stato lui».

«Bene, sono contento. E da me cosa vuole? Non è il primo che viene qui a parlarmi del Salina».

«Ecco, appunto, di questo volevo parlarti».

Poi gli spiega: «Il collega che è venuto l'altra volta... non è mai venuto, d'accordo?».

«D'accordo un cazzo, io non mi metto a mentire alla polizia».

«Non devi mentire, nessuno te lo chiederà se è stato qui qualcun altro, basta che non glielo dici tu. E un'altra cosa... hai detto che il Salina cercava un posto per nascondere della roba... ecco, non dire nemmeno questo. Magari non verrà nessuno, ma se viene qualcuno tu di' così».

«Dico così cosa? Che era qui in visita?».

«Esatto, era qui in visita, aveva una macchina e non sapeva dove andare, così ha fatto un giro. Voleva sapere della cooperativa, degli appartamenti qui, una visita di cortesia».

«Non ci crederà nessuno».

«Oh, sì che ci crederanno, è l'altro stronzo che stanno cercando di incastrare, così fai un piacere al Salina e alla Franca...».

«Basta che non è un piacere che mi rimanda in galera».

«Macché, anzi fai una buona azione, perché se le cose si mettono male rischia di andarci il Salina, in galera, e da innocente».

L'uomo è perplesso, ma lo sarebbe chiunque. Un poliziotto viene a chiedergli delle cose, e lui le dice. Poi ne viene un altro a dirgli di dire altre cose. E dopo ne verranno altri a chiedere quelle cose. Che succede?

«Senti, è difficile da spiegare perché è un'indagine rognosa. Quello che ha ammazzato il Crodi è un maniaco violento che ha già mezzo ammazzato una ragazza di ventidue anni, che picchia le sue puttane, uno che colpisce duro e non sa fermarsi. Se ti chiedo di non dire del mio collega è per cose interne nostre, non era sua l'indagine, e voleva fare bella figura. Ora, se viene fuori che è stato qui a far domande, passa delle rogne e il Salina paga per tutti... Hai capito?».

Meno di prima, dalla faccia. Ma Carella ha un'altra carta.

«Lo so che ti stai comportando bene, il mio collega mi ha detto del nipotino e della figlia che finalmente si è decisa a lasciartelo...».

«Ecco, appunto... già non si fida di me... ha ragione, povera ragazza, le ho fatto fare una vita di merda, a lei e a sua madre. Ci ho messo anni a riconquistare un po' di fiducia, mi sono messo a tirar su 'sta cooperativa, la casa... basta un sospetto e addio, è il suo modo di punirmi... anzi adesso vada, che può arrivare da un momento all'altro...».

«Ma perché non approfittarne, Ghiglioni?».
L'uomo non capisce, ma Carella è deciso.
«Dai, fammi vedere la macchina, Ghezzi mi ha detto che è un gioiello».
Ora sono lì che girano intorno alla Giulietta, rossa, fiammante, lucida come se fosse appena uscita dalla fabbrica.
«È del Sessantasei, un milleotto, un gioiello, sì, ha ragione il suo collega... mi hanno fatto delle offerte, ma sinceramente...».
Poi arriva una macchina, piccola, scende un ragazzino, avrà nove anni, che corre verso il nonno. La signora invece cammina più piano, sta attenta alle pozzanghere. Quando arriva vicino a loro, Carella si presenta:
«Buongiorno, signora, sovrintendente Carella, polizia di Milano».
Lei non risponde, lancia un'occhiata gelida al padre, che non sa che dire.
«La polizia? Cosa succede?».
Carella fa un sorriso da calendario delle forze dell'ordine, uno a cui affidereste i vostri risparmi, le chiavi della macchina e tutto quello che avete di più caro.
«Come, cosa succede? Guardi che meraviglia!», e indica la macchina. Lei non capisce, allora lui spiega, paziente. «Io sono un funzionario delle pubbliche relazioni, signora. Abbiamo delle macchine d'epoca che vorremmo mettere nel museo della polizia a Roma, sa, al ministero... le raccogliamo un po' da tutta Italia, Milano ne dà quattro... e prima di mandarle in mostra vor-

remmo che fossero... beh, che fossero messe a posto come questa qui...».

Il padre annuisce. Lei sembra perplessa.

«Una cooperativa di ex detenuti che si costruisce la casa, uno addirittura che è un mago con le auto d'epoca, signora, devo farle i complimenti. Magari suo padre l'ha scoperta tardi, la vocazione, ma mi creda, è un talento».

«Ma quattro sono troppe!», dice il vecchio Ghiglioni. «Io ci metto un sacco di tempo».

«Beh, cominceremo con una... magari mandiamo anche un fotografo, così fa le foto prima e dopo... Beh, ci pensi, Ghiglioni... ah! La saluta il vicequestore Gregori. Fossero tutti così, quelli che abbiamo messo dentro».

Forse ha esagerato, ma la figlia è decisamente sollevata, e il vecchio fa la faccia soddisfatta: una scenetta stupida, ma per lui vale oro.

Il giovane Viktor già tira il nonno per la giacca, vuole andare a vedere le galline. Lui lo prende per mano, Carella saluta:

«Allora d'accordo, eh!».

L'uomo annuisce, sorride. La donna torna verso la sua macchina, si salutano in fretta, poi non resiste.

«Davvero la polizia sa di questo posto... le macchine... è strano».

«Signora, ma le pare che affidiamo un lavoro simile se non siamo sicuri che...».

«Se sapesse le preoccupazioni, commissario».

«Suo padre è una brava persona, signora, riga dritto e ha capito che così si sta meglio, mi creda».

Lei sale in macchina e parte.

Carella raggiunge il suo missile nero e torna verso Milano. Dice alla macchina di chiamare Ghezzi e quella ubbidisce, ma lui non risponde.

Anche l'ex sovrintendente Stucchi ha un cane. Un labrador chiaro grasso come un maiale, quasi rotondo, che mette una zampa davanti all'altra come per miracolo.

«Bisognerebbe farli correre, questi cani, se no ingrassano. E infatti...».

Il cane guarda Ghezzi come se potesse dargli qualcosa da mangiare. Stucchi è uno che parla in continuazione, per farlo stare zitto bisognerebbe spararagli, e poi forse se lo mangia il cane.

«Certo che le coincidenze... viene qui uno dei vostri a parlarmi del Vinciguerra e dopo qualche giorno, ecco che lo beccate per omicidio... non voglio allargarmi, ma spero di aver dato una mano».

«Sì, ci hai dato una mano, Stucchi, e sono qui per dirti grazie e chiederti un favore... il mio grazie non conta niente, vedrai che te lo dirà meglio il questore, quando tutto va a posto».

Sembra contento. E il favore? Lo chiede con gli occhi.

«Quando il sovrintendente Carella è venuto qui a farti quelle domande sugli indirizzi del Vinciguerra era solo un'intuizione. Ma l'indagine non è sua, è di un altro, che si chiama Ruggeri».

«Ah, il collega ha sconfinato un po', giusto? Ma è così che si lavora... se uno ha un'intuizione, perché aspettare? Non l'ho mai capito».

«Eh, Stucchi, se non lo conosci tu, l'ambiente...».

«Fammi vedere se ho capito... io non metto in mezzo il collega e quegli indirizzi li ho detti a te, giusto? L'informazione arriva lo stesso e lui non passa rogne».

«Bravo, ma non solo. L'informazione che ha lui non ha fonte, se no il capo s'incazza che ha lavorato in proprio scavalcando quell'altro... Se invece ce l'ho io posso dire che viene da te, dalla tua memoria di bravo poliziotto, dai tuoi taccuini, e ci può uscire persino l'encomio».

Stucchi fa la faccia indifferente, ma si vede che alla parola encomio gli si muove qualcosa dentro.

«Vai tranquillo, Ghezzi, io li ho sempre coperti, i colleghi, quelli che avevano un po' di iniziativa anche di più, e magari anche quelli che menano un po' le mani, sai, quando ci vuole ci vuole».

Ghezzi ringrazia e saluta. Questa faccenda di coprire il culo a Carella sta diventando un lavoro a tempo pieno.

Ora che torna verso la questura, facendo il suo surf da tram, vede la chiamata non risposta, allora fa lui il numero e mette la mano a coppetta intorno al microfono.

«Ci sono novità?». Carella.

«Quasi niente. I due referti medici, quello della ragazza di quattro anni fa e quello del Crodi... la mano sembra la stessa. Non è una prova, ma... il colpo decisivo è una manata di taglio alla base del collo, sembra una firma».

«Ci avrei giurato. Se vuoi vomitare davvero, Ghezzi, leggiti la deposizione della testimone, L. Così, per sapere che tipo è il Vinciguerra... abbiamo anche il video».

«Mi fido, Carella, non mi pace l'horror... come sta la ragazza?».

L'altro non risponde. Ha messo giù.

Il tram numero 2 lo lascia in via Cusani, deve camminare un po' ed è arrivato.

Ventinove

Il rientro di Carella in questura passa quasi inosservato. È vestito come sempre, niente giacche costose, niente pose da balordo. Va a salutare Ghezzi che è già nel suo ufficio.

Ha letto i giornali sul caso Crodi, ora è l'avvocato del Salina a contrattaccare. Insomma, il suo cliente non lo cercavano nemmeno e si è fatto avanti spontaneamente, confessando un reato pur di incastrare un assassino. Dovrebbero dargli una medaglia, e invece rischia l'ergastolo. Bell'affare, aiutare la giustizia! C'è un ritrattino del Vinciguerra, incorniciato nella pagina, vita, morte e miracoli, gli daresti l'ergastolo già alla quarta riga.

Poi salgono insieme da Gregori.

«Ho pochi minuti, perché sarà un'altra giornata di merda, quindi non fatemi incazzare già alle nove del mattino. Ciao, Carella, passate bene le vacanze? Ti sei rilassato?».

«Benissimo, capo».

«Te le ha pagate l'associazione degli ortopedici, 'ste vacanze, Carella? Perché mi dicono che quando vai in ferie tu si riempiono gli ospedali».

«È gente che non sta attenta, capo, peggio per loro».

«Tu pensi che io stia scherzando, Carella, ma non è così, fammi chiudere il caso Crodi e dopo ti sistemo io, e sto pensando a qualcosa anche per il tuo socio qui che ti tiene il sacco...».

È il minimo sindacale di minacce che Gregori deve fare, lo sanno tutti e tre, Carella se ne va perché, dice, dopo due settimane di ferie deve sistemare delle cose in ufficio, in realtà perché il discorsetto di Gregori gli dà la nausea.

«Tienilo lontano dal caso Crodi. Ti prego, Ghezzi, ti chiedo solo questo».

Ghezzi annuisce. Se sapesse che quello c'è dentro fino al collo...

Stanno per fare il punto, ma entra la Senesi e dice che le macchine sono pronte, ora arriva il sostituto e tra cinque minuti si parte. Gregori si alza dalla poltrona e dice a Ghezzi di muoversi anche lui.

Chi? Cosa? Si parte per dove?

«Ah, non lo sai? Sì, è una novità di ieri sera tardi».

Quello che hanno mandato all'autonoleggio, dove il Salina ha preso la macchina, e poi anche dove l'ha restituita, ha portato notizie nuove. Alcune concordano con la versione del Salina, per esempio quando ha reso l'auto a Malpensa non aveva bagagli o borse con sé. Ma altre no, perché quella macchinetta che aveva preso, secondo lui per andare all'Ikea con la sua signora, ha una diavoleria elettronica dentro. No, non il navigatore, che comunque azzerano ad ogni noleggio, ma un antifurto satellitare che sa dove sta la macchina minuto dopo minuto, alla faccia della privacy.

Hanno dovuto trafficare un po' con i tecnici, nella notte, gli scienziati giù sotto e gli esperti della ditta che affitta le macchine. Risultato: hanno tutti gli spostamenti della 500 L bianca da quando il Salina ci è salito per la prima volta a quando l'ha riportata, ed è un elenco di coordinate, che poi sono diventate indirizzi, che poi sono diventate le bugie del Salina messe tutte in fila.

«E quindi lo sentite ancora?».

«Sì, ma prima il sostituto ha deciso di farsi un giro seguendo quelle tappe del Salina, e quindi adesso si va in gita».

«Io non vengo, capo».

«Perché, Ghezzi? Ci sei dentro, a questa inchiesta, inutile che adesso fai il gesto nobile per Ruggeri».

«No, capo, non è questo... beh».

«Va bene, fai come vuoi, però dopo, quando risentiamo il Salina, vieni, alle due da me, se facciamo tardi aspetti».

Ecco.

Ghezzi scende nel suo ufficio e prende la borsa. A Sannucci non dice nemmeno una parola, e deve avere una faccia che parla da sola, perché l'agente sta zitto, finge di leggere il giornale, accende il computer, si dà un'aria indaffarata.

Ghezzi esce dalla questura e va a sinistra, cammina piano, come uno che non ha niente da fare e in effetti, dopotutto è vero, cos'ha da fare?

Cinque minuti dopo è su una panchina, ai giardini di Porta Venezia. Bisogna attraversare piazza Cavour, circumnavigare un albero maestoso, raggiungere una panchina vicino allo spazio dove giocano i cani, sedersi lì.

Forse è questo, la vita, camminare piano, attraversare, sedersi.

In trent'anni di carriera, chiamiamola così, non era mai arrivato tanto vicino all'orlo del burrone. Sì, è vero, qualche cazzata l'ha fatta, qualcuna di più da quando ha Carella come socio, ma così vicino alla fiamma da scottarsi veramente no, fino a quel punto mai. Ora andranno da quel Ghiglioni, quello a cui il Salina aveva chiesto di tenergli della roba, e poi arriveranno al deposito. Il sostituto firmerà il famoso mandato, gli impiegati in giubbetto giallo e nero apriranno il famoso armadio e ciao ciao Salina. E poi, quando lui sarà con le spalle al muro per il ritrovamento della refurtiva, ciao ciao anche a Ghezzi, perché l'avvocato non si lascerà scappare l'occasione di...

Poteva fare diversamente? Certo che sì. Ma ancora una volta, non riesce a vedere le cose chiaramente, a volo d'uccello. O meglio, le vede, ma c'è sempre lui di mezzo. Lui, i suoi trent'anni volati via in un attimo, le fossette della Franca, il Salina che non fu solo il suo primo arresto, ma anche il primo contatto vero con quel mondo sotterraneo che frequenta da sempre. Farabutti piccoli e grandi, soldi facili, tutti gli altri visti come possibili vittime, come occasioni per fare affari. Cascatelle di ingiustizie, soprusi, gente da fregare. Anche il linguaggio conosce bene, e anche i meccanismi mentali, i patti, i tradimenti, le soffiate.

E allora, come mai questa volta si è scottato?

Perché l'istinto di tirarsi indietro non è più quello di un tempo. Le differenze tra i due mondi, quello dove sta lui, i buoni, e quello dove si muove come un topo nel formaggio, i cattivi, non gli sembrano più così grandi, così decisive. Quanti ne ha visti che si portano sul groppone il loro ergastolo a piede libero? Balordi che vivono nella paura, che fanno i gradassi per mascherare il terrore del loro destino: una cella insieme ad altri stronzi come loro. Cos'aveva detto la figlia di quel Gedino, la sarta? Se faceva il tranviere era meglio, altro che ladro! Ecco, quella ha l'ergastolo del padre, sulla schiena, hai voglia a fare orli in concorrenza col cinese!

Carella direbbe che è un altro cerchio di dolore nell'acqua ferma.

C'è un bastardino piccolo che rompe le palle a tutti, smanioso di giocare, e provoca i cani grossi, che potrebbero ribaltarlo con una zampata. Forse è quello che vuole.

Una cosa gli dà fastidio, però.

Le motivazioni di Carella per buttare nel cesso la sua carriera le capisce, gli sembrano infantili ma comprensibili. Giustizia espresso, senza mediazioni, botte se serve, questione privata, sacro fuoco, vendetta, sistemare le cose. La sorpresa, dopo averne visti migliaia, di essere anche lui un cerchio nell'acqua ferma. Va bene, non serve lo psichiatra, è tutto molto chiaro.

Ma lui?

Lui lo sa che certe vendette non servono, che con tutte le imperfezioni, le smagliature e le rotture di cazzo, il modo che hanno di prendere e punire i pezzi di merda è il migliore che c'è. È lì il nodo che non riesce a sciogliere. Si è fatto trasportare, si è fatto trascinare dalla corrente. Il caso andava in quella direzione e ci è andato anche lui, sapeva che qualcosa non avrebbe funzionato, ma c'è andato lo stesso. La stanchezza ha vinto su tutto, anche sull'autoconservazione, che di solito è un istinto potente.

Deve parlarne con la Rosa. Anche con Gregori. Non capirà, ma a questo punto... Lo butteranno fuori, semplicemente, o per la via lunga, indagini interne, commissioni disciplinari, ricorsi, o per la via breve, addio, fuori dai coglioni, magari uno scivolo per la pensione.

Va bene, va bene tutto, pensa Ghezzi. Si sposta dal prato dei cani verso il chiosco che c'è lì vicino, prende un panino e una birra piccola, poi ricomincia la sua passeggiata in senso inverso, riattraversa piazza Cavour, sale nella sua stanza. Sannucci non c'è. Gregori lo chiama su da lui.

«Dai, Ghezzi, strizziamo un po' il Salina, abbiamo trovato qualcosa».

Trenta

Il Salina è preoccupato. Di più, è bianco come una chiesetta greca a picco sull'Egeo, bisbiglia nell'orecchio del suo avvocato, suda. Gli hanno spiegato cos'è successo, l'antifurto satellitare, le coordinate, guarda il mondo da un altro angolo, l'angolo di quelli che perdono tutto.

Il sostituto, Ruggeri e Gregori sono seduti in fila come se fosse l'esame di maturità. Ghezzi si mette un po' discosto, pronto ad assistere alla scena madre, quella che porterà il Salina sul banco degli imputati per omicidio, il Vinciguerra al rilascio con tante scuse e lui, lui Ghezzi Tarcisio, sulle panchine del parchetto, magari con un cane suo, finalmente. Sente arrivare una tristezza infinita.

«Ci ha raccontato un sacco di bugie, Salina», dice il sostituto, e allunga un foglio all'avvocato, i movimenti della macchina quando l'ha noleggiata il suo cliente. «Cosa è andato a fare venerdì 11 settembre in una cascina sul Naviglio Grande?».

A dispetto della sua smorfia di terrore, il Salina non crolla.

«Era tanto che non avevo una macchina, ho fatto un giro senza meta e quando sono passato dai Navigli ho pensato al Ghiglioni. Eravamo amici, in galera, e poi volevo vedere 'ste famose case degli ex detenuti...».

«Nient'altro?».

«Nient'altro».

Il sostituto annuisce. È quello che gli ha detto il Ghiglioni, una visita di cortesia che l'aveva stupito, ma anche... perché no? Capitava spesso che ex detenuti venissero a informarsi sulla cooperativa, come farne una anche loro... Una casa è un riscatto sociale un po' migliore della pacca sulla spalla di un secondino quando esci, no?

«Perché non ce l'hai detto?».

«Boh... non mi sembrava importante, non c'entra niente con quello che è successo dal Crodi, comunque niente da nascondere».

L'avvocato si rianima. Non sapeva nemmeno lui della visita, dopo si lamenterà col cliente. Per ora si limita a una piccola protesta: cosa c'entra quella faccenda? Irrilevante. Fuori tema. È tutto quello che avete per mettere in difficoltà un testimone che vi sta aiutando? Ghezzi, invece, ha uno smarrimento strano. Possibile? Possibile che il vecchio ex detenuto, uno che dalla vita si aspetta solo di stare un po' con il nipotino, abbia mentito per il Salina? Se è solidarietà di galeotti, bene, ma dev'essere solida come il cemento, perché dimostrarla davanti a un vicequestore, un sostituto procuratore e un sovrintendente di polizia venuti lì con due macchine, i lampeggianti...

Ora Gregori si alza dal suo posto, prende qualcosa dietro la scrivania e la posa sul piano di legno.

Le montagne di carte e i faldoni sono spariti, è tutta pianura.

«Ecco il piatto forte, parliamo di questo», dice mettendo sul tavolo una borsa di carta di un negozio elegante, si vede che la maneggia con cura, che è pesante. «Avevi un nascondiglio, a Busto Arsizio, una di quelle cassette dove si mette la roba. Dov'è la chiave? Nella perquisizione a casa tua non l'abbiamo trovata, e lì abbiamo saputo che hai fatto di recente un duplicato, quindi le chiavi che cerchiamo sono due».

Il Salina non risponde. Lancia occhiate spaventate al suo avvocato, e un'altra lunga, dolorosa, a Ghezzi.

«Una l'ho persa, l'altra, il duplicato, l'ho buttata nella palude con il telefono...».

«Dunque abbiamo trovato tutte le tue carte, Salina, tutte le cose dei tuoi processi, i conti, anche il contratto della cassetta, che hai... da due anni, giusto?».

«Sì, era un posto dove tenere le cose».

«I soldi?».

«Sono i miei risparmi, per quello sono passato di lì prima di lasciare la macchina...».

«Sessantaduemila euro... tutte porte che hai aperto a duemila euro l'una?», chiede Gregori. L'avvocato protesta, il Salina sta per crollare...

«È tutto quello che ho...».

Però la voce gli si scioglie in gola. Che senso ha questa pantomima? Perché non tirano fuori tutto subito e la facciamo finita?

«E poi ci devi spiegare questo», e sul tavolo finisce un pacchetto avvolto in carta marrone, da pacco, legato con uno spago. Si vede che l'hanno aperto e richiuso, e ora Gregori scioglie il nodo, toglie altri involti e...

È una collana. Bella, a vederla così, preziosa chissà. Ma ha tante pietre, oro, una lavorazione sopraffina, insomma, è roba che costa, antica.

Ora il Salina guarda la scrivania di Gregori, la borsa del negozio vuota, le sue carte sparpagliate sul tavolo, le mazzette dei suoi soldi e la collana, abbraccia tutto in una sola occhiata, come spiritato, come se fosse arrivato lì Padre Pio a offrirgli un amaro: «Bèv, disgrazièto».

Balbetta, strizza gli occhi.

«È... è una collana della zia... era là, in casa».

«Non dire cazzate, al deposito tengono un calendario delle visite, tu dopo che ci sei passato il 15 mattina non ci sei tornato più».

«No, dico, prima. Quando la zia è morta, coi miei fratelli della casa non abbiamo parlato, sta ancora lì, la questione dell'eredità, le pratiche, nessuno ha fatto niente. Io ho trovato la collana e l'ho presa... anche per metterla al sicuro...».

«Certo, certo, come no», dice Gregori. Ha un sorriso che dice tutto. «Abbiamo un archivio della roba rubata, lo sa, signor Salina? Se non lo sa, il suo avvocato può spiegarglielo. Ora noi inseriamo nel database la foto di questa collana e vediamo se viene fuori qualcosa di simile... è molto bella, sa? Vale molto. Non so se zia Onorina... comunque vedremo».

Il Salina è agitato, forse addirittura più di prima, suda, freme. Il suo avvocato tenta di placarlo, ma ora trema apertamente. C'è un piccolo quiproquo: tutti nella stanza pensano che sia la reazione alla scoperta di un altro reato. Cioè, sta combattendo per la vita ed ecco che arriva un'altra tegola. Solo Ghezzi sa che non è così, che non è per paura che il Salina trema, ma perché non capisce, non si capacita, non distingue più il vero dal falso. Il suo cervello non ci arriva.

E nemmeno quello di Ghezzi, che si trattiene dal fremere anche lui.

Invece chiede: «È tutto?».

«Tutto, sì».

«Niente che venga dalla bottega del Crodi?».

«No».

Che cazzo succede?

L'avvocato propone di chiudere l'interrogatorio, il suo cliente è un po' provato. Dalla detenzione, prima di tutto, e ora anche da... beh, hanno capito. Comunque le sue dichiarazioni sono confermate, non ha preso niente dal Crodi, ha solo commesso l'errore di aprire la porta a qualcuno...

Lo lasciano parlare. Il sostituto torna da dov'è venuto, Gregori caccia via tutti, rimangono Ghezzi e Ruggeri, alla macchinetta del caffè, commentano le novità, concordano che per la collana il Salina si beccherà qualche altro annetto, forse, se il furto è stato denunciato, ma sul caso Crodi ha segnato un punto a suo favore.

«Senti, Ruggeri, tu lo conoscevi un certo Stucchi, faceva il sovrintendente a Porta Genova, è lui che ha beccato il Vinciguerra dopo la storia della ragazza, la polacca, ora è in pensione».

«No... sì... oddio, mi ricordo uno Stucchi, ma tanto tempo fa, un chiacchierone... uno che voleva far carriera, sgomitava... ah, è rimasto sovrintendente? Mi fa piacere, un leccaculo».

«Vabbè, senti, quando ha preso il Vinciguerra ha fatto un'inchiesta mica male, la casa dove l'abbiamo beccato è una delle tre che aveva, tutte con dentro delle ragazze, cioè ne aveva quattro, una in via Savona, dove ha menato la polacca, delle altre tre, una è quella di via Palmieri dove si è fatto la tana, e le altre due che non sono mai arrivate al processo».

«Cazzo, quindi avevi ragione. Aveva delle ragazze che lavoravano per lui, ha ceduto le ragazze ma non gli scannatoi, e ora ci ha messo altre ragazze».

«Non lo so, questo. So solo che sono andato da Stucchi e gli ho fatto cacciare gli indirizzi, mi sa che si aspetta una medaglia».

«Sì, certo, come no. Non sarebbe meglio un busto in marmo?».

«Beh, hai da scrivere?».

«Due indirizzi? Dai, Ghezzi, non ho mica novant'anni».

«Via Riccione 11 e via Gallarate 7».

«Tutti e due da quella parte là... strano, il Vinciguerra me l'ero immaginato una creatura dei Navigli».

«Magari non è niente, Ruggeri, ma un'occhiata io la darei».

«Perché lo dici a me e non a Gregori? Perché non al sostituto che ti adora?».

«Non prendermi in giro, Ruggeri, lascia stare. Vacci tu nei covi del Vinciguerra, sempre se è ancora roba sua, magari no, può essere che ti faccio fare un viaggio a vuoto».

Ci si ringrazia, tra sbirri? Si dice: grazie collega, figurati, ci mancherebbe, dovere, niente di che? Non lo sapremo mai, perché Ruggeri gira le spalle a Ghezzi e sparisce nel corridoio, verso il suo ufficio. Ghezzi invece va da Carella.

«Colpo di scena!», dice.

«Sì, ho sentito, non si parla d'altro. Meglio, così non mi rompono le palle sulle ferie, cosa cazzo hai detto a Gregori?».

«Quello che sai, che lei era Ginevra, tu Lancillotto, il drago è finito all'ospedale, magari non da solo, poi Lancillotto è tornato in ufficio».

«Un po' diverso dalle voci che girano».

«Cazzi tuoi, Carella, hai voluto travestirti da delinquente? Se qualcuno ci crede non puoi lamentarti. Che ne pensi del Salina?».

«Che è scappato dal lago e ha spostato la sua roba».

«No, tengono un registro delle visite, il sostituto l'ha visto, il deposito del Salina non l'ha aperto nessuno».

«Ha mandato qualcun altro... non crederai alla cazzata del telefono nella palude, spero».

«Da come è scemo il Salina potrei pure crederci... qualcun altro, eh? Senza avere la chiave, avrebbe dovuto avere una delega firmata, le fotocopie dei documenti... risulterebbe, credo».

«Forse è un mago».

«Non fare il coglione, Carella».

Che voglia di prenderlo a schiaffi. Però c'è una suoneria che vibra e Carella che guarda il display, fa una faccia così, risponde.

«Ciao». La bella avvocata.

Ghezzi esce dalla stanza, Carella con una vita privata, questa è la vera notizia. Lo guarda da dietro il vetro, senza farsi vedere. Ma la sensazione è che in questo momento Carella non sta vedendo niente, non ha occhi, non ha orecchie, non ha niente. Stringe il telefono, forte, si vede dalle nocche che diventano bianche. Poi cade a sedere sulla sua sedia, resta immobile, lo sguardo nel vuoto. Ghezzi non l'ha mai visto così, non è da lui, allora rientra.

«Problemi, Carella?».

«No».

«Stai bene?».

Silenzio.

Ghezzi domina l'imbarazzo, ma non sa cosa fare, riapre la porta e sta per uscire.

«È morta».

Ghezzi chiude la porta e lo lascia lì, solo.

Dura pochi minuti, forse meno. Secondi. Carella stringe la mascella, stringe più che può, finché i denti scricchiolano, finché una gengiva stilla sangue. Non perde tempo a pensare se ci aveva creduto, se ci aveva sperato. Non mangerà più un hamburger con L, non le prometterà mai più di proteggerla giurando con una croce fatta col ketchup. Non la sentirà più parlare a quelle riunioni dove tutti si cuciono le ferite da soli.

«Giura che non lo perdi di vista».
«Giuro».
«No, devi fare una croce».
«E con cosa?».

Ora Carella esce, passa davanti ai piantoni come una furia, senza salutare, senza vedere, arriva alla macchina, ha ancora quella fuoriserie da esposizione, che ronfa piano appena lui schiaccia il bottone dello start. Poi guida come un pazzo. Semafori? Ma vaffanculo. Gli stop? Ecco, appunto, si stoppassero, tutti gli altri. Veloce, veloce, più veloce che può. È folle, è pericoloso, ma lui lo fa lo stesso. Ci ha messo meno di dieci minuti, nemmeno con la sirena avrebbe filato così. Il cielo si sta scurendo, arriva un temporale, ci sono le prime raffiche di vento.

Parcheggia, scende.

Trentuno

Quando il Vinciguerra e il suo avvocato entrano nella stanza capiscono subito che qualcosa non va. Gregori e Ruggeri hanno la faccia raggiante, ma non dicono niente, aspettano il sostituto e Ghezzi, se si degnerà di venire. Così parlano del più e del meno, il campionato, il tempo, sembra che facciano apposta per innervosire i due, che li guardano e non capiscono. Poi arriva il sostituto procuratore e per ultimo il Ghezzi, con un bicchierino di caffè in mano. Via, si comincia.

«Chi è Sante Filuni?».

«Chi?», la faccia del Vinciguerra è terrea.

«Pensaci, Vinciguerra, su, non fare il finto tonto che cade dal pero».

Lui guarda il suo avvocato come se potesse lanciargli un salvagente, ma quello capisce ancora meno.

«Va bene, te lo diciamo noi», dice Gregori. E invece parla Ruggeri:

«Sante Filuni è un vecchietto, ottantasei anni, attualmente ricoverato a Niguarda. Risulta proprietario di quattro appartamenti che tu conosci bene. Uno perché ci abitavi, in via Palmieri, un altro in via Savona, dove un tempo batteva la ragazza polacca che hai rovinato per sempre. Gli altri due sono dall'altra parte della città. Lui non può parlare, è intubato, conciato male, la figlia non sa niente, ma ci ha messo a disposizione le carte. Un prestanome, insomma, quello che figura proprietario di appartamenti che sono tuoi».

Il Vinciguerra valuta la situazione, mette insieme i pezzi a uno a uno, come quando perdi il portafoglio e piano piano ti viene in mente cosa c'era dentro e dici: oh, no!

Ruggeri continua:

«Via Riccione 11 e via Gallarate 7. Ci siamo andati ieri sera, anche lì ci sono ragazze che si prostituiscono, ma le case sono vuote, hai avvertito tu le signorine di andarsene?».

Ora il Vinciguerra è agitatissimo, chiede di parlare con il suo avvocato. Gli altri si guardano e il sostituto acconsente, escono dalla stanza e li lasciano soli.

«Dieci minuti», dice Gregori, «non siamo al vostro servizio».

In realtà ne passano venti, poi l'avvocato riapre la porta e li invita a entrare. Parla lui.

«Visto che ci sono elementi nuovi, chiedo di rinviare questo incontro per conferire con più agio con il mio cliente. È un diritto della difesa...».

Il sostituto fa un sorrisino, Ghezzi pensa che ha l'anima da sbirro, anche se ha studiato di più e forse viene da una famiglia messa meglio della loro che hanno dovuto vestire una divisa.

«Ha ragione, avvocato. È un diritto della difesa, ma le consiglio, prima di riunirsi con il suo cliente, di ascoltare tutti gli elementi nuovi... così si risparmia tempo, giusto?».

Il Vinciguerra è sempre meno tranquillo. Ora suda, anche se non fa caldo, anzi, c'è un'aria fredda, fuori, e dentro non si sta meglio.

«Quegli appartamenti non sono ad uso esclusivo del mio cliente... diciamo che... c'è un gran viavai, ecco. Quindi non è detto che elementi trovati in quei posti siano riconducibili a lui. Cose tipo armi o droga... il mio cliente...».

«Ah, sì? E che viavai ci sarebbe, avvocato? A casa mia so chi entra e chi esce, nessuno può nascondere lì qualcosa se io non lo so...». Gregori ha parlato piano, pragmatico, quasi amichevole. Ghezzi sta zitto.

«Li ho affittati a delle ragazze... non so poi loro che ci facevano, là dentro».

Il sostituto non aspettava altro.

«Può esibire i contratti? Ricevute dei pagamenti? Cercheremo le ragazze, magari qualche ricevuta loro l'hanno conservata».

Il Vinciguerra tace, ma il suo avvocato si riprende un po'.

«A che gioco giochiamo, signori? Va bene, gli affitti non risultano, è un reato amministrativo, d'accordo. Le ragazze pagavano in nero, d'accordo anche su questo. Ma cosa facessero in quelle case sono cazzi loro, il mio cliente non c'entra, e tutto ciò che avete trovato là dentro, che siano armi, droga, o cose simili...».

«Armi? Chi ha parlato di armi? Solo lei, avvocato, e per due volte. No, nessuna arma».

Ora il Vinciguerra è come punto dalla tarantola. I suoi occhi guizzano come mosche impazzite tra il suo avvocato e i quattro che gli stanno davanti. Ghezzi lo guarda fisso, capisce lo sconcerto. Lo stronzo era pronto a inventarsi qualcosa per la pistola, una balla qualunque: quando delle ragazze battono in un appartamento non sai mai chi può entrare e fare quello che vuole, anche nascondere una 7,65 da qualche parte, o forse le signorine pensavano che avere un'arma... Invece ora apprende che la sua pistola non c'era, o non l'hanno trovata. Non sa cosa pensare, sente che le solide mattonelle su cui appoggiava i piedi stanno diventando sabbie mobili. Ci sono quattro persone che lo guardano fisso.

Quattro gatti affamati, un topo e l'avvocato del topo.

«Certo è strano», ragiona a voce alta il sostituto. «La prima cosa che vi viene in mente appena vi diciamo di quelle case è la parola armi, che noi non abbiamo neppure pronunciato. Vuole dirci qualcosa, signor Vinciguerra?».

Lui tace, l'avvocato tenta ancora di spargere una cortina fumogena: «Non avete il diritto...».

Ora è Gregori che si incazza.

«Il diritto? Noi non abbiamo il diritto?». Butta sul tavolo una manciata di fogli. Mandato di perquisizione, verbali di sequestro, firme, timbri. «Noi non abbiamo il diritto? Che puttanata sarebbe, avvocato? Noi cerchiamo un assassino, la capisce questa parola? Assassino. E l'assassino è il suo cliente. Se pensa che non abbiamo il diritto faccia ricorso».

Ora parla Ghezzi.

«Tranquillo, avvocato, si agita per niente. I colleghi le hanno detto niente armi, che vuol dire niente armi. Come mai tanta agitazione?».

Il Vinciguerra trema di rabbia sulla sua sedia, ha gli occhi sbarrati. Fa per dire qualcosa all'orecchio dell'avvocato che si ritira stizzito e parla.

«Noi abbiamo il diritto di conoscere tutti gli elementi...».

«Giusto», dice il sostituto.

«Ecco gli elementi», dice Ruggeri. Mette sulla scrivania di Gregori due pacchi. Uno è una scatola da scarpe.

«Questa era in una nicchia sopra la caldaia, non un grande nascondiglio», dice. E la apre. Dentro ci sono due bustine di polvere bianca. «Sa qualcosa di questa scatola?».

«No», dice il Vinciguerra.

«Possono essere cose delle ragazze che stavano lì», dice l'avvocato.

«Può darsi, quando le troveremo glielo chiederemo».

Poi Gregori si avvicina all'altro pacco. È un sacchetto di carta marrone che stava nella busta di plastica di un supermercato. Ora la busta è per terra vicino alla scrivania, e lì c'è solo quell'involto. Gregori si mette dei guanti di lattice e lo apre piano, come se maneggiasse la dinamite.

Appoggia sul tavolo, in fila, quello che c'è dentro, allinea gli oggetti come il banditore di un'asta.

Ci sono un orologio da tavolo in legno, una piccola icona russa, una statuetta alta venti centimetri e una scacchiera piccola, di quelle che si richiudono e diventano una scatola per i pezzi con cui giocare. Sembra delicata e preziosa, le caselle bianche sono d'avorio. Anche questa è roba antica.

Il Vinciguerra sbarra gli occhi come se avesse visto un coccodrillo del Nilo a un metro e mezzo. Diventa bianco, poi paonazzo.

«Che cazzata è? Cos'è quella roba? Io non l'ho mai vista... cosa cazzo?... Dov'era quella roba? Dove?». Ha urlato, ha tentato di alzarsi, Ruggeri l'ha subito rimesso giù premendogli forte su una spalla.

«Avvocato, dica al suo cliente di stare calmo, se no lo ammanettiamo».

L'avvocato non risponde, guarda nel vuoto.

Ghezzi non capisce. Ringrazia il cielo che tutti hanno occhi solo per il Vinciguerra, perché se guardassero lui vedrebbero lo stesso stupore, la meraviglia che diventa ghiaccio.

«Dove li abbiamo trovati è presto detto. Sotto uno dei letti, in via Gallarate al 7, come se non fossero nemmeno nascosti, a dirla tutta. Cosa sono invece è facile: la refurtiva del Crodi, quello che manca dal laboratorio del morto». Gregori ha parlato con voce piatta, come uno che legge la notizia al telegiornale, ma la notizia al Vinciguerra non piace per niente.

«Volete incastrarmi!», grida.

L'avvocato guarda da un'altra parte, si vede che pensa a quanto è coglione il suo cliente. Chiede ancora un rinvio dell'interrogatorio, il sostituto non gli risponde nemmeno. Parla Ghezzi, invece.

«Che cretino che sei, Vinciguerra... però io ti capisco. Andavi là, dal Crodi, tutto allegro e positivo a ritirare la tua roba... ancora non sappiamo cosa, ma ce lo dirai, o anche no, non ci serve... Insomma, andavi là a ritirare, e invece la tua roba non c'era più. Lo hai picchiato per farlo parlare, gli hai spezzato due dita. Poi gli hai tirato quel colpo di karate, come alla ragazza. Solo che lei aveva ventidue anni e il suo collo ha retto, il Crodi ne aveva più di settanta e il suo, di collo, si è spezzato. Fa un brutto rumore, vero? Fin qui è facile da capire... Ma a pensarci è facile anche quello che è successo dopo. Ti sei spaventato, il ladro che ti ha aperto la porta non c'era più, è scappato. Ti chiedevi: cos'avrà visto? Ma non ti sei fermato a riflettere. Il tuo futuro, per come te lo eri immaginato, stava andando a puttane, hai arraffato quattro cose che ti sembravano preziose e via, quasi senza pensarci. Dove sei andato, Vinciguerra, alle sette del mattino, sei passato da casa? O sei andato subito dal tuo alibi? La refurtiva nella casa di via Gallarate quando ce l'hai portata, subito? O hai aspettato qualche giorno?».

«Che cazzo dite? Quella roba non l'ho mai vista!». Urla. Le vene del collo sembrano il Mississippi quando ha piovuto molto.

L'avvocato sta zitto, gli mette una mano su un avambraccio, come per placarlo, ma è terreo anche lui.

«Basta!», dice. «Il mio assistito non risponderà più a nessuna domanda».

«Bene» dice il sostituto. «Sospendiamo in attesa di altri elementi. Ci vediamo qui... alle quattro?».

Gregori annuisce.
«Alle quattro».
Due agenti portano via il Vinciguerra, che grida come un ossesso. L'avvocato esce anche lui, senza salutare.
I quattro rimasti nella stanza si guardano. Il primo a riprendersi è Gregori.
«Dai, Ruggeri, muovi il culo. Ghezzi, vai con lui».

Ruggeri guida come uno posseduto dal demone della fretta. Il furgone con quelli della scientifica segue con calma, arriverà dopo, pazienza.
Ora Estelle Cardona è seduta su una sedia nella cucina sporca. Ci sono piatti ovunque, sul tavolo una carta di credito e un po' di strisce bianche, forse la sera prima non è riuscita a farsele tutte. Non capisce, all'inizio. Poi sì, è bianca come la tovaglia al matrimonio, prima del pranzo.
«Per il tuo Vinciguerra si mette male. Adesso sono cazzi tuoi», questo è Ruggeri.
Non parla, è stordita come se avesse preso una sberla forte.
«Allora?», questo è Ghezzi.
«Allora cosa?».
«Allora è favoreggiamento in un caso di omicidio. Lo sai cosa vuol dire, cretina? Vuol dire come minimo sette otto anni, sempre che non riusciamo a dimostrare che sei complice, allora te la giochi con il tuo amico tra i vent'anni e l'ergastolo... Ergastolo, pezzo di scema, come ti suona questa parola?».

Intanto sono arrivati due della scientifica, si mettono le tute bianche, due agenti in divisa stanno fuori dalla porta, i vicini si sporgono dalle scale per vedere cosa succede. La signorina Estelle piange, sempre sulla sua sedia. Ha addosso solo le mutande e una maglietta.

Ora c'è un po' di agitazione tra gli scienziati. Uno si affaccia alla cucina e fa un cenno a Ruggeri, gli mostra una cosa, gli spiega. In bagno c'è un piccolo cestino per i rifiuti, in alluminio, come quelli nelle camere d'albergo. L'hanno vuotato, ci sono preservativi, usati, carta, cose così. E dentro, una macchia marrone, come un baffo di sangue. Ruggeri annuisce e spiega di fare più in fretta che possono, per il Dna ci vorrà tempo, ma intanto vedere cos'è, il gruppo sanguigno... se sono fortunati...

Ghezzi prende una sedia e si siede di fronte alla donna, come se fosse un confessore. Lei è spaventata.

«Vuoi dire qualcosa? Sai qualcosa di quel sangue? È tuo? Se parli adesso ne terranno conto. A che ora è arrivato il Vinciguerra? Te lo dico io... alle sette di mattina? Alle sette e mezza? Quanto ti ha dato per raccontarci la storiella della notte brava?».

Lei tace. Ghezzi sospira, si guarda in giro. Lì dentro tutto dice disperazione e sporcizia. I preservativi usati vecchi di giorni, i piatti sporchi accatastati dentro e intorno al lavandino, la coca sul tavolo. Di là, in camera da letto, vestiti buttati ovunque, le lenzuola luride, tracce di coca anche su un comodino. Ora si sente una voce. Come una voce lontana, un bisbiglio.

«Mi ha dato delle cose da buttare. Una camicia e dei guanti sporchi. Li ho buttati nel cestino in bagno, poi nella spazzatura...».

Ghezzi e Ruggeri si guardano. Il sangue potrebbe essere quello del Crodi. Sono vicini, vicinissimi, ma sanno che non è il momento di interromperla, perché una confessione a volte è meglio di una prova scientifica.

«Mi ha dato la coca che aveva in tasca... una decina di grammi... Mi ha detto che mi avrebbe dato dei soldi, cinquemila».

«Te li ha dati?».

«Sì».

«Dove sono?».

La ragazza fa per alzarsi, ma Ghezzi la ferma. Allora lei indica un cassetto della cucina, Ghezzi si alza e lo apre. Forchette, cucchiaini, coltelli, un apriscatole, una mazzetta di soldi, biglietti da cinquanta, quattromila euro.

«Gli altri?».

«Li ho spesi».

«A che ora è arrivato?».

«Non lo so, prima delle otto».

Ora Ghezzi la prende per un braccio, la fa alzare, la porta in camera.

«Mettiti addosso qualcosa, dobbiamo portarti via».

Lei si muove a scatti, come un robottino di latta, e sembra ancora più fragile, si infila un paio di jeans e un giubbetto nero. I due in divisa che aspettavano fuori dalla porta la prendono, ognuno un braccio, le mettono le manette.

«Andiamo».

Vanno via anche Ghezzi e Ruggeri, quelli della scientifica rimangono lì, i sigilli li metteranno loro.

Alle sedici e dieci il Vinciguerra è di nuovo seduto sulla sua sedia, l'avvocato di fianco, il sostituto, Gregori, Ruggeri e Ghezzi li guardano senza dire niente.

«Vogliamo parlare ora, avvocato, oppure aspettiamo le analisi sulle tracce di sangue che abbiamo trovato dalla Cardona? Non ha nemmeno pulito per bene, ed è passato un mese, la prossima volta che ti serve un alibi il mio consiglio è di scegliertelo meglio».

«Troia maledetta... io...».

«Ti piacerebbe avercela due minuti per le mani, eh, stronzo? Le faresti quella mossa di karate che sai fare così bene, vero?».

L'avvocato è quello che ha i riflessi più pronti.

«Il mio cliente vuole fare una dichiarazione spontanea».

«Spontanea, eh!», dice il sostituto. Quasi gli ride in faccia.

Ma il Vinciguerra non fa nessuna dichiarazione. È paralizzato. Ha realizzato ora che torna in galera e non esce più.

«È un chiaro caso di preterintenzionale», dice l'avvocato. «Il mio cliente è stato provocato ed è venuto alle mani con il signor Crodi, la morte è stata un incidente».

«Sì, certo, avvocato. È un buon tentativo. Non tiene conto dei risultati dell'autopsia, della refurtiva, dei precedenti, ma capisco che...».

«Non l'ho mai vista, quella roba!», grida il Vinciguerra. Lo grida con tutto il fiato che ha, con la disperazione di chi vede il plotone d'esecuzione davanti a sé, e dietro le spalle ha un precipizio.

«Sì, sì, certo. Ora vediamo di chi è il sangue, aspettiamo le analisi... ma non ce n'è bisogno, il tuo alibi ha già ritrattato, un po' di coca e cinquemila euro non bastano per farsi vent'anni di galera, la ragazza l'ha capito tardi, ma l'ha capito».

Alle diciannove il sostituto procuratore Felisi, il capo Gregori e il sovrintendente Ruggeri si presentano alla conferenza stampa. Ghezzi era invitato, ma non c'è andato, è giusto che gli applausi li prenda Ruggeri. Spiegano la dinamica, la svolta degli appartamenti in uso al Vinciguerra, il ritrovamento della refurtiva, le tracce ematiche, l'alibi che non c'è più. Elementi più che sufficienti per...

I cronisti fanno qualche domanda, gli inquirenti rispondono come possono, e quando non sanno rispondere rimandano a ulteriori accertamenti, ma il quadro probatorio... Insomma, non c'è molto da dire, caso risolto, i cronisti corrono via.

Nella stanza di Ruggeri c'è una festicciola. Ci sono due bottiglie di prosecco su un tavolo, la macchinetta del caffè è stata saccheggiata di bicchierini bianchi che ora tutti alzano per brindare, anche Sannucci. Ghezzi passa davanti alla porta aperta, la giacca stazzonata, la sua cartella marrone in una mano.

«Venga a bere, sov!».
«No, Sannucci, vado a casa».

Invece non ci va. Esce dal portone principale e gira a sinistra. Arriva allo spiazzo dei cani, in mezzo al parco, e si siede lì, c'è il pienone della pisciata preserale. Il piccoletto attaccabrighe non si vede, però c'è un pastore tedesco maestoso, con gli occhi color nocciola, umidi, intelligenti.

Ghezzi pensa agli occhi del Vinciguerra, spalancati dalla sorpresa e dal terrore. E anche a quelli della cretina che gli ha venduto un alibi per pochi euro, due cerchi vuoti. Gli occhi di Carella, invece: due fessure cattive.

Ora è arrivato il piccoletto. Lo porta al guinzaglio una ragazza, che lo libera appena raggiunge il prato grande, saluta gli altri padroni di cani, è una specie di comunità. Il piccoletto si scatena subito, il lupo lo guarda con condiscendenza.

Ghezzi sta lì finché viene il buio, poi si muove, sale su un tram e fa il suo surf fino a casa. La Rosa è sul divano, ma la tivù è spenta, sta guardando lo schermo del computer nuovo, appoggiato in grembo.

«Tarcisio, te l'ho detto mille volte, se arrivi prima avverti, così preparo per bene...».

«Sì, Rosa, hai ragione. Ma non preoccuparti, non ho fame, anzi, dopo vestiti che usciamo a mangiare qualcosa, ma sul tardi, ora non mi va».

«Com'è andata la giornata?».

«Normale, Rosa. Io faccio l'impiegato, te lo vuoi mettere in testa?».

«Che peccato, e io che pensavo di aver sposato una specie di eroe».

Ride.

Ride anche lui, sotto la doccia.

Dopo una storia così, non compare la parola fine, non ci sono i titoli di coda. Il sovrintendente Ghezzi parlava, e poi non parlava più. Aveva finito, aveva fatto durare tre dita di whisky per tutto quel tempo, prelevandone qualche millilitro ad ogni sorso.

Ha alzato gli occhi verso Carlo Monterossi: è tutto, non c'è altro, non ho scordato nulla, ho detto la verità.

Oh, Carlo invece ne avrebbe, da dire!

È l'una passata da poco, le ragazze hanno scritto: Bianca ha accompagnato Rosa, il film niente male. La Rosa, contenta, ha scritto al marito. Bianca ha mandato a Carlo un altro messaggio, più intimo, lui ha letto e ha sorriso: Wonder Woman è stanca e va a dormire. Peccato.

Sì, ne avrebbe, da dire, ma cosa dire, però?

Il sovrintendente Ghezzi, il poliziotto sporco, il truffatore di vecchiette, il fabbricatore di prove false, lo sbirro integerrimo, il narratore perfetto, si è alzato, ha appoggiato il bicchiere e si è stirato i muscoli delle braccia, inarcando un po' la schiena, un Cristo in croce in quella penombra confortevole, solo un po' sovrappeso.

Dal salotto arrivano ancora folate di musica indistinguibile, una brezza di suono sincopato.

Senza dire niente, Ghezzi ha raggiunto l'ingresso e ha preso il suo soprabito. Carlo Monterossi ha fatto altrettanto, hanno atteso l'ascensore, zitti, e giù, in strada, si sono finalmente salutati.

«Grazie per la bella serata, Monterossi, la Rosa era contenta, il cibo ottimo e quella sua ragazza, Bianca, è un portento, se la tenga stretta».

«Le do un passaggio?», chiede Carlo indicando distrattamente la rampa che porta ai box.

«No, grazie, faccio volentieri quattro passi».

Si stringono la mano.

«Tanto so che mi ricapiterà tra i piedi, Monterossi, con quel suo amico e la Cirrielli avete un'abilità nel mettervi nei guai che...».

Lascia a mezzo la frase, come per sottolineare che non è un addio, è un arrivederci, e fa un sorrisino complice, quasi da amico.

Carlo sogghigna. Ha capito che Ghezzi vuole chiudere il discorso, come se il racconto di quella sera non ci fosse mai stato, come non valesse la pena parlarne. Nessun commento è richiesto. Ghezzi gli sta dicendo che il suo parere da uomo di mondo non può aggiungere o togliere nulla, che sarebbe irrilevante, che è meglio il silenzio. In più, non vuole dare l'impressione di cercare approvazione, o peggio ancora, scandalo e costernazione. Carlo capisce bene quell'andarsene in fretta, quel chiudere lo spioncino del confessionale e sparire verso la notte metallica dello scalo Farini. Lo guarda e pensa che è giusto così, che le sue perplessità non servirebbero a niente.

Il sovrintendente Ghezzi è già una sagoma che si allontana, il passo svelto, imbocca il vialone che va verso Porta Garibaldi, una figurina in marcia verso i grattacieli, illuminata da lampioni e fari in movimento, da luci bianche che tagliano tutto con righe dritte, spigoli nella notte.

Ora Carlo la vede, la bilancia truccata, con pesi non comparabili sui due bracci: di qua la sua tranquillità inscalfibile, appena turbata da qualche paturnia etica, un esercizio elegante di spirito critico, un democratico cinismo. Sì, sì, come no, un mondo migliore... certo, ci sto, ci sono, avvertitemi un po' prima... no, meglio un messaggio.

Di là, invece, la Cajenna dei cattivi, il peso delle botte e delle coltellate, i soldi che girano, le donne che girano anche loro come merce, pedine, vittime, i pesci piccoli, i pesci grossi e tutta quella merda che Ghezzi aveva messo in fila. Carlo pensa a quei quadri di Grosz, coi borghesi pasciuti che ostentano benessere e i derelitti macilenti, caricature feroci, ma, appunto: caricature.

No, troppo semplice, non va bene.

Non è letteratura o cinema, aveva detto il Ghezzi, e su questo aveva qualche ragione: i cattivi della sua storia non hanno appiccicato addosso nemmeno un grammo di poesia, o romanticismo, sono stronzi e basta, in una catena alimentare in cui altri sono più stronzi di loro.

Prende per Porta Venezia, le stradine del Lazzaretto, la piccola movida che si sta disperdendo. C'è una brezza limpida e fredda che punge la faccia, e fa piacere, tira a lucido le insegne luminose, le morbide penombre dei negozi fighetti dove di notte si tiene accesa la mezza luce, come a teatro, e i neon abbaglianti delle botteghe che cucinano ramen o zighinì. Un po' d'aria gli serve. Cammina.

Il bene, il male? Il dolore? Sporcarsi?

Come aveva detto il Ghezzi?

Sì, si sono sporcati tutti. Ma più delle parole lo aveva colpito quel gesto che aveva fatto con le mani: indicava un mondo che semplicemente non avrebbe potuto capire quella storia, un mondo a parte, protetto, incellofanato con quella plastica a pallini che difende dagli urti. Una zona accogliente e confortevole da cui osservare il degrado del mondo scuotendo la testa, signora mia, che ingiustizie!

E lo sbirro che manipola indizi e prove peggio ancora, no? Hai voglia a canticchiare il beat leggero:

«*But to live outside the law, you must be honest*».*

È sempre letteratura, mentre il Ghezzi non si era fatto sconti, una confessione in piena regola.

* Bob Dylan, *Absolutely Sweet Marie*.

Carella era finito tra le fiamme, le sue fiamme private che covavano da tempo, che la ragazza L aveva trasformato in vampate.

Fuori controllo? Forse.

E Ghezzi si era buttato a salvarlo, sapendo che si sarebbe scottato ma senza stare a pensarci più di tanto, e non si prendeva meriti, anzi, in tutto il racconto Ghezzi era stato sempre come dubbioso di se stesso, come incerto, sporcarsi per una lavatrice? Per un computer da regalare alla Rosa? Un tradimento dei suoi principi di bravo sbirro... per così poco? Ovvio che no.

Per amicizia, allora?

No, non bastava. Non era nemmeno quello, o non solo.

Gira l'angolo di via Lecco, i ristoranti e i locali stanno chiudendo, anche se passeggia spesso da quelle parti ci sono sempre insegne che gli sembrano nuove. I camerieri hanno spento le luci e si agitano dietro le vetrine, gruppetti di persone indugiano fuori dalle porte per i saluti, la sigaretta in mano, le risate trattenute, perché comunque è notte fonda, la gente dorme, domani si lavora, bisogna fare attenzione. Carlo li aggira catturando brandelli di chiacchiere.

No.

Il racconto del sovrintendente Ghezzi era un'altra cosa, pensa Carlo. Non una confessione, ma un rapporto, una corrispondenza da fuori, da quel «là fuori» che Carlo non può capire, che molti fingono non esista nemmeno.

I dettagli che Ghezzi aveva infilato nel suo racconto, le luci, gli ambienti, le parole, parlavano di persone sconfitte per sempre, di distanze incolmabili. La realtà bruta, non addomesticabile, niente che si possa rendere migliore con le luci giuste, la buona recitazione, o peggio, la pietà.

Quel sovrintendente di polizia, basso rango, quasi truppa, gli aveva ricordato un verso, un verso di un poeta:

Io so
Che un chiodo del mio stivale
*È più raccapricciante della fantasia di Goethe!**

Lui, Monterossi Carlo, che di mestiere pettina storie per la tivù, per la commozione e l'ottundimento di milioni di bravi cittadini, che fabbrica menzogne edificanti, che deforma il vero, ora sa perché quel gesto di Ghezzi, nel salottino, in penombra, lo aveva infastidito. Non solo descriveva tutto il suo mondo tranquillo e confortevole con uno spostamento della mano nell'aria, ma anche escludeva tutto il resto, gli altri mondi, le altre vite, sospese, doloranti, vergognose, per colpa o per sfortuna, per ingiustizia, per sopravvivenza, o avidità.
Una distanza, una voragine.

Ed ecco che Carlo Monterossi, mentre cammina piano verso il suo portone, ne fa ancora una faccenda let-

* Vladimir Majakovskij, *La nuvola in calzoni*.

teraria, e la riporta alle luci gentili e ai suoni noti della sua zona tranquilla e confortevole, nel castello ovattato, in quello spazio con gli airbag che è la sua vita, quella che Ghezzi aveva descritto solo muovendo una mano.

Al sicuro.

In casa, le luci erano rimaste accese, la musica suonava piano, il tavolo ancora ingombro, i bicchieri mezzi vuoti.

Ghost track

«Come ti chiami?».

«Oliver. Oliver Bemiako. Qui documento».

Il documento Carella non lo guarda nemmeno.

«Da dove vieni?».

«Ghana. Vicino Accra. Campagna».

«Ce l'hai un lavoro?».

«Io lavoro sì, tutto dentro documenti». Spinge sulla scrivania una cartellina trasparente piena di carte, Carella non la guarda nemmeno.

«Un posto dove stare ce l'hai? Dove dormi?».

«A casa di amico. C'è tutto in documenti». Indica ancora la cartellina, come un'implorazione. Una raccolta impressionante di permessi, richieste, bolli, moduli compilati, firme, contratti. Una pesca faticosa nella palude della burocrazia italiana, sprofondato fino ai fianchi nella modulistica, nelle regole che cambiano ogni minuto, nei funzionari che ti trattano male, nelle code in prefettura.

Carella firma un modulo, poi un altro. Il ragazzo è incredulo che non si metta a spulciare tra quelle carte, che non aggrotti la fronte per il solito «qui manca il timbro», «qui la fotocopia non è chiara», «qui manca la firma del datore di lavoro».

Non le tocca, non le guarda, il ragazzo non riesce a capire se è buono o brutto segno.

Poi Carella prende una carta diversa dalle altre, mette un timbro e qualche scarabocchio che dovrebbe essere una firma. Un altro timbro. Poi allunga il foglio sulla scrivania e guarda il ragazzo.

«Vai, Oliver, non fare lo stronzo, comportati bene».

Quello prende la carta in un modo rapido, quasi rapace, come se avesse un sotterraneo e misterioso timore che il poliziotto ci ripensi. Se ne va subito, veloce. Si affaccia un'altra persona.

Poi Carella sente una mano sulla spalla, da dietro.

«Oh, Ghezzi. Cos'è, scendi qui negli inferi a compiangere i forzati dell'ufficio stranieri?».

«No, vengo in pace a offrire un caffè».

Carella fa segno a un collega di sostituirlo per qualche minuto. In realtà se ne frega: tutti sanno che è lì in punizione, nessuno si aspetta da lui efficienza svizzera, è già tanto se si presenta al lavoro. Su Carella ci sono due scuole di pensiero, in questura, una minoritaria ma velenosa: che è uno mezzo sporco, che se la fa con la feccia. L'altra dice che è uscito dalla strada maestra e ha preso qualche scorciatoia, ma tutto per farla pagare a qualche stronzo che se lo meritava, e questo è apprezzabile. Comunque nessuno lo ama, è uno che sta sulle sue, che fa il lupo solitario, che non beve con i colleghi.

Fuori c'è il sole di inizio novembre, che si mostra come per chiedere il permesso alle nuvole, poi ci ripensa, poi viene fuori ancora. Invece di andare al bar di fronte, girano a destra, si siedono a un tavolino all'angolo, dove via Solferino diventa via Brera, i turisti non ci sono ancora, gli studenti dell'Accademia li riconosci perché sono vestiti da artisti, Ghezzi li invidia un po'.

«Per quanto ne hai?».

«Fine dell'anno».

«Beh, ancora due mesi, poteva andare peggio, non è Isernia, almeno».

Carella beve il suo caffè, guarda il passaggio lento della gente che raggiunge l'ufficio. Sembra placato, calmo.

Così non si dicono niente, stare in silenzio fa bene agli amici, certe volte. Carella lo guarda.

«Parlami, Ghezzi».

«Cosa vuoi che ti dica, Carella, alla fine è andata bene...». Un commento neutro, banale. Ma subito cambia tono. «Dimmi come hai fatto».

«Dai, Ghezzi, che importanza ha?».

L'altro non insiste, giocherella con un mazzo di chiavi, che è il suo modo di insistere. Di Ghezzi bisogna sapere la lingua, tradurlo, Carella la conosce, così cede.

«Va bene. Quando siamo andati là, al deposito del Salina, al ritorno dalla casa della zia, quando ti ho detto che ci provavo io, che magari c'era un altro impiegato... ti ricordi?».

«Sì».

«Non è vero che ci ho provato. Ho affittato una cassetta per me... col mio documento falso, tutto in regola, firme, timbri, contratto, pagamento anticipato, eccetera. Niente chiave, mi hanno dato un codice».

Ghezzi comincia a capire.

«Poi ci sono tornato...».

«Vado via due ore... quando abbiamo trovato il Vinciguerra».

«Sì. Un cliente che accede alla sua cassetta, una firma e via nei corridoi, ma con in tasca la chiave del Salina, il suo duplicato pagato tanto caro... i posti sono numerati, il corridoio giusto l'ho trovato subito. Ho preso la roba e sono uscito... l'ho piazzata nella casa del Vinciguerra, quella dove stavano le due ragazze nere, il giorno che è morta L. Avevo le chiavi, ci stava andando Ruggeri, dovevo fare in fretta, questione di minuti».

«Vuoi dire che sei andato in giro con quel macchinone e la refurtiva di un caso di omicidio nel bagagliaio?».

Carella tace. Forse fa il suo sorrisino da pezzo di merda, però tace. Così Ghezzi prende fiato e parla lui.

«È una cosa sbagliata, Carella. Se non trovavano il sangue del Crodi da quella poveretta avremmo avuto per sempre il dubbio di aver mandato all'ergastolo un innocente».

Carella sta zitto. È ovvio che ci ha pensato, è ovvio che lo sa. È evidente che non gliene frega un cazzo.

«Innocente?».

«Sì, innocente, Carella, anzi, innocente fino a prova contraria, non è che la prova contraria la puoi inventare tu...».

«Innocente». Carella l'ha detto con uno sbuffo cattivo.

Sono stati zitti per un po', il passaggio si è fatto più fitto, sono arrivati i turisti, ora l'assalto alla Pinacoteca, poi pranzo, poi shopping, poi albergo, cena, giornata piena, un lavoraccio, Wonderful Milan! Arrivano in piccoli manipoli.

Carella si è alzato.

«Devo tornare là».

Ghezzi annuisce.

«Vai, io rimango ancora un po', si sta bene qui».

Così resta seduto nell'aria freddina che gli fa piacere, guarda il flusso di pedoni, sfida lo sguardo del cameriere che comincia ad agitarsi. Un tavolino così e appena due caffè, occuparlo per un'ora... Ma non le vede le occhiate dei giapponesi?

Che stanchezza, pensa Ghezzi.

Carella non dà retta, non sente, combatte una guerra sua, non ascolta gli altri soldati, questo è male. Però passa in mezzo al fuoco senza scottarsi, è un delinquente integro, pensa come loro, può farsi passare per uno di loro, ma li disprezza, li odia.

Ghezzi no, Ghezzi li compiange un po'.

È trent'anni che vede quelle vite lì, marce, impaurite. Un rischio dietro ogni giorno del calendario, una paura mascherata da arroganza a ogni passo. Che fatica, che pena. E quanto ai cerchi nell'acqua ferma, non lo sono anche loro? Le mogli, i figli? Vittime, vite grame, in cambio di cosa? Un po' di soldi facili, una finta bella vita. Una carriera più difficile della sua, anche quella fatta di gradi, di promozioni, di gradini da salire, ma senza nessuna rete sotto, senza il materasso che attutisce il colpo, se cadi. Un errore e la paghi carissima, uno sgarro e sei morto. Celle affollate, rumore di chiavistelli, luci sempre accese, puzza di merda. Poi fuori di nuovo, le paure di prima, i rischi di prima.

E lui, Ghezzi, cosa fa?

Li prende, se c'è da prenderli, li porta da un magistrato, e dopo cazzi loro. Fa il suo lavoro, giorno dopo giorno, pensa, fa domande, cammina, Carella invece fa la guerra, ma non importa.

Dovrebbe essere questo la vita, no? Fare quel che si può, vedere scorrere i giorni, essere amici.

Non passa nemmeno un cane.

Peccato, pensa Ghezzi.

Indice

I cerchi nell'acqua

Questo volume è stato stampato
su carta Palatina
delle Cartiere di Fabriano
nel mese di marzo 2020
presso la Leva srl - Milano
e confezionato
presso IGF s.p.a. - Aldeno (TN)

La memoria

Ultimi volumi pubblicati

601 Augusto De Angelis. La barchetta di cristallo
602 Manuel Puig. Scende la notte tropicale
603 Gian Carlo Fusco. La lunga marcia
604 Ugo Cornia. Roma
605 Lisa Foa. È andata così
606 Vittorio Nisticò. L'Ora dei ricordi
607 Pablo De Santis. Il calligrafo di Voltaire
608 Anthony Trollope. Le torri di Barchester
609 Mario Soldati. La verità sul caso Motta
610 Jorge Ibargüengoitia. Le morte
611 Alicia Giménez-Bartlett. Un bastimento carico di riso
612 Luciano Folgore. La trappola colorata
613 Giorgio Scerbanenco. Rossa
614 Luciano Anselmi. Il palazzaccio
615 Guillaume Prévost. L'assassino e il profeta
616 John Ball. La calda notte dell'ispettore Tibbs
617 Michele Perriera. Finirà questa malìa?
618 Alexandre Dumas. I Cenci
619 Alexandre Dumas. I Borgia
620 Mario Specchio. Morte di un medico
621 Giorgio Frasca Polara. Cose di Sicilia e di siciliani
622 Sergej Dovlatov. Il Parco di Puškin
623 Andrea Camilleri. La pazienza del ragno
624 Pietro Pancrazi. Della tolleranza
625 Edith de la Héronnière. La ballata dei pellegrini
626 Roberto Bassi. Scaramucce sul lago Ladoga
627 Alexandre Dumas. Il grande dizionario di cucina
628 Eduardo Rebulla. Stati di sospensione

629 Roberto Bolaño. La pista di ghiaccio
630 Domenico Seminerio. Senza re né regno
631 Penelope Fitzgerald. Innocenza
632 Margaret Doody. Aristotele e i veleni di Atene
633 Salvo Licata. Il mondo è degli sconosciuti
634 Mario Soldati. Fuga in Italia
635 Alessandra Lavagnino. Via dei Serpenti
636 Roberto Bolaño. Un romanzetto canaglia
637 Emanuele Levi. Il giornale di Emanuele
638 Maj Sjöwall, Per Wahlöö. Roseanna
639 Anthony Trollope. Il Dottor Thorne
640 Studs Terkel. I giganti del jazz
641 Manuel Puig. Il tradimento di Rita Hayworth
642 Andrea Camilleri. Privo di titolo
643 Anonimo. Romanzo di Alessandro
644 Gian Carlo Fusco. A Roma con Bubù
645 Mario Soldati. La giacca verde
646 Luciano Canfora. La sentenza
647 Annie Vivanti. Racconti americani
648 Piero Calamandrei. Ada con gli occhi stellanti. Lettere 1908-1915
649 Budd Schulberg. Perché corre Sammy?
650 Alberto Vigevani. Lettera al signor Alzheryan
651 Isabelle de Charrière. Lettere da Losanna
652 Alexandre Dumas. La marchesa di Ganges
653 Alexandre Dumas. Murat
654 Constantin Photiadès. Le vite del conte di Cagliostro
655 Augusto De Angelis. Il candeliere a sette fiamme
656 Andrea Camilleri. La luna di carta
657 Alicia Giménez-Bartlett. Il caso del lituano
658 Jorge Ibargüengoitia. Ammazzate il leone
659 Thomas Hardy. Una romantica avventura
660 Paul Scarron. Romanzo buffo
661 Mario Soldati. La finestra
662 Roberto Bolaño. Monsieur Pain
663 Louis-Alexandre Andrault de Langeron. La battaglia di Austerlitz
664 William Riley Burnett. Giungla d'asfalto
665 Maj Sjöwall, Per Wahlöö. Un assassino di troppo
666 Guillaume Prévost. Jules Verne e il mistero della camera oscura
667 Honoré de Balzac. Massime e pensieri di Napoleone

668 Jules Michelet, Athénaïs Mialaret. Lettere d'amore
669 Gian Carlo Fusco. Mussolini e le donne
670 Pier Luigi Celli. Un anno nella vita
671 Margaret Doody. Aristotele e i Misteri di Eleusi
672 Mario Soldati. Il padre degli orfani
673 Alessandra Lavagnino. Un inverno. 1943-1944
674 Anthony Trollope. La Canonica di Framley
675 Domenico Seminerio. Il cammello e la corda
676 Annie Vivanti. Marion artista di caffè-concerto
677 Giuseppe Bonaviri. L'incredibile storia di un cranio
678 Andrea Camilleri. La vampa d'agosto
679 Mario Soldati. Cinematografo
680 Pierre Boileau, Thomas Narcejac. I vedovi
681 Honoré de Balzac. Il parroco di Tours
682 Béatrix Saule. La giornata di Luigi XIV. 16 novembre 1700
683 Roberto Bolaño. Il gaucho insostenibile
684 Giorgio Scerbanenco. Uomini ragno
685 William Riley Burnett. Piccolo Cesare
686 Maj Sjöwall, Per Wahlöö. L'uomo al balcone
687 Davide Camarrone. Lorenza e il commissario
688 Sergej Dovlatov. La marcia dei solitari
689 Mario Soldati. Un viaggio a Lourdes
690 Gianrico Carofiglio. Ragionevoli dubbi
691 Tullio Kezich. Una notte terribile e confusa
692 Alexandre Dumas. Maria Stuarda
693 Clemente Manenti. Ungheria 1956. Il cardinale e il suo custode
694 Andrea Camilleri. Le ali della sfinge
695 Gaetano Savatteri. Gli uomini che non si voltano
696 Giuseppe Bonaviri. Il sarto della stradalunga
697 Constant Wairy. Il valletto di Napoleone
698 Gian Carlo Fusco. Papa Giovanni
699 Luigi Capuana. Il Raccontafiabe
700
701 Angelo Morino. Rosso taranta
702 Michele Perriera. La casa
703 Ugo Cornia. Le pratiche del disgusto
704 Luigi Filippo d'Amico. L'uomo delle contraddizioni. Pirandello visto da vicino
705 Giuseppe Scaraffia. Dizionario del dandy

706 Enrico Micheli. Italo
707 Andrea Camilleri. Le pecore e il pastore
708 Maria Attanasio. Il falsario di Caltagirone
709 Roberto Bolaño. Anversa
710 John Mortimer. Nuovi casi per l'avvocato Rumpole
711 Alicia Giménez-Bartlett. Nido vuoto
712 Toni Maraini. La lettera da Benares
713 Maj Sjöwall, Per Wahlöö. Il poliziotto che ride
714 Budd Schulberg. I disincantati
715 Alda Bruno. Germani in bellavista
716 Marco Malvaldi. La briscola in cinque
717 Andrea Camilleri. La pista di sabbia
718 Stefano Vilardo. Tutti dicono Germania Germania
719 Marcello Venturi. L'ultimo veliero
720 Augusto De Angelis. L'impronta del gatto
721 Giorgio Scerbanenco. Annalisa e il passaggio a livello
722 Anthony Trollope. La Casetta ad Allington
723 Marco Santagata. Il salto degli Orlandi
724 Ruggero Cappuccio. La notte dei due silenzi
725 Sergej Dovlatov. Il libro invisibile
726 Giorgio Bassani. I Promessi Sposi. Un esperimento
727 Andrea Camilleri. Maruzza Musumeci
728 Furio Bordon. Il canto dell'orco
729 Francesco Laudadio. Scrivano Ingannamorte
730 Louise de Vilmorin. Coco Chanel
731 Alberto Vigevani. All'ombra di mio padre
732 Alexandre Dumas. Il cavaliere di Sainte-Hermine
733 Adriano Sofri. Chi è il mio prossimo
734 Gianrico Carofiglio. L'arte del dubbio
735 Jacques Boulenger. Il romanzo di Merlino
736 Annie Vivanti. I divoratori
737 Mario Soldati. L'amico gesuita
738 Umberto Domina. La moglie che ha sbagliato cugino
739 Maj Sjöwall, Per Wahlöö. L'autopompa fantasma
740 Alexandre Dumas. Il tulipano nero
741 Giorgio Scerbanenco. Sei giorni di preavviso
742 Domenico Seminerio. Il manoscritto di Shakespeare
743 André Gorz. Lettera a D. Storia di un amore
744 Andrea Camilleri. Il campo del vasaio

745 Adriano Sofri. Contro Giuliano. Noi uomini, le donne e l'aborto
746 Luisa Adorno. Tutti qui con me
747 Carlo Flamigni. Un tranquillo paese di Romagna
748 Teresa Solana. Delitto imperfetto
749 Penelope Fitzgerald. Strategie di fuga
750 Andrea Camilleri. Il casellante
751 Mario Soldati. ah! il Mundial!
752 Giuseppe Bonarivi. La divina foresta
753 Maria Savi-Lopez. Leggende del mare
754 Francisco García Pavón. Il regno di Witiza
755 Augusto De Angelis. Giobbe Tuama & C.
756 Eduardo Rebulla. La misura delle cose
757 Maj Sjöwall, Per Wahlöö. Omicidio al Savoy
758 Gaetano Savatteri. Uno per tutti
759 Eugenio Baroncelli. Libro di candele
760 Bill James. Protezione
761 Marco Malvaldi. Il gioco delle tre carte
762 Giorgio Scerbanenco. La bambola cieca
763 Danilo Dolci. Racconti siciliani
764 Andrea Camilleri. L'età del dubbio
765 Carmelo Samonà. Fratelli
766 Jacques Boulenger. Lancillotto del Lago
767 Hans Fallada. E adesso, pover'uomo?
768 Alda Bruno. Tacchino farcito
769 Gian Carlo Fusco. La Legione straniera
770 Piero Calamandrei. Per la scuola
771 Michèle Lesbre. Il canapé rosso
772 Adriano Sofri. La notte che Pinelli
773 Sergej Dovlatov. Il giornale invisibile
774 Tullio Kezich. Noi che abbiamo fatto La dolce vita
775 Mario Soldati. Corrispondenti di guerra
776 Maj Sjöwall, Per Wahlöö. L'uomo che andò in fumo
777 Andrea Camilleri. Il sonaglio
778 Michele Perriera. I nostri tempi
779 Alberto Vigevani. Il battello per Kew
780 Alicia Giménez-Bartlett. Il silenzio dei chiostri
781 Angelo Morino. Quando internet non c'era
782 Augusto De Angelis. Il banchiere assassinato
783 Michel Maffesoli. Icone d'oggi

784 Mehmet Murat Somer. Scandaloso omicidio a Istanbul
785 Francesco Recami. Il ragazzo che leggeva Maigret
786 Bill James. Confessione
787 Roberto Bolaño. I detective selvaggi
788 Giorgio Scerbanenco. Nessuno è colpevole
789 Andrea Camilleri. La danza del gabbiano
790 Giuseppe Bonaviri. Notti sull'altura
791 Giuseppe Tornatore. Baarìa
792 Alicia Giménez-Bartlett. Una stanza tutta per gli altri
793 Furio Bordon. A gentile richiesta
794 Davide Camarrone. Questo è un uomo
795 Andrea Camilleri. La rizzagliata
796 Jacques Bonnet. I fantasmi delle biblioteche
797 Marek Edelman. C'era l'amore nel ghetto
798 Danilo Dolci. Banditi a Partinico
799 Vicki Baum. Grand Hotel
800
801 Anthony Trollope. Le ultime cronache del Barset
802 Arnoldo Foà. Autobiografia di un artista burbero
803 Herta Müller. Lo sguardo estraneo
804 Gianrico Carofiglio. Le perfezioni provvisorie
805 Gian Mauro Costa. Il libro di legno
806 Carlo Flamigni. Circostanze casuali
807 Maj Sjöwall, Per Wahlöö. L'uomo sul tetto
808 Herta Müller. Cristina e il suo doppio
809 Martin Suter. L'ultimo dei Weynfeldt
810 Andrea Camilleri. Il nipote del Negus
811 Teresa Solana. Scorciatoia per il paradiso
812 Francesco M. Cataluccio. Vado a vedere se di là è meglio
813 Allen S. Weiss. Baudelaire cerca gloria
814 Thornton Wilder. Idi di marzo
815 Esmahan Aykol. Hotel Bosforo
816 Davide Enia. Italia-Brasile 3 a 2
817 Giorgio Scerbanenco. L'antro dei filosofi
818 Pietro Grossi. Martini
819 Budd Schulberg. Fronte del porto
820 Andrea Camilleri. La caccia al tesoro
821 Marco Malvaldi. Il re dei giochi
822 Francisco García Pavón. Le sorelle scarlatte
823 Colin Dexter. L'ultima corsa per Woodstock

824 Augusto De Angelis. Sei donne e un libro
825 Giuseppe Bonaviri. L'enorme tempo
826 Bill James. Club
827 Alicia Giménez-Bartlett. Vita sentimentale di un camionista
828 Maj Sjöwall, Per Wahlöö. La camera chiusa
829 Andrea Molesini. Non tutti i bastardi sono di Vienna
830 Michèle Lesbre. Nina per caso
831 Herta Müller. In trappola
832 Hans Fallada. Ognuno muore solo
833 Andrea Camilleri. Il sorriso di Angelica
834 Eugenio Baroncelli. Mosche d'inverno
835 Margaret Doody. Aristotele e i delitti d'Egitto
836 Sergej Dovlatov. La filiale
837 Anthony Trollope. La vita oggi
838 Martin Suter. Com'è piccolo il mondo!
839 Marco Malvaldi. Odore di chiuso
840 Giorgio Scerbanenco. Il cane che parla
841 Festa per Elsa
842 Paul Léautaud. Amori
843 Claudio Coletta. Viale del Policlinico
844 Luigi Pirandello. Racconti per una sera a teatro
845 Andrea Camilleri. Gran Circo Taddei e altre storie di Vigàta
846 Paolo Di Stefano. La catastròfa. Marcinelle 8 agosto 1956
847 Carlo Flamigni. Senso comune
848 Antonio Tabucchi. Racconti con figure
849 Esmahan Aykol. Appartamento a Istanbul
850 Francesco M. Cataluccio. Chernobyl
851 Colin Dexter. Al momento della scomparsa la ragazza indossava
852 Simonetta Agnello Hornby. Un filo d'olio
853 Lawrence Block. L'Ottavo Passo
854 Carlos María Domínguez. La casa di carta
855 Luciano Canfora. La meravigliosa storia del falso Artemidoro
856 Ben Pastor. Il Signore delle cento ossa
857 Francesco Recami. La casa di ringhiera
858 Andrea Camilleri. Il gioco degli specchi
859 Giorgio Scerbanenco. Lo scandalo dell'osservatorio astronomico
860 Carla Melazzini. Insegnare al principe di Danimarca
861 Bill James. Rose, rose
862 Roberto Bolaño, A. G. Porta. Consigli di un discepolo di Jim Morrison a un fanatico di Joyce

863 Stefano Benni. La traccia dell'angelo
864 Martin Suter. Allmen e le libellule
865 Giorgio Scerbanenco. Nebbia sul Naviglio e altri racconti gialli e neri
866 Danilo Dolci. Processo all'articolo 4
867 Maj Sjöwall, Per Wahlöö. Terroristi
868 Ricardo Romero. La sindrome di Rasputin
869 Alicia Giménez-Bartlett. Giorni d'amore e inganno
870 Andrea Camilleri. La setta degli angeli
871 Guglielmo Petroni. Il nome delle parole
872 Giorgio Fontana. Per legge superiore
873 Anthony Trollope. Lady Anna
874 Gian Mauro Costa, Carlo Flamigni, Alicia Giménez-Bartlett, Marco Malvaldi, Ben Pastor, Santo Piazzese, Francesco Recami. Un Natale in giallo
875 Marco Malvaldi. La carta più alta
876 Franz Zeise. L'Armada
877 Colin Dexter. Il mondo silenzioso di Nicholas Quinn
878 Salvatore Silvano Nigro. Il Principe fulvo
879 Ben Pastor. Lumen
880 Dante Troisi. Diario di un giudice
881 Ginevra Bompiani. La stazione termale
882 Andrea Camilleri. La Regina di Pomerania e altre storie di Vigàta
883 Tom Stoppard. La sponda dell'utopia
884 Bill James. Il detective è morto
885 Margaret Doody. Aristotele e la favola dei due corvi bianchi
886 Hans Fallada. Nel mio paese straniero
887 Esmahan Aykol. Divorzio alla turca
888 Angelo Morino. Il film della sua vita
889 Eugenio Baroncelli. Falene. 237 vite quasi perfette
890 Francesco Recami. Gli scheletri nell'armadio
891 Teresa Solana. Sette casi di sangue e una storia d'amore
892 Daria Galateria. Scritti galeotti
893 Andrea Camilleri. Una lama di luce
894 Martin Suter. Allmen e il diamante rosa
895 Carlo Flamigni. Giallo uovo
896 Maj Sjöwall, Per Wahlöö. Il milionario
897 Gian Mauro Costa. Festa di piazza
898 Gianni Bonina. I sette giorni di Allah
899 Carlo María Domínguez. La costa cieca

900
901 Colin Dexter. Niente vacanze per l'ispettore Morse
902 Francesco M. Cataluccio. L'ambaradan delle quisquiglie
903 Giuseppe Barbera. Conca d'oro
904 Andrea Camilleri. Una voce di notte
905 Giuseppe Scaraffia. I piaceri dei grandi
906 Sergio Valzania. La Bolla d'oro
907 Héctor Abad Faciolince. Trattato di culinaria per donne tristi
908 Mario Giorgianni. La forma della sorte
909 Marco Malvaldi. Milioni di milioni
910 Bill James. Il mattatore
911 Esmahan Aykol, Andrea Camilleri, Gian Mauro Costa, Marco Malvaldi, Antonio Manzini, Francesco Recami. Capodanno in giallo
912 Alicia Giménez-Bartlett. Gli onori di casa
913 Giuseppe Tornatore. La migliore offerta
914 Vincenzo Consolo. Esercizi di cronaca
915 Stanisław Lem. Solaris
916 Antonio Manzini. Pista nera
917 Xiao Bai. Intrigo a Shanghai
918 Ben Pastor. Il cielo di stagno
919 Andrea Camilleri. La rivoluzione della luna
920 Colin Dexter. L'ispettore Morse e le morti di Jericho
921 Paolo Di Stefano. Giallo d'Avola
922 Francesco M. Cataluccio. La memoria degli Uffizi
923 Alan Bradley. Aringhe rosse senza mostarda
924 Davide Enia. maggio '43
925 Andrea Molesini. La primavera del lupo
926 Eugenio Baroncelli. Pagine bianche. 55 libri che non ho scritto
927 Roberto Mazzucco. I sicari di Trastevere
928 Ignazio Buttitta. La peddi nova
929 Andrea Camilleri. Un covo di vipere
930 Lawrence Block. Un'altra notte a Brooklyn
931 Francesco Recami. Il segreto di Angela
932 Andrea Camilleri, Gian Mauro Costa, Alicia Giménez-Bartlett, Marco Malvaldi, Antonio Manzini, Francesco Recami. Ferragosto in giallo
933 Alicia Giménez-Bartlett. Segreta Penelope
934 Bill James. Tip Top
935 Davide Camarrone. L'ultima indagine del Commissario
936 Storie della Resistenza

937 John Glassco. Memorie di Montparnasse
938 Marco Malvaldi. Argento vivo
939 Andrea Camilleri. La banda Sacco
940 Ben Pastor. Luna bugiarda
941 Santo Piazzese. Blues di mezz'autunno
942 Alan Bradley. Il Natale di Flavia de Luce
943 Margaret Doody. Aristotele nel regno di Alessandro
944 Maurizio de Giovanni, Alicia Giménez-Bartlett, Bill James, Marco Malvaldi, Antonio Manzini, Francesco Recami. Regalo di Natale
945 Anthony Trollope. Orley Farm
946 Adriano Sofri. Machiavelli, Tupac e la Principessa
947 Antonio Manzini. La costola di Adamo
948 Lorenza Mazzetti. Diario londinese
949 Gian Mauro Costa, Alicia Giménez-Bartlett, Marco Malvaldi, Antonio Manzini, Francesco Recami. Carnevale in giallo
950 Marco Steiner. Il corvo di pietra
951 Colin Dexter. Il mistero del terzo miglio
952 Jennifer Worth. Chiamate la levatrice
953 Andrea Camilleri. Inseguendo un'ombra
954 Nicola Fantini, Laura Pariani. Nostra Signora degli scorpioni
955 Davide Camarrone. Lampaduza
956 José Roman. Chez Maxim's. Ricordi di un fattorino
957 Luciano Canfora. 1914
958 Alessandro Robecchi. Questa non è una canzone d'amore
959 Gian Mauro Costa. L'ultima scommessa
960 Giorgio Fontana. Morte di un uomo felice
961 Andrea Molesini. Presagio
962 La partita di pallone. Storie di calcio
963 Andrea Camilleri. La piramide di fango
964 Beda Romano. Il ragazzo di Erfurt
965 Anthony Trollope. Il Primo Ministro
966 Francesco Recami. Il caso Kakoiannis-Sforza
967 Alan Bradley. A spasso tra le tombe
968 Claudio Coletta. Amstel blues
969 Alicia Giménez-Bartlett, Marco Malvaldi, Antonio Manzini, Francesco Recami, Alessandro Robecchi, Gaetano Savatteri. Vacanze in giallo
970 Carlo Flamigni. La compagnia di Ramazzotto
971 Alicia Giménez-Bartlett. Dove nessuno ti troverà

972 Colin Dexter. Il segreto della camera 3
973 Adriano Sofri. Reagì Mauro Rostagno sorridendo
974 Augusto De Angelis. Il canotto insanguinato
975 Esmahan Aykol. Tango a Istanbul
976 Josefina Aldecoa. Storia di una maestra
977 Marco Malvaldi. Il telefono senza fili
978 Franco Lorenzoni. I bambini pensano grande
979 Eugenio Baroncelli. Gli incantevoli scarti. Cento romanzi di cento parole
980 Andrea Camilleri. Morte in mare aperto e altre indagini del giovane Montalbano
981 Ben Pastor. La strada per Itaca
982 Esmahan Aykol, Alan Bradley, Gian Mauro Costa, Maurizio de Giovanni, Nicola Fantini e Laura Pariani, Alicia Giménez-Bartlett, Francesco Recami. La scuola in giallo
983 Antonio Manzini. Non è stagione
984 Antoine de Saint-Exupéry. Il Piccolo Principe
985 Martin Suter. Allmen e le dalie
986 Piero Violante. Swinging Palermo
987 Marco Balzano, Francesco M. Cataluccio, Neige De Benedetti, Paolo Di Stefano, Giorgio Fontana, Helena Janeczek. Milano
988 Colin Dexter. La fanciulla è morta
989 Manuel Vázquez Montalbán. Galíndez
990 Federico Maria Sardelli. L'affare Vivaldi
991 Alessandro Robecchi. Dove sei stanotte
992 Nicola Fantini e Laura Pariani, Marco Malvaldi, Dominique Manotti, Antonio Manzini, Francesco Recami, Gaetano Savatteri. La crisi in giallo
993 Jennifer. Worth. Tra le vite di Londra
994 Hai voluto la bicicletta. Il piacere della fatica
995 Alan Bradley. Un segreto per Flavia de Luce
996 Giampaolo Simi. Cosa resta di noi
997 Alessandro Barbero. Il divano di Istanbul
998 Scott Spencer. Un amore senza fine
999 Antonio Tabucchi. La nostalgia del possibile
1000 La memoria di Elvira
1001 Andrea Camilleri. La giostra degli scambi
1002 Enrico Deaglio. Storia vera e terribile tra Sicilia e America
1003 Francesco Recami. L'uomo con la valigia
1004 Fabio Stassi. Fumisteria

1005 Alicia Giménez-Bartlett, Marco Malvaldi, Antonio Manzini, Santo Piazzese, Francesco Recami, Gaetano Savatteri. Turisti in giallo
1006 Bill James. Un taglio radicale
1007 Alexander Langer. Il viaggiatore leggero. Scritti 1961-1995
1008 Antonio Manzini. Era di maggio
1009 Alicia Giménez-Bartlett. Sei casi per Petra Delicado
1010 Ben Pastor. Kaputt Mundi
1011 Nino Vetri. Il Michelangelo
1012 Andrea Camilleri. Le vichinghe volanti e altre storie d'amore a Vigàta
1013 Elvio Fassone. Fine pena: ora
1014 Dominique Manotti. Oro nero
1015 Marco Steiner. Oltremare
1016 Marco Malvaldi. Buchi nella sabbia
1017 Pamela Lyndon Travers. Zia Sass
1018 Giosuè Calaciura, Gianni Di Gregorio, Antonio Manzini, Fabio Stassi, Giordano Tedoldi, Chiara Valerio. Storie dalla città eterna
1019 Giuseppe Tornatore. La corrispondenza
1020 Rudi Assuntino, Wlodek Goldkorn. Il guardiano. Marek Edelman racconta
1021 Antonio Manzini. Cinque indagini romane per Rocco Schiavone
1022 Lodovico Festa. La provvidenza rossa
1023 Giuseppe Scaraffia. Il demone della frivolezza
1024 Colin Dexter. Il gioiello che era nostro
1025 Alessandro Robecchi. Di rabbia e di vento
1026 Yasmina Khadra. L'attentato
1027 Maj Sjöwall, Tomas Ross. La donna che sembrava Greta Garbo
1028 Daria Galateria. L'etichetta alla corte di Versailles. Dizionario dei privilegi nell'età del Re Sole
1029 Marco Balzano. Il figlio del figlio
1030 Marco Malvaldi. La battaglia navale
1031 Fabio Stassi. La lettrice scomparsa
1032 Esmahan Aykol, Gian Mauro Costa, Alicia Giménez-Bartlett, Marco Malvaldi, Antonio Manzini, Francesco Recami, Gaetano Savatteri. Il calcio in giallo
1033 Sergej Dovlatov. Taccuini
1034 Andrea Camilleri. L'altro capo del filo
1035 Francesco Recami. Morte di un ex tappezziere
1036 Alan Bradley. Flavia de Luce e il delitto nel campo dei cetrioli
1037 Manuel Vázquez Montalbán. Io, Franco

1038 Antonio Manzini. 7-7-2007
1039 Luigi Natoli. I Beati Paoli
1040 Gaetano Savatteri. La fabbrica delle stelle
1041 Giorgio Fontana. Un solo paradiso
1042 Dominique Manotti. Il sentiero della speranza
1043 Marco Malvaldi. Sei casi al BarLume
1044 Ben Pastor. I piccoli fuochi
1045 Luciano Canfora. 1956. L'anno spartiacque
1046 Andrea Camilleri. La cappella di famiglia e altre storie di Vigàta
1047 Nicola Fantini, Laura Pariani. Che Guevara aveva un gallo
1048 Colin Dexter. La strada nel bosco
1049 Claudio Coletta. Il manoscritto di Dante
1050 Giosuè Calaciura, Andrea Camilleri, Francesco M. Cataluccio, Alicia Giménez-Bartlett, Antonio Manzini, Francesco Recami, Fabio Stassi. Storie di Natale
1051 Alessandro Robecchi. Torto marcio
1052 Bill James. Uccidimi
1053 Alan Bradley. La morte non è cosa per ragazzine
1054 Émile Zola. Il denaro
1055 Andrea Camilleri. La mossa del cavallo
1056 Francesco Recami. Commedia nera n. 1
1057 Marco Consentino, Domenico Dodaro, Luigi Panella. I fantasmi dell'Impero
1058 Dominique Manotti. Le mani su Parigi
1059 Antonio Manzini. La giostra dei criceti
1060 Gaetano Savatteri. La congiura dei loquaci
1061 Sergio Valzania. Sparta e Atene. Il racconto di una guerra
1062 Heinz Rein. Berlino. Ultimo atto
1063 Honoré de Balzac. Albert Savarus
1064 Alicia Giménez-Bartlett, Marco Malvaldi, Antonio Manzini, Francesco Recami, Alessandro Robecchi, Gaetano Savatteri. Viaggiare in giallo
1065 Fabio Stassi. Angelica e le comete
1066 Andrea Camilleri. La rete di protezione
1067 Ben Pastor. Il morto in piazza
1068 Luigi Natoli. Coriolano della Floresta
1069 Francesco Recami. Sei storie della casa di ringhiera
1070 Giampaolo Simi. La ragazza sbagliata
1071 Alessandro Barbero. Federico il Grande
1072 Colin Dexter. Le figlie di Caino

1073 Antonio Manzini. Pulvis et umbra
1074 Jennifer Worth. Le ultime levatrici dell'East End
1075 Tiberio Mitri. La botta in testa
1076 Francesco Recami. L'errore di Platini
1077 Marco Malvaldi. Negli occhi di chi guarda
1078 Pietro Grossi. Pugni
1079 Edgardo Franzosini. Il mangiatore di carta. Alcuni anni della vita di Johann Ernst Biren
1080 Alan Bradley. Flavia de Luce e il cadavere nel camino
1081 Anthony Trollope. Potete perdonarla?
1082 Andrea Camilleri. Un mese con Montalbano
1083 Emilio Isgrò. Autocurriculum
1084 Cyril Hare. Un delitto inglese
1085 Simonetta Agnello Hornby, Esmahan Aykol, Andrea Camilleri, Gian Mauro Costa, Alicia Giménez-Bartlett, Marco Malvaldi, Antonio Manzini, Santo Piazzese, Francesco Recami, Alessandro Robecchi, Gaetano Savatteri, Fabio Stassi. Un anno in giallo
1086 Alessandro Robecchi. Follia maggiore
1087 S. N. Behrman. Duveen. Il re degli antiquari
1088 Andrea Camilleri. La scomparsa di Patò
1089 Gian Mauro Costa. Stella o croce
1090 Adriano Sofri. Una variazione di Kafka
1091 Giuseppe Tornatore, Massimo De Rita. Leningrado
1092 Alicia Giménez-Bartlett. Mio caro serial killer
1093 Walter Kempowski. Tutto per nulla
1094 Francesco Recami. La clinica Riposo & Pace. Commedia nera n. 2
1095 Margaret Doody. Aristotele e la Casa dei Venti
1096 Antonio Manzini. L'anello mancante. Cinque indagini di Rocco Schiavone
1097 Maria Attanasio. La ragazza di Marsiglia
1098 Duško Popov. Spia contro spia
1099 Fabio Stassi. Ogni coincidenza ha un'anima
1100
1101 Andrea Camilleri. Il metodo Catalanotti
1102 Giampaolo Simi. Come una famiglia
1103 P. T. Barnum. Battaglie e trionfi. Quarant'anni di ricordi
1104 Colin Dexter. La morte mi è vicina
1105 Marco Malvaldi. A bocce ferme
1106 Enrico Deaglio. La zia Irene e l'anarchico Tresca

1107 Len Deighton. SS-GB. I nazisti occupano Londra
1108 Maksim Gor'kij. Lenin, un uomo
1109 Ben Pastor. La notte delle stelle cadenti
1110 Antonio Manzini. Fate il vostro gioco
1111 Andrea Camilleri. Gli arancini di Montalbano
1112 Francesco Recami. Il diario segreto del cuore
1113 Salvatore Silvano Nigro. La funesta docilità
1114 Dominique Manotti. Vite bruciate
1115 Anthony Trollope. Phineas Finn
1116 Martin Suter. Il talento del cuoco
1117 John Julius Norwich. Breve storia della Sicilia
1118 Gaetano Savatteri. Il delitto di Kolymbetra
1119 Roberto Alajmo. Repertorio dei pazzi della città di Palermo
1120 Andrea Camilleri, Gian Mauro Costa, Alicia Giménez-Bartlett, Marco Malvaldi, Dominique Manotti, Santo Piazzese, Francesco Recami, Gaetano Savatteri. Una giornata in giallo
1121 Giosuè Calaciura. Il tram di Natale
1122 Antonio Manzini. Rien ne va plus
1123 Uwe Timm. Un mondo migliore
1124 Franco Lorenzoni. I bambini ci guardano. Una esperienza educativa controvento
1125 Alicia Giménez-Bartlett. Exit
1126 Claudio Coletta. Prima della neve
1127 Alejo Carpentier. Guerra del tempo
1128 Lodovico Festa. La confusione morale
1129 Jenny Erpenbeck. Di passaggio
1130 Alessandro Robecchi. I tempi nuovi
1131 Jane Gardam. Figlio dell'Impero Britannico
1132 Andrea Molesini. Dove un'ombra sconsolata mi cerca
1133 Yokomizo Seishi. Il detective Kindaichi
1134 Ildegarda di Bingen. Cause e cure delle infermità
1135 Graham Greene. Il console onorario
1136 Marco Malvaldi, Glay Ghammouri. Vento in scatola
1137 Andrea Camilleri. Il cuoco dell'Alcyon
1138 Nicola Fantini, Laura Pariani. Arrivederci, signor Čajkovskij
1139 Francesco Recami. L'atroce delitto di via Lurcini. Commedia nera n. 3
1140 Gian Mauro Costa, Marco Malvaldi, Santo Piazzese, Francesco Recami, Alessandro Robecchi, Gaetano Savatteri, Giampaolo Simi, Fabio Stassi. Cinquanta in blu. Otto racconti gialli

1141 Colin Dexter. Il giorno del rimorso
1142 Maurizio de Giovanni. Dodici rose a Settembre
1143 Ben Pastor. La canzone del cavaliere
1144 Tom Stoppard. Rosencrantz e Guildenstern sono morti
1145 Franco Cardini. Lawrence d'Arabia. La vanità e la passione di un eroico perdente
1146 Giampaolo Simi. I giorni del giudizio
1147 Katharina Adler. Ida
1148 Francesco Recami. La verità su Amedeo Consonni
1149 Graham Greene. Il treno per Istanbul
1150 Roberto Alajmo, Maria Attanasio, Giosuè Calaciura, Davide Camarrone, Giorgio Fontana, Alicia Giménez-Bartlett, Antonio Manzini, Andrea Molesini, Uwe Timm. Cinquanta in blu. Storie
1151 Adriano Sofri. Il martire fascista. Una storia equivoca e terribile
1152 Alan Bradley. Il gatto striato miagola tre volte. Un romanzo di Flavia de Luce
1153 Anthony Trollope. Natale a Thompson Hall e altri racconti
1154 Furio Scarpelli. Amori nel fragore della metropoli
1155 Antonio Manzini. Ah l'amore l'amore
1156 Alejo Carpentier. L'arpa e l'ombra
1157 Katharine Burdekin. La notte della svastica
1158 Gian Mauro Costa. Mercato nero
1159 Maria Attanasio. Lo splendore del niente e altre storie